矛盾と創造

自らの問いを解くための方法論

小坂井敏晶

装丁　太田徹也

はじめに

考えるヒントを求める人々、特に学生や若い研究者に向けて本書を構想した。前著『答えのない世界を生きる』は学問論であり、その考えに至った私の半生を描く構成だった。本書は今までに上梓した『責任という虚構』から『人が人を裁くということ』『神の亡霊　近代という物語』を経て『格差という虚構』に至るまでの執筆経緯を分析する。矛盾の解き方を先達からどう学び、どう活用したのか。

文献収集や調査の方法、論文の書き方、斬新なテーマを見つけるコツなど研究の手引がたくさん出版されている。それらはプロになるための手ほどきだ。本書の狙いは違う。技術やノウハウの前に学ぶべき、もっと根本的なことがある。パリ第八大学でフランスの学生に説いてきた知のあり方であり、方法論である。

『社会心理学講義』も方法論だったが、本書は社会科学全般に視野を広げるとともに矛盾の一般的解法に焦点を絞った。また前者は内容に重心を置いたが、本書は形式に注目し、より抽象的次元での解法を目指す。

本書の主張は次の三点に要約できる。

①矛盾を妥協的に解消せず、背後に隠れる根本的な問題と対峙しなければならない。その際、思考の

型が役立つ。分野を横断して共通する型を学ぼう。

②対象を見る側が変わらなければ、問いも答えも視野に入らない。それは頭だけでできる作業でなく、心と身体を懸ける闘いである。

③創造、創造と巷がやかましい。どうしたら独創的な仕事ができるかという問いは出発点からしてすでに的外れだ。斬新な研究テーマやアプローチを求める者は他人と比べている。そこがそもそも独創的でない。科学者にとっても思想家にとっても芸術家にとっても本当に大切なのは自分自身と向き合うことであり、その困難を自覚することだ。創造性の呪縛から解放されよう。

独創的な研究を目指す者は、自分の見つけた問いや答えが他の人によってすでに発表されていると、がっかりする。だが、それはおかしい。答えを他の人が提示していないかと私もまず本や論文を読み漁る。自分のアプローチの斬新さを確認するためではない。他人の頭を使って解決できるならば、私が答えを見つける必要などない。カントやウィトゲンシュタインのような難解な本も、読むのは同じ内容を自分で書くよりはるかに易しい。だが、誰も満足な答えを教えてくれないから、仕方なしに自分で考えるのである。

本書は大学院生に向けた高度な研究手引ではない。具体的材料や表現は段階に合わせる必要があるが、三つの主張はどれも子ども時代に学ぶべき基礎である。

本書の構成を簡単に示す。

天文学と影響理論の変遷を題材に第一章で巨匠の思考法に注目する。アリストテレスからコペルニクス・ケプラー・ニュートンを経てアインシュタインにつながる天文学の系譜を眺めよう。独創的な理論を発表しようなどと彼らは考えなかった。先達の理論の不備を敏感に嗅ぎ取り、より完全な理論に仕上げようとしただけだ。社会心理学で影響理論を練り上げた巨匠も同様である。フランスのガブリエル・タルドとギュスターヴ・ル・ボンの暗示理論への反発、そして二〇世紀前半を席巻した行動主義心理学への批判をかわきりに、トルコ出身のムザファ・シェリフ、米国のソロモン・アッシュ、フランスのセルジュ・モスコヴィッシという流れの中、前任者の仕事の欠陥を乗り越える努力が新理論を生み出してきた。

第二章では同一性と変化をテーマに分野を超えて共通する型を析出する。同一性と変化はとてもむずかしい概念である。同一性つまり、あるものがそれ自身であるとは、どういうことか。変化したのに同一性を保つとは、どういう意味か。最初のものと変化後のものは、どういう関係にあるのか。変化すれば、同じでありえないし、同じままなら変化しえない。この矛盾をどう解くか。社会科学者の奮闘を垣間見よう。

そして第三章で拙著を解題し、巨匠に学んだ軌跡を辿る。今まで発表した主体虚構論の舞台裏に光を当てよう。最初から暗黙に漂っていた結論が次第に言語化されて発展してゆく過程を示したい。すでに上梓した各書では読者の説得を意識して構成した。対するに、本書は私が考えた推移がわかるように組み立てた。

本当に大事なのは技術やコツでない。頭だけで学問はできない。腸《はらわた》を刻む実存の闘いだ。私はモスコヴィッシの薫陶を受けた。彼の自伝を頼りに第四章で思想家の本質を探ろう。学問の背景には人生がある。テーマ選択の仕方にもそれは表れるし、自らとの対決から噴出する疑問と答えを昇華した文章の行間には著者が悩んだ軌跡がある。

モスコヴィッシの苦悩をみた後、第五章で私の躊躇を分析する。目前にぶらさがる結論が感情に妨げられて視野から隠される。対象を見ているだけでは解決はもたらされない。解釈枠つまり研究者の精神が変化しなければ、答えを摑めないどころか、問いさえ視界に入らない。

第六章では規範論の意味を考える。社会問題を扱う本はほとんどが規範論だ。何が問題で、どうすれば解決するかを探る。私のアプローチは違う。人間はどう生きているのか、社会はどう機能するのかを記述するだけだ。なぜ私は規範論を厭うのか。規範論の本当の機能は何なのか。

終章では今までの仕事の欠陥を反省し、残された時間でやるべきことを模索する。成就できるかどうかはわからない。だが、進む方向に迷いはない。人間を理解するとは何を意味するのか。社会科学の限界を見極めよう。

すでに発表した材料が本書にはたくさん出てくる。私の思考形式の分析であり、いつも同じ型に貫かれている事実を示すのが目的だから、それは仕方ない。私は新しいことを何一つ書いてこなかった。すでによく知られた材料を再吟味しただけだ。だが、多様な分野の知見を一緒にした時、隠れていた矛盾が露呈する。見過ごしてきた問いに気づく。その際に型が果たす役割の分析が本書の仕事である。

学習の本質は冗長性にある。情報をつまみ食いする悪癖を捨て、情報の背後にある世界観と認識論を摑もう。そのためには同じことを何度も考え直さねばならない。すでに発表した私論を読み返しながら、私自身が多くを学んだ。意外なところに疑問が現れ、以前に解けなかった問題の答えが見つかった。違う文脈に置かれると同じ材料が新たな光に照らされる。今までに上梓した拙著を難しいと感じた読者は執筆の舞台裏を知り、異なる角度から再検討されたい。

目次

第三章　主体虚構論の舞台裏

第四章　モスコヴィッシの贈り物

第一章

創造性という偽問題

単純でかつ可能な限り多くの現象を説明できる理論が望ましい。多くの変数を含む複雑な理論や、適用条件を限定したり、応用範囲が狭い理論の価値は低い。これは分野を問わず一般に言えることである。ニュートンやアインシュタインに典型的に見られる理論の一般性に私は憧れてきた。純粋で抽象的な美しさに感動してきた。驚きをもたらさない理論は退屈であり、簡潔を尊ぶ美意識が科学にある。ハンガリー出身の思想家アーサー・ケストラーから引く（断りのない限り、外国文献からの引用はすべて拙訳）。

「数学の証明は知性だけに関係すると思われがちだ。だから美的感覚が重要だと言うと驚かれる。それは数学における美意識、数や形の調和、幾何学的優美を忘れているからだ。数学者ならば誰でも知る真の美意識だ……。適切な組合せが至高の美を演出する。この何とも言えない美的快感に［数学者は］魅せられるのだ」。これは［フランスの数学者アンリ・］ポアンカレの言葉である。（……）ケプラーやアインシュタインを始め、最も偉大な学者は皆同じ考えだ。「大発見とは美しい発見のことだ。醜い数学理論は短命に終わる」とは、『ある数学者の弁明』を著したゴッドフレイ・ハーディの言葉である。「美意識のみが数学的発見を導く」と、発明の心理に触れながら［フランスの数学者ジャック・］アダマールは断言する。「美しい方程式の構築は実験データとの合致よりも重要である」という［イギリスの物理学者ポール・］ディラクが物理学者に発した警告もある。[1]

科学や学問の進歩に貢献するのは新事実の発見だけでない。より重要なのは、事実を把握する思考枠の見直し、つまりメタレベルでの再構築である。この章では理論の内的整合性について考えよう。凡庸な学者は実験データと理論の齟齬をなくそうと新理論を提案する。ところが天才はデータでなく、理論の内部矛盾に照準を定める。

――天文学の問い

古代ギリシアの天文学によると宇宙の中心に不動の地球があり、同心円状に配置された天球が周りを回転する。天動説だ。この古典理論は三つの原理によって構成される。①天上と地上の根本的区別、②天体の動力としての天球の存在、③天体の一様な円運動、である。

だが、この天文学には不都合があった。実際の観測が理論と一致しない。地球と惑星の距離が一定に保たれず、変化する。さらに惑星は不規則に動く。天球上の一点に留まらず、位置を変える。星座を形作る夜空の星は北極星を中心に天球上の定位置で回る。ところが金星や火星は日ごとに位置を変え、不規則な動きをする。そこから「惑う星」と名付けられた。英語planetとフランス語planèteはギリシア語の「彷徨う星」を意味するplanêtês astêr に由来する。これは第三原理「天体は一様な円運動をする」に反する。そこでプラトン（前427–前347）、アリストテレス（前384–前322）、プトレマイオス（83頃–168頃）らが周転円などの補助仮説を加えて理論の欠陥を補った。

だが、こういう妥協的解決は美しくない。そこにコペルニクス（1473–1543）が現れた。といってもプラトンやアリストテレスから二千年近く後のことである。コペルニクスの地動説は第一原理「天と地の区別」の否定だ。ところで第二原理「天球の存在」と第三原理「一様な円運動」に忠実であろうとする結果、最も重要な第一原理の否定に行き着いた経緯が興味深い。副次的部分の綻びを修正しようとして根源の原理をひっくり返してしまうのはケプラー・ニュートン・アインシュタインにも共通する。

地動説へと導いた最初の動機は第三原理「一様な円運動」の遵守だった。プトレマイオスの解決は場当たり的で宇宙の調和を乱している。これを本来の姿に戻さなければならない。また、コペルニクスは第二原理「天球の存在」も維持したかった。プトレマイオスのように次々と周転円や副周転円を加えるのでは天球が意味をなさない。この問題に対してコペルニクスは大胆にも地球を動かす方向に踏み切る。そのおかげで惑星と天球の配列を単純化し、宇宙秩序の統一的記述に成功する。第二原理「天球の存在」と第三原理「一様な円運動」に忠実であろうとして地動説を採り、古典天文学の中核をなす第一原理「天と地の区別」を無意味にしたのである。[2]

ヨハネス・ケプラー（1571–1630）も凄い。コペルニクスは太陽を中心に据えて第一原理の束縛から解放した。それでも最後まで「天球の存在」（第二原理）と「一様な円運動」（第三原理）に囚われていた。この二つの原理をケプラーがついに破棄し、近代天文学への道を切り開く。ケプラー以前の学者にとって惑星運動の研究は、周転円と呼ばれる歯車を組み合わせて惑星の動きを描写するだけだった。それはコペルニクスも同じだ。宇宙の中心に地球を置く天動説を覆し、周転円の数を減らしたおかげで理論値と観測値の誤差を飛躍的に小さくした。だが、歯車を組み合わせる発想は依然として踏襲する。

今でこそ天文学は物理学の一分野になっている。しかし古代ギリシア以来、神が定める天の運行と、不完全な人間世界に起きる出来事は性質が違い、同じ原理で説明できるとは考えられなかった。天動説から地動説に移行し、第一原理「天と地の区別」を脱却したコペルニクスも、地上の物体の落下運動と天体の円運動が同じ法則で把握できるとは考えなかった。タブーを犯し、物理学法則で惑星運動を説明しようとしたケプラーは、それまで誰も疑問視しなかった矛盾に気づく。

私がいつも出す比喩がある。ある夜散歩していて、街灯の下で捜し物をする人に出会う。鍵を落としたので家に帰れず、困っていると言う。一緒に探すが落とし物は見つからない。そこで、この近くで落としたのは確かなのかと念を押すと、こんな答えが返ってくる。「鍵を落としたのは他の場所なのですが、そこは暗くて何も見えません。だから街灯近くの明るいところで探しているのです」。街灯の光は常識の喩えだ。我々は探すべきところを探さずに慣れた思考枠に囚われている。歯車の組み合わせがケプラーまでの時代を照らす街灯の光だった。

惑星の公転周期と太陽から惑星までの距離は当時すでに知られていた。水星は三ヶ月弱、金星は七ヶ月弱、火星は二年弱、木星は約一二年、土星はおよそ三〇年というように、太陽から離れるにつれて惑星の公転周期は長くなる。ところで遠くの惑星は長い距離を回るだけでなく、速度も遅い。太陽から土星までの距離は木星までの距離の二倍ある。したがって土星の公転距離も二倍だ。ところが公転周期は二倍の二四年でなく、六年も余分の三〇年かかる。何故なのか。当時の天文学者の仕事は歯車の組み合わせにすぎなかった。だからケプラーのような疑問は誰も抱かない。天文学の現象を物理学の手法で解こうとして初めて生まれる問いである。

　太陽から何らかの力が出て惑星を動かしている。遠くの惑星に達するまでに力が次第に弱くなる。だから太陽から遠い惑星の運行が遅くなるのにちがいない。[3]

これがケプラーの見つけた答えだ。この発見の陰にはケプラーの太陽信仰があるが、ここで重要なのは、異なる分野の知見を一緒にした時、新たな問いが現れ、それに答える努力が既存世界観を覆す歴史である。

天文学の物理学への統合は分子生物学の誕生に似ている。物理・化学法則だけで生命現象を解明できるとは今から数十年前まで信じられなかった。だから物理や化学と別種の現象を生物学は扱うと考えられてきた。その後、分子生物学が成立し、生命現象を物理化学に還元した。

ケプラーの着想はニュートン（1642–1727）に継承され、後に万有引力の概念として結実する。矛盾を前に妥協してはならない。逆に矛盾を突き進める姿勢から画期的なアイデアが生み出される。リンゴが落ちるのに月は落ちないのは何故かと自問したニュートンは、無関係と思われる事象に同じ法則を見た。リンゴの落下も月の浮遊も誰でも知っている。だが、両者が同じ現象だとニュートンが初めて喝破し、両現象を貫く統一的説明を発見した。

天体が引き合うという考えはさきほど見たようにケプラーがすでに提示していた。落下の法則もガリレオ・ガリレイ（1564–1642）が解明ずみだった。だが、天体と物体の運動が同じ法則で説明できるとはニュートン以前に考えられなかった。数メートルの高さからモノを手放せば、地面に落ちる。数百メートルの高さでも同様に落下する。ではもっと高い月の距離まで持ち上げて放すとどうなるか。これがニュートンの問いだった。ケプラーとニュートンを比べ、アインシュタインが指摘する。

惑星が太陽の周りをどのように移動するかという問いには確かに、これらの法則［ケプラーの法則］が完全な答えを与えている。すなわち軌道が楕円形を描くこと、均等な時間内に同じ面積が通過されること、楕円の長軸と公転周期との関係などについてだ。だが、これらの法則は因果関係の必然性に答えない。（……）これら法則は包括的に捉えた運動を問題にするのであり、システムの運動状態が直後の状態に至る機制は検討されない。今日の言葉で語るならば、積分的法則であり、微分的法則ではない。[4]

積分的・微分的という表現は数学的意味で用いられている。だが、それぞれ包括的・局所的と広義に読み換えよう。ケプラーの法則は現象描写であり、太陽と惑星がなぜ一定の関係を維持するのかという疑問は浮かばない。太陽と惑星をまとめて捉え、システム全体を記述するからである。対してニュートンの分析では太陽や惑星の関係がアプリオリに与えられない。それぞれの天体を一つの独立した個体（質点）に還元した上で、いったん切り離された天体群を万有引力により再び結びつける論理構成を採る。ブラック・ボックスの内部に踏み込み、よりダイナミックな分析に成功する。

――過去の継承と一般化

古いものと新しいものの間には質的な飛躍がある。システム内部での変化に留まらず、システムが暗黙に依拠する認識論の再検討を通してシステム自体の変質へと導くからである。かといって無から創造が生まれるのでもない。「ある直線Lとその直線の外にある点pが与えられた時、pを通りLに平行な直線は必ず一本存在し、かつ一本しか存在しない」というユークリッド幾何学「平行線公準」（第五公理）の「単なる」否定からニコライ・ロバチェフスキー、ヤノーシュ・ボヤイ、ベルンハルト・リーマンの新しい幾何学が構築された。「平行な直線は無限に存在する」という公理から前者二人は出発し、双曲線幾何学を確立した。リーマンは逆に「平行な直線は一本も存在しない」という公理を立て、楕円幾何学を発展させた。

非連続性は連続性の懐から滲み出てくる。新発見の源は過去の遺産の周辺部にすでに潜んでいる。「私が他の学者よりも遠くを展望できたとしたら、それは私の先達たる巨人たちの肩に乗っかっていたからだ」。こう語ったのはニュートンである。米国の科学史家ジェラルド・ホルトンも指摘する。

一九〇五年の理論［特殊相対性理論］はアインシュタインが物理学界に起こした革命だと常々言われてきた。だが実はこの理論は古典の純粋さを取り戻すための努力が生んだ結果だった。[5]

我々の使命は聖書と大自然という二冊の書物の解読だとガリレイが言った。自分こそが宇宙の神秘を理解した、神に近づいたという自負はあるだろう。だが、新発見で世間に認められようという功名心とは違う。神と対話する孤独な作業だ。視線の方向が違う。アインシュタインと一緒に研究したポーランドの物理学者レオポルト・インフェルト「アインシュタインの思い出」から三カ所引用する。[6]

ノーベル賞をもらったその日、アインシュタインには少しも興奮したような様子は見られなかった。そして、かりに彼がその晩よく寝られなかったとしても、それは彼がちょうど、なにかの科学的な問題に頭をなやまされていたからにすぎない。わたくしは、そう確信している。ノーベル賞の賞状は、その他のたくさんの賞状や名誉博士号授与の証書といっしょに、箱のなかにゴチャゴチャに入れられてあった。それはみな、彼の秘書が始末してくれたのであった。ノーベル賞の賞状とはどんなものかということさえ、アインシュタインは知らなかったにちがいないと、わたくしには思われるのである。

よく彼［アインシュタイン］はわたくしに、なにか実際的な、手を使う職業、たとえば靴職人のような仕事に従事したいということを、もらした。もちろん彼としては、こうした職業についても物理学の研究はつづけるつもりであり、彼が考えているのは、物理学の講義によって生計をたててゆきたくない、ということなのである。彼のこの立場の底には、なにか、もっと深い意味をもったもの、すなわち科学的な研究というものにたいする彼の宗教的な感情が、ひそんでいる。つまり彼の立場からすれば、物理学というものは、偉大な、重要な事柄なのであり、物理学の知識を金のために売るということは冒瀆だ、と思われるのである。したがってそれは、他の方法で、たとえば灯台守とか靴職人として生活をたてて、物理学は、日常生活の要求とどんな形でもむすびつけず、純粋なままにしておきたい、ということなのである。

わたくしがアインシュタインに会う数年前のこと、彼はヒトラーのドイツから逃れてきた科学者たちの救援のためにロンドンのアルバート・ホールで講演をしたことがあった。そのとき彼は、これらの科学者たちのために、大学教授という地位のほかにも、まだまだ多くの地位が考えられてよいのではないか、という意見を述べている。彼は、たとえば灯台守の役などどうだろうか、といっている。アインシュタインの意見では、こういった地位ならば仕事も多くはないし、したがって瞑想や科学的研究のために必要な自由な時間は十分にあるだろう、というのである。こうした考え方は、彼ら科学者たちからみれば、ばかばかしいことに思われたのである。しかしアインシュタインにいわせれば、この考え方はりっぱに筋が通っているのである。アインシュタインからみれば、孤独、すなわち灯台守の仕事は、彼が夢みていた仕事なのである。苦痛だらけの、義務の連続から解放される仕事なのである。

古典天文学の第三原理「一様な円運動」を守るために周転円を加える解決は場当たり的で宇宙の調和を破っている。これを本来の姿に戻す努力がコペルニクスの地動説につながった。コペルニクスが切り開いた地動説により忠実たろうとした結果、ケプラーは惑星の円軌道というこの第三原理の放棄に至った。円は完全で美しい。神は完全であり、神が創造した宇宙には円運動しかありえない。こう信じられてきた。幾何学として発展してきた天文学はこの先入観をついに捨て去り、ケプラー以降、物理学に変身を遂げる。

ニュートンの業績は何か。ケプラーの三法則はニュートンの万有引力の法則から演繹できる。ニュートン『自然哲学の数学的諸原理（プリンキピア）』はユークリッド『原論』に倣って定義と公理を最初に掲げ、論理だけに従って定理を導く。「公理または運動の法則」として①慣性の法則、②運動法則（f〔力〕＝m〔質量〕×α〔加速度〕）、③作用反作用の法則という三公理をまず置く。次にそれら公理を出発点として引力が距離の二乗に反比例する事実と、「調和の法則」と呼ばれるケプラー第三法則（惑星の公転周期の二乗は軌道長半径の三乗に比例する）が論理的に展開される。そしてケプラーの第一法則「楕円軌道の法則」（太陽を焦点の一つとする楕円軌道上を惑星が動く）と第二法則「面積速度一定の法則」（惑星と太陽を結ぶ線分が単位時間に描く扇型の面積は一定）を演繹する。ケプラーが解明した惑星運動すべてをこうして統一的に導いた。[7]

この意味でニュートンはケプラーから一歩も進んでいない。だが、アインシュタインが解説するようにニュートンの微分的手法はケプラーの積分的描写を質的に変容させ、物理学と天文学の境界を完全に払拭した。ケプラー法則はシステムの記述にすぎなかった。それを万有引力の導入により惑星の関係と運動をメカニズムとしてニュートンが分析した。こうして純化と一般化に成功したのである。

アインシュタインも同じだ。ニュートン理論に残る不純物を一掃する努力から相対性理論が生まれた。万有引力とはなにか。二つの離れた物体が何らの媒介もなく、相互作用を瞬時に及ぼす遠隔作用は不条理ゆえに物理学で斥けられてきた。別々の場所にある二つの物体が手品のように引き合うはずがない。引力の非論理性をニュートン自身承知しており、ベントレー卿に宛てた一六九二年の書簡にしたためた。

非物質的な他の媒介を経ずして、また相互接触なしに、無生命の単なる物質が他の物質に作用を及ぼすとは考えられない。（……）だからアプリオリな引力概念を私が提唱したとは絶対に思わないで欲しい。内在的な引力が物質に存在し、物体が真空中で媒介なしに他の物体に作用するなどとは、あまりにも馬鹿げている。[8]

この魔法の力を否定し、場の理論への道を開いたのはマイケル・ファラデー（1791–1867）だが、それ以前にもライプニッツ（1646–1716）やホイヘンス（1629–1695）が遠隔作用の不思議を指摘していた。引力を及ぼす物体は、引力を受ける物体の位置をどのようにして知るのだろうか、と。[9]離れた物体が媒介なしに瞬時に相互作用を及ぼす万有引力は荒唐無稽な想定でしかない。不条理を繕うためにニュートンが頼みの綱にしたのは万能の神と遍在なるエーテルの存在だった。

光は粒子なのか波なのか。もし波ならば、真空で音波が伝わらないのと同様に、光を伝達する媒体が必要だ。この機能をエーテルが果たす。ニュートンは光の粒子説を採り、光波動説の難問を避けようとした。だが、それでも力学原理で力の伝達を理解する限り、媒体の導入を避けられない。光の粒が媒体の一部に作用し（ショックや圧力を与える、引っ張る）、それが媒体の他の部分へと次々に作用してエネルギーが伝達されるはずだからである。

真空にしても光などの電磁波は伝わる。したがって空気に相当する見えない媒体がまだ存在するはずだ。これがエーテルである。エーテルが存在すれば、遠隔作用の不条理を繕える。音の伝達と同じように重力がエーテルの中を次第に伝わると考えれば、近接作用として万有引力を定められる。

ところがエーテルを措定すると次々に不都合が生じ、綻びを縫うために、さらに多くの補助仮説を導入せざるをえなかった。エーテルは手放せない。しかし、それではプトレマイオスの天文学のように補助仮説だらけの複雑な理論になってしまう。神が創った世界は簡潔で美しいはずだ。どこかおかしい。こうして物理学者の頭を悩ませていた。特殊相対性理論によってアインシュタインは、それまで誰も手放さなかったエーテルを無駄な存在だと切り捨て、物理学から排除した。先行理論を純化・一般化し、本質をさらに推し進めたのである。[10] 原点に回帰する運動が新発見を生む。既存の知見との連続性をアインシュタインは強調した。

相対性理論を革新的だと考える必要はない。数世紀も前からずっと続く路線の自然な成り行きである。[11]

――事実とは何か

事実をして語らしめるという常識は誤りである。同じ現象を説明する上で複数の理論が拮抗することがよくある。実験結果を有利に解釈する方法を各陣営が見つけ、反論合戦は終わらない（レオン・フェスティンガーの認知不協和理論をめぐる論争を『社会心理学講義』に挙げた)。理論の正しさを証明するために実証研究するという考えが、そもそも誤りだ。データは重要だが、実験結果は様々に解釈できる。理論の正否を最終的に決めるのはデータでない。理論の説得力である。

例を出そう。アリストテレスによると物体は固有の本質を持つ。重い物は本来の位置に移動しようと速く落ちるが、軽い物は本来の位置が下方にないので落下が遅い。したがって重さの違う二つの物を高い所から同時に落とせば、重い方が先に地面に着く。他方、ガリレイは、物体の落下時間は質量に関係ないと主張した。そこで自説を証明するためにピサの斜塔に登り、重さの異なる二つの物を落したところ、予測通り両方とも同時に着地した。こうして従来からのアリストテレス説が覆された。これが有名なピサの斜塔の実験である。

しかし実のところ、ガリレイはこんな実験を行わなかった。教科書の説明は後世の捏造だ。ガリレイは思考実験した。アリストテレス説が正しければ、一〇キロの物と一キロの物を同時に落とすと前者が後者より先に地面に届くはずだ。では、これら二つの物を縛って一つの塊にして落下させよう。一〇キロの部分に対して一キロの部分がブレーキをかける。したがって合成物の速度は一〇キロの物体の速度より小さい。他方、この合成物は一一キロの重さがある。したがって一〇キロの物よりも速く落下しなければならない。つまり合成物は一〇キロの物よりも遅く落下し、かつ、より速く落下するという論理矛盾に陥る。ゆえにアリストテレス説は誤りだ。ガリレイは思弁のみによって反駁したのであり、実験結果は一度たりとも議論に登場しない。

ガリレイの反論が発表される以前に実験を行った学者が実は何人もいた。そして結果はアリストテレスの説く通り、重い物体の方が軽い物体よりも先に落下した。空気抵抗があるからだ。その当時、真空状態で長い距離を落下させる方法がなかった。だからガリレイが実験をしなかったのは当然である。[12]

両者の解釈は異なる二つの認識論を基にしている。アリストテレスによると、すべての物体は固有の性質を持つ。重い石が落下するのは、その本来の場所に戻ろうとするからだ。つまり運動の原因を物体の本質に帰す。同じ重さの石を落としても空中と水中とでは落下速度が異なるように、当該の物体を囲む環境も物体運動に影響を及ぼす。だが、落下速度の違いを物体と環境との相互作用の結果だとアリストテレスは考えず、あくまでも物体固有の性質を攪乱する要因として環境を把握した。環境条件は補助仮説の地位しか与えられていない。

一九七〇年代から八〇年代にかけて流行した日本人論は日本の近代化を説明する上で日本人のエトスや日本文化の無限抱擁性などを持ち出した。[13] これらもアリストテレス的な本質論である。このようなアプローチでは結局、「日本人は日本人のように行動する。なぜなら彼らは日本人だからだ」という愚にもつかない循環論に陥るだけだ。

反してガリレイは物体を環境から切り離さず、物体が置かれる環境との相互作用として物理現象を分析した。社会心理学の生みの親クルト・レヴィンがアリストテレスの本質論とガリレイの関係論とを対比する。

アリストテレス的理解においては、当該の物体が本来持つ性質から生ずるプロセスを無理に変更し、「攪乱」するという意味でのみ環境が考慮される。物体運動を起こすベクトルは物体固有の特性によって完全に決定される。つまりベクトルの状態は物体と環境との関係に依存しない。どの時間における環境条件にも無関係な、物体だけに固有な性質として把握される。軽い物体が上方に向かう傾向は物体自体の性質に由来する。（……）しかし近代物理学においては軽い物体の上方への移動を物体とそれを取り巻く環境との関係から引き起こされる現象だと考える。それだけでない。物体の重量自体が環境との関係に依存する概念なのである。[14]

重量とは物体に作用する重力の大きさだ。したがって同じ物体でも地上と月面では重量が異なる。月の重力は地球の六分の一であり、重量も六分の一になる。物体の重量がすでに環境との関係に依存する概念であるとは、こういう意味である。

理論が正しくとも、理論予測に実験結果や観測値が一致するとは限らない。理論の正否は実験結果だけで決まらない。オーストリアの物理学者エルヴィン・シュレディンガーの例を引こう。素粒子の波動方程式を提唱したが、実験結果と理論が合致しない。そこで修正版を発表した。ところが初めの式の方が正しかったと後ほど判明する。スピンと呼ばれる、電子の自転が当時未知だったゆえに誤差が生じたのである。スピンを考慮に入れるとシュレディンガーが頭の中だけで練り上げた最初の式の方が正しかった。シュレディンガーとともにノーベル賞を受けたイギリスの物理学者ポール・ディラクはこの逸話を踏まえて後に語る。

> 実験結果と一致する方程式を得るよりも、美しい方程式を見つける方が大切だ。（……）少々実験値に合わなくとも、がっかりしたり、諦めたりしてはならない。というのも理論値と実験値のズレは、まだ理解されていない二次的原因から生じているだけで、その後、理論の発展と共に明らかになるかも知れないのだから。[15]

科学の研究が正しいとされるのは実験結果が真理を反映するからではない。その時点における科学者集団の知見に照らして理論が整合性を持ち、説得力がある、そして実験値が理論予想とほとんどずれない場合に、正しいと暫定的に認定されるのである。科学者の合意に沿う実験方法が定められ、実験機器が出す結果の意味が解釈される。この解釈以外に事実は存在しない。スピンを知っていれば、他の実験を行い、違う結果が出る。見えている事実は、ある特定の視点から切り取られた部分的なものでしかない。観察結果が世界の真の姿を映すかどうかを知る術は原理的に人間に閉ざされている。科学の成果が正しいと認められるのは、「事実」が生み出される手続きが信頼されるからである。

――理論の役割

オーストリア出身の科学哲学者カール・ポパーが主張したように科学は反証を通して発展する。[16] どんな法則も仮説の域を出ない。法則を満たす要素すべての検討は不可能だ。「Aという種の生物は白い」という命題を実証するためには世界中に現存するAを見つけて、それらがすべて白いと確認する必要がある。だが、観察した個体以外にAが存在しない保証はない。どこかに隠れている個体が黒いかも知れない。死に絶えたAの中に赤い個体が含まれていた可能性も否定できないし、違う色の個体が将来生まれないとも言い切れない。しかし逆に命題を否定するのは簡単だ。白以外のAがたった一匹見つかるだけで命題の誤りが証明される。

演繹が導く結論は必ず真だが、帰納によっては命題の正しさを確立できない。それは原理的に不可能である。科学哲学者・村上陽一郎のわかりやすい説明を引こう。

> 帰納的飛躍というのは、X_1とX_2についてしかまだ調べてないことを、X_3とX_4や……X_nについてまで何の根拠もなく拡張することです。いやそれどころか、X_nのnの値は実際上無限でなければ「すべての」ということばの意味に適合しません。つまり帰納的飛躍とは、一般に有限個の観察データでわ

かったと思われることがらを、何の根拠もなく無限個の事例に拡張してあてはめる、その論理的な飛躍のことをいうわけです。
（……）帰納は明らかに確実性をもちません。数少ないことの中で言えることを、すべてのことの中でも言える、と言い立てるのですから（つまり帰納的飛躍があるのですから）、そこには論理的根拠はなく、一種の賭けのような、いいかげんなところがどうしてもつきまといます。演繹は違います。演繹は絶対確実なのです。なぜなら、演繹は、すでに言ったことの一部をあらためて言い立てるだけなのですから。

しかし、帰納では、どこかに新しいことが入ってきます。数少ないところでしか、わかっていないことを勝手に拡張してみるのですから、それがほんとうかどうかはともかくとして、わたくしどもにはその拡張された部分は「新鮮」な知識（正確にはまだ確認されていないのですから「知識の候補者」とでも呼ぶべきなのかもしれませんが）です。（……）

哲学では、帰納は経験的、演繹は論理的、という形容詞で呼ぶことがよくありますが、その意味はこれでわかっていただけたことと思います。[17]

科学は実証である前に、まず理論的考察である。物理学のような厳密な学問でもそうなのだから、人文・社会科学で行う不確かな実証研究の結果だけで理論の正否を判断できるはずがない。

理論の正しさを確かめるために実験をすると普通信じられているが、その発想がそもそもつまらない。逆に理論の不備を露わにすることで、慣れ親しんだ世界像を破壊し、その衝撃から、さらに斬新な理論が生まれる。そのきっかけこそが実験に本来期待されるべき役割である。歴史に残る画期的研究は実験結果が仮説を覆し、研究者自身を驚かせてきた。研究者の予想と希望を裏切る結果が、その後の発展を導く。モスコヴィッシは言い切る。

実験は発見を可能にする技術であり、証明するための道具ではない。[18]

データの粗を探す弟子をモスコヴィッシは厳しく戒めた。そんなつまらない批判をするな、理論の要は内的整合性であり、その豊かさなのだと。

仮説通りのデータが実験で出ても、それは偶然の結果かも知れない。それゆえ偶然の結果である確率を計算し、社会心理学の一般的慣習では五％以下の水準を要求される（「p＜.05で有意」と表現する）。結果が明確な場合は発表するが、そうでない場合は論文として世に出ない可能性が高い。例えば卵巣癌の治療法を比較したら、学会誌に掲載された研究のみを合計するとp＝.004と有意になるが、受理されなかった論文も含め、事前登録された研究すべてを対象に計算するとp＝.17と有意にならない。[19]つまり有意な結果が得られないと論文として発表されにくいことがわかる。また他の総括によると、倫理委員会に研究計画が提出された臨床研究一二一五件のうち、結果が有意な研究はそうでない研究に比べて三倍の高率で公表されていた。[20]

重要な理論が現れると、その正しさを確認したり、派生する仮説を検証しようと多くの研究者が関連の実験をする。その時、理論に都合の良いデータが発表される一方、そうでない結果は陽の目を見ない確率が高い。同じ研究者やグループが一〇〇回実験して仮説通りの結果だけ発表することはなくとも、世界中の研究者がよく似た研究をすれば、出版されるデータに当然バイアスがかかる。したがって発表された実験自体の結果は偶然でなくとも、出版されなかったデータも含めて考えると、有意かどうか怪しくなる。[21]データ信奉の危うさがわかるだろう。

以上は実験研究の常識であり、多くの者はこの実情を知っている。だが、それを言っては自らの研究基盤が崩れるので口をつぐんできた。同僚からの圧力もある。だが、最近、心理学実験の再現性が疑われて大きな議論が巻き起こった。善後策が模索されているが、おそらく解決は無理だろう。[22]

世界観変革の可能性が視野から抜け落ちた実験など単なる測定にすぎない。設計図通り部品を組み立てて実際に机ができるか確認するのとかわらない。知識は固定された内容でない。世界像を不断に再構築し続ける運動である。驚きをもたらさない知識など、正しさが証明されてもたかが知れている。論文の質より量を重視する不毛な慣習が学問界ではびこるのは制度に問題があるからだ（『答えのない世界を生きる』に示した）。

一九〇五年、アインシュタインが矢継ぎ早に発表した五本の論文はどれも画期的な発見だった。たった一年で物理学が一挙に飛躍したことから奇跡の年（Annus mirabilis）と呼ばれている。凡庸な学者はデータにばかり気を取られる。ところがアインシュタインはデータに異論を挟まず、理論の内部矛盾だけに注目した。ホルトンが言う。

不必要な非対称性を除去するアインシュタインの欲求は無根拠で付随的な操作でなく、重要で深い意味を持っていた。無駄をできるだけなくし、簡潔な幾何学原理を追求し、その場しのぎの小細工や不必要な繰り返しをすべて剝ぎ取った、自然のありのままの姿、構造の骨組みだけになった姿を発見する。（……）事実、今まで見過ごされてきた論理的非対称性や美的不調和に対する敏感な反応（例えば説明できていない実験結果などでなく）はテーマが異なるにもかかわらず、一九〇五年の偉大な三本の論文の書き出しに共通する。どの場合も無駄な要素が明らかにされ、非対称性が取り除かれている。（……）事実に内在しない複雑さは根絶しなければならない。そんなものを自然は必要としない。[23]（強調小坂井）

「アインシュタインの思い出」からも引く。

何ヶ月も何ヶ月も、二人でこの種の問題［場の理論や重力理論を記述する偏微分方程式の積分化］ととりくんでいるとき、アインシュタインはよく、つぎのようなことを口にした。

「神様は、われわれの数学的な難関なんか問題にもしていませんよ——神様は、積分を地で行っているんですからね。」

アインシュタインのこの言葉のなかには、彼の、つぎのような確信があらわれている。すなわち、自然法則というものは簡単な理論から演繹してくることができる。したがって、理論の美しさというものは単純性という点にこそあるので、演繹がむずかしければむずかしいほど、その理論はいよいよすばらしい、ということにはならないのだ、と。[24]

理論に無駄があってはいけない。可能な限り少ない原理で構成されながら同時に、できるだけ多くの現象を説明する一般性が大切だ。特殊相対性理論を発表した論文「運動中の諸物体の電気動力学」はマクスウェル電磁気学理論の奇妙な非対称性の指摘で始まる。[25]磁石とコイルを近づけると誘電が起きる。磁石をコイルに近づけてもコイルを磁石に近づけても同じはずだ。ところがマクスウェルに従うと、磁石が動く場合とコイルが動く場合を区別する必要がある。前者は電磁誘導で説明され、後者はフレミング左手の法則で解釈される。なぜ、こんな非対称性が理論にあるのか。これがアインシュタインの疑問だった。ここで問われているのはデータと理論の合致ではない。理論の形式、内的論理が問題になっている。そこから無駄をなくすべく彫琢され、ニュートン理論が依拠していた絶対空間と絶対時間の排除に至るのである。

――影響理論の変遷

次は社会心理学の影響理論に注目しよう。ムザファ・シェリフ（1906–1988）、ソロモン・アッシュ（1907–1996）、セルジュ・モスコヴィッシ（1925–2014）の理論を紹介した後、背後に隠れる人間像を抽出する。先達の解決に彼らはどんな欠陥を見つけたのか。

アリストテレスからコペルニクス・ケプラー・ニュートンを経てアインシュタインに至る天文学の発展は理論純化の歴史だった。独創性を狙う安っぽい意図は天文学の天才同様、社会心理学の巨匠にもない。社会科学の問いは実存に直結している。自分の問題を解くだけで精一杯だ。

一九三〇年代、社会規範の成立をシェリフが実験室でシミュレーションした[26]。依拠すべき社会規範がまだなく、不安定で曖昧な状況に置かれる時、他者とのコミュニケーションを通して人間は認知環境を安定させる。共通の規範が生まれ、判断の枠組みができる。こうして個人の単なる群れが集団に変容する。

真っ暗な部屋に被験者を入れる。ブザーが鳴ったら光源（電球）が移動し始めると説明し、移動距離を判断させる。実は光源は動かない。距離を判断するための目印がない暗室では、静止した光源でも移動するように見える。自動光点運動と呼ばれる錯覚である。判断を繰り返すうちに各人固有の安定した基準が生まれる。個人基準が定まった後に第二段階として、異なる基準の三人を一緒に暗室に入れ、光源の「移動」距離を順に答えさせる。すると互いに影響し合い、共通の基準が次第にできあがる。その上で一人ずつ入れ替えると新メンバーも集団基準を受け入れ、いったんできあがった社会規範は全員が置換されても維持される。世代交代しても文化や制度が続くプロセスの小規模なシミュレーションである。

次にアッシュの実験を見よう。[27] 図が二枚提示される。一枚には約二〇センチの線分（基準線）が一本、他方には長さの違う線分が三本描かれている。基準線と同じ長さの線分を数メートル離れた位置から選ぶよう指示する。線分三本の長さはかなり違うので通常はまちがえない。ところがサクラ七人が口裏を合わせて誤答を選ぶと被験者は影響されて判断を誤る。一二回の試行で被験者全体の七五％が少なくとも一回サクラにつられた。判断総数の三三％に相当する。明らかな誤答でも全員が正しいと判断すると、それに抗して自らの意見を主張するのは想像以上に難しい。

最後にモスコヴィッシの実験を見よう。[28] 暗室のスクリーンに投影されたスライドの色を六人が判断する。加えて、電源を切った際に知覚される残像色の判断も記録する。残像はスライドの補色が現れる。

第一段階ではスライドと残像の色を段階尺度に無言で記入する。影響前のデータを測定するためだ。第二段階ではスライド色のみを順に口頭で回答し、一五回ほど繰り返す。このとき不思議なことが起こる。スライドは明らかに青なのに数人が緑と答える。実は被験者と思わせたサクラが加わって影響を行使する。被験者四人とサクラ二人の組（少数派影響源）と、被験者二人とサクラ四人の組（多数派影響源）とを比較する。第三段階では、第一段階と同様にスライドと残像の色を無言で記入する。このデータを第一段階（影響前）と比較して、第二段階でサクラに影響されたかを調べる。

結果はどうか。スライド色の判断は多数派影響源の方が少数派よりも顕著な影響を及ぼす。しかし残像色の判断は逆だ。サクラが多数を占める場合はオレンジ（青の補色）の残像を知覚し続けるが、少数派に影響されると赤紫（緑の補色）の残像を見る。つまり影響源が少数派だと意識的な知覚変化は起きないが、本人も知らずにスライドが緑だと「知覚」する（残像が緑の補色になる）。無意識に影響されても、その事実に気づかず、少数派への拒否反応が出ないからだ。多数派は意識的な影響を起こし、少数派は無意識の影響を行使する。この点が肝心である。

さて、これら三人の研究をどう理解するか。影響源と被験者の関係にまず注目しよう。シェリフ実験では多数派と少数派の区別がないだけでなく、各人が影響源であると同時に被験者でもある。上下関係のまだない状態から社会規範が成立するプロセスだ。アッシュ実験では影響源が多数派をなし、被験者は少数派の弱い立場に置かれる。これは社会によくある状況である。新入社員は会社の規則やしきたりを学び、不条理な慣行も次第に受け入れ、会社の色に染まってゆく。モスコヴィッシ実験は改革に光を当てる。社会の少数派や異端者が多数派の考えを覆すシミュレーションだ。教科書ではこう説明し、規範の生成・維持・変革という三つのプロセスとして理解する。棲み分けにより実験を並列に置くのである。

現象を条件ごとに分けるアプローチが社会科学には多い。この条件にはこの理論を使い、他の条件には他の理論を適用する。今見た教科書の説明もそうである。このやり方のどこが悪いのか。物理学の例で説明しよう。一九世紀末、光速度に関してニュートンの光粒子説とマックスウェルの光電磁波説が拮抗していた。三つの解法が可能だ。

ⓐどちらかの理論が誤り。
ⓑある条件にはニュートン理論が適用され、他の条件ではマックスウェル理論が用いられる。
ⓒアインシュタインの特殊相対性理論が示すように、両者に本質的矛盾はない。宇宙に遍在すると考えられてきたエーテルを放逐し、絶対時間と絶対空間という基礎概念を放棄すればよい。

凡庸な学者はⓐかⓑの解法を採る。ⓐは矛盾を最初から排除する。ⓑは矛盾を妥協的に解消する。アインシュタインは違った。棲み分けしたり、付帯条件をつけるのでなく、理論が潰れても良いから矛盾をさらに突き詰める。そして気づくと矛盾がいつか消えている。条件ごとの説明を並列する妥協的解法を水平的と呼ぶなら、アインシュタインは中核を掘り下げる垂直的解法を求めた。

先に見た影響理論の棲み分け解釈は条件を分け、各条件内で成立する個別理論を見つけるⓑのアプローチだ。ニュートンはこのような安易な解法に逃げなかった。リンゴは落下し、月は空に浮く。だが、運動の法則は一つしかない。リンゴも月も同じ法則に従うはずだ。同様に、影響の本質は何かと問わねばならない。シェリフもアッシュもモスコヴィッシも棲み分けの妥協をしなかった。自らの人間像にしたがって影響理論を練り上げた。三人はそれぞれ何を問題視し、どんな解決をもたらしたのか。

――理論と人間像

まず方法論に注目しよう。シェリフは自動光点運動という錯覚を利用した。錯覚である以上、正しい答えは存在せず、曖昧な対象を主観的に判断する。アッシュは逆に線分の長さという明白な対象を選んだ。モスコヴィッシはスライドと残像の色を用い、意識的判断と無意識の知覚を区別した。なぜ、彼らは異なる対象を用いたのか。

シェリフ実験が行われる以前の研究パラダイムはギュスターヴ・ル・ボン（1841–1931）やガブリエル・タルド（1843–1904）の暗示原理であり、催眠術師と患者の依存関係をモデルに影響を理解していた。催眠術師の誘導に従って患者が行動する。どの行動を導くかにかかわらず、影響を及ぼす者と影響される者との二項関係だけが考察される。何についての影響かを捨象する意味で行動主義とかわりない。パブロフの犬を思い出そう。鈴の音と餌の関連を学習させるように、メガネに手を触れると患者が窓を開けに行くなどの行動を催眠術師が起こす。つまり任意の刺激に任意の反応を結びつける行動主義と同じく、催眠暗示も手振りや言葉など任意の合図によって任意の行動を導く。条件反射を学習させる実験者と被験者、暗示をかける催眠術師と患者の二項関係だけが影響結果を決める。

シェリフの着想は違う。光点の移動距離を一人で答える際、誰にも指示されないのに判断を自主的に調節するのは何故か。生物はみな安定した認知環境を必要とする。だから対象が曖昧な時、不安定を脱するために判断が変化する。試行を繰り返すにつれて回答範囲が狭まるのは、そのためである。独りで規範を作り出す現象も、複数の者が互いに影響し合って集団規範を生み出す現象も同じ知覚安定化プロセスだとシェリフは考えた。

光点移動が錯覚だと告げても錯覚はなくならない。実際は同じ長さの線分二本が異なる長さに見えるミュラー・リヤー錯視のように、知覚に深く組み込まれた現象だから、目を凝らしても錯覚は消えない。だが、錯覚だと知れば、一つの基準に判断が収束しなくなる。

集団規範を調べる第二段階はどうか。錯覚だと知らなければ、正しい答えは一つしかないはずだ。それなのに意見が分かれる。誰の答えが正しいのかわからない状況は認知的に不安定である。そこで知覚を安定させる力が働き、共通の規範が生まれる。しかし錯覚だと知れば、他の人が違う感覚をもっても不思議でない。つまり被験者は対象の性質に注目し、自分で判断している。ル・ボンやタルドのように盲目的存在として人間を捉える立場とは違う。暗示理論が後にナチスに利用されたが、共産主義との共闘が原因でトルコを追放されたシェリフにとって、人間の自律の証明は自身の実存に直結していた。

アッシュも暗示説と行動主義を厳しく批判した[29]。アッシュにとって人間は独りの時も集団でいる時も常に理性的な存在である。他者の意見を無批判に受け入れる動物ではない。暗示に操られる結果として影響を把握するルボンやタルド、ネズミやハトを使って得られた条件反射の結果を人間に応用する行動主義と対立した。

自動光点運動という曖昧な判断対象をシェリフは選んだ。他方、線分の長さを比較する明確な状況をアッシュは設定した。彼らの着想の源を辿れば、その理由が判明する。シェリフはホメオスタシス・モデルで人間や集団を捉えた。曖昧な環境に置かれた時、人はどう反応するか。他者と自分の判断が異なれば、認知環境が不安定になる。そのため曖昧さを減らそうとして他者の判断に近づく。これがシェリフの問題意識だった。

アッシュが初めて影響研究に明確な対象を用いた。明らかな対象を用いれば、集団の誤った圧力に人間は必ず抵抗し、正しい答えを選ぶと信じたからだ。アッシュが言う。

どんな物理的性質の対象を判断するかにかかわらず、集団の圧力が心理変化を恣意的に誘発すると通常のアプローチは前提する。集団の圧力に盲目的に服従するという考えは、人間が独立を保つ可能性や、周囲と生産的な関係を築く可能性を無視する。条件さえ揃えば、集団の圧力や偏見に抗して立ち上がる力が人間に備わる事実を否定してきた[30]。

正答は一つしかないと被験者が信じる点はシェリフ実験もアッシュ実験も同じである。意見や好みでなく、物理的性質についての判断だから全員が同じ答えを選ばなければ、おかしい。ところが違う判断を他の参加者がする。何故なのか。誰がまちがえているのか。判断が相違する事実と、正しい答えを見つける努力のはざまで心が揺れる。その際、どう反応するかは対象の曖昧さに左右される。錯覚を利用するシェリフ実験では対象の客観的知覚が存在しない。参加者の相互作用だけから「正しい」移動距離が構成されるから強い葛藤は起きない。

対してアッシュ実験では正答がはっきりしている。ところが自分と違う判断を全員がするのを知り、被験者は狼狽える。周囲に同調して意見を変えれば、事実を曲げなければならない。だが、全員が判断を誤るはずもない。真理は一つだ。それなのに、ここには異なる二つの真理が現れている。同調と独立のどちらの選択もできない。このジレンマに置かれた時、人間はどうするか。これがアッシュの問いだった。

一人でならば合理的に判断し、行動する人間が集団に巻き込まれると理性を失うのは何故か。催眠術にかけられたように無謀な行為に走るのは何故か。一九世紀末、革命や民衆蜂起が盛んに起きたフランスでル・ボンやタルドは催眠術モデルに依拠して、愚かで不合理な集団行動を説明した。

アッシュの答えはこうだ。人間は常に合理的に思考する。しかし対象が曖昧だと正しい判断が定まらない。そのため群衆に惑わされる。だから判断対象に曖昧さがなければ、人間は独立を保ち、正しい判断をするだろう。

アッシュの研究をどう評価すべきか。人間は合理的存在であり、集団の圧力に抗して真理を守るに違いない。判断対象が曖昧ならば、正しい判断を求めて他者の意見を参考にする。しかし対象が明らかならば、他人が何と言おうと自分の判断を信ずるはずだ。これが実験前の予想だった。ところが四分の三の被験者が少なくとも一度サクラにつられた。判断総数の三三％におよぶ影響である。自分の判断が正しいと信じながらも、全員の答えが誤りであるはずもない。このジレンマに置かれた時、圧倒的多数の心は揺れ、訳がわからないままに口裏を合わせた。人間の自由・独立・勇気を信じるアッシュの期待は裏切られたのか。

個人が集団によって簡単に影響される典型例としてアッシュ実験が教科書に載っている。だが、彼の仮説は人間の従属や自己決定能力の欠如ではなかった。アッシュの言葉を引こう。

> 三分の一の判断が多数派に影響された。（……）確かに多数派の影響力は著しい。かといって多数派が完全な勝利を収めたわけでもなければ、多数派の力が最も強かったわけでもない。各実験グループにおいて大多数の回答は正しかったし、多数派に対して被験者は独立を守ったのである。[31]（強調小坂井）

一九五三年から一九八四年までに英語で出版された社会心理学の教科書九九冊を分析した論文によると実験発表当初、多数派の圧力に抵抗する人間の力や自由の証明としてアッシュの主張通りに理解されていた。ところが次第に実験の意味が歪曲され、自由とは逆に集団への依存や人間の脆弱性が強調されていった。

皮肉なことに、まさにアッシュが反駁しようと努めた主張を解説の多くが引き出した。極めて厳しい条件の下でも独立を保つ人間の力を確実に立証したとアッシュは結論した。しかし逆に、社会的圧力に人間が非常に脆い事実を証明したのだと、ほとんどの解説がアッシュ研究を位置づけた。アッシュが特に強調し、最も重要な発見だと考えた成果を、これらの批評は軽視した。過酷な緊張と疑いに晒されても集団の圧力に抗する能力がほとんどの人間に備わる事実を無視したのである。[32]

どのような人間像からアッシュが出発し、何を目的に研究したかという原点に気を配らなかった。だから後の研究者は誤解したのである。アッシュは一九〇七年、ポーランドのワルシャワに生まれたユダヤ人だ。一三歳の時、両親とともにニューヨークに移住した。他のユダヤ人学者同様、ホロコーストの悲劇が彼の研究に無関係なはずがない。人間は合理的な存在であり、どのような圧力の下でも真実を追求するに違いない。この理想を最後まで信じたアッシュは、ナチスが多用したプロパガンダの成功を認めることができなかったのだろう。

――モスコヴィッシの反論

認知安定化が影響の原因だとシェリフは考えた。生物は安定した環境を好む。攪乱要因が発生すれば、それを緩和すべく認知システムが調整する。攪乱要因つまりシステムにとっての異質性が、排除されるべき否定的要因としてのみ把握される。次章で検討するフェスティンガーの認知不協和理論においても同様に、人間や社会は平衡を保つホメオスタシスであり、自己完結する閉ざされた系をなす。だが、少数派や異端者を邪魔者とだけ位置づけ、多数派から少数派への一方的影響しか認めなければ、社会は変化しえない。新しい考えはどこからも生まれない。社会変動をどう説明するか。

エドゥイン・ホランダーがこんな提案をした。集団で最も人気があり、尊敬され、権威を帯びる指導者、権力構造の上位を占める者は他のメンバーの信用を得るおかげで社会規範を逸脱できる。逸脱が許容範囲を超えない限り、集団は指導者の意見を聞き入れ、変化を容認する。集団の効率や機能が低下する時、リーダーがこうして「上からの改革」によって集団を導くのだと。[33]

しかし、この解決には問題が少なくとも三つあるとモスコヴィッシが反論する。[34] まずは歴史を振り返ろう。キリスト・ガリレイ・マルクス・フロイトなど真に革新的な思想は社会に逆らって伝播する。数の上で少数派なだけでなく、威信も権力もない彼らは無視され、非難され、虐待されながら信念を説いた。一九六〇年代の黒人意識運動の嵐、フェミニズムや性革命が社会を根底から揺るがした事実をどう説明するのか。真に革新的な動きは上からでなく下から起こる。

次に動機を考えよう。自らの権威や権力が依拠する基盤を脅かしてまで社会を変える動機を上位者がなぜ持つのか。地位を守るために社会構造の維持に努めるのが普通だ。この批判にホランダーは答えられない。

さらに、上からの改革では変化の前後で同じ者が上位に居座り続ける。ところが現実には変動が激しいほど、上位を占める者が変革前と後で異なる。政治革命による国家権力奪取も、科学や芸術の主役交代もそうだ。ホランダー説はこの事実と相容れない。

官僚の世界、学問界、民間企業でもどこでも下っ端は何もできない。だから権力を握るまでは我慢して組織の論理に従う。しかし頂点に立った暁には腐敗した組織を改革しよう、いつか学界を変え、創造性豊かな組織を作ろう。こう意気込む若者は少なくない。だが、このような妥協的姿勢では支配体制を崩せない。ミイラ取りがミイラになるだけだ。思想家・内田樹がブログに書いている（『内田樹の研究室』「利益誘導教育の蹉跌」、改行を減らした）。

「やりたいこと」に達するために、しぶしぶ迂回的に「やりたくないこと」を我慢してやるようなタイプの人間は、どのような分野においても「イノベーターになる」ことはできない。これは自信を以て断言することができる。ぜったいに・なれません。
ビジネスマンとして、あるいは政治家として、あるいは官僚として、小成することならできるだろう。だが、「算盤を弾いて、『やりたくないこと』を今は我慢してやる」ことができるようなタイプの人間には「イノベーション」を担うことはできない。

社会の論理に抗して異端者が立ち上がり、既存秩序を破壊する歴史が上からの改革では説明できない。閉鎖系として社会が把握されるからである。上から下に影響が流れるという常識に挑戦して、真の変革は少数派の力によってのみ可能だと認めなければならない。
社会が閉じた系ならば、そこに発生する意見・価値観の正否は内部の論理だけで判断できる。少数派は否定され、多数派に飲み込まれる。だが、モスコヴィッシは開かれた系として社会を捉えた。社会に発生する攪乱要素は既存の規範に吸収されるとは限らず、時には社会構造を変革する。これがモスコヴィッシの世界観である。第四章で詳しく見るようにホロコーストの実体験がこの発想の底にある。

人間の最も重要な目標が社会の安定や個人の平穏と満足にない事実はすでに明らかだ。（……）正義・真実・自由・尊厳など理想のために人間は生き、あるいはそれを求めて死ぬ。生と死のあるべき姿を人間はこれら価値に見いだす。革命や革新、対立は人間集団の変遷に不可避だ。この明白な事実に今日の社会心理学者はどうして気づかないのだろうか。[35]

曖昧さを減らし、認知環境を安定させる機能をシェリフは影響に見た。だが、曖昧さや不安定が最初からあるのでない。対立の結果だ。社会の成立と維持には価値観の共有が欠かせない。しかし全員が同じ価値観に染まるのではない。逸脱する人間が必ず現れる。意見対立が生じ、常識に疑いの目が向けられる。こうして環境が不安定になる。少数派と多数派の闘いを通して社会は常に変遷し続ける。

シェリフ実験の追試[36]にモスコヴィッシが注目する。シェリフと同じ設定で実験し、同じ結果が出た。だが、参加者の様子を克明に記録し、回答の理由を尋ねたおかげで、見逃していた重要な事実に気づく。

準拠枠の欠如や曖昧さを意味する発言を参加者はどの時点でもしていない。誰もが最初に驚いたのは、光点移動をめぐる他の者の判断との違いだった。集団判断の際、自分が見ている通りに他の者が答えない事実にショックを受けたのだ。(……)不確実感を覚えたのは他者の判断を聞いた後であり、光点の不規則な移動を見た後ではない。不確実感の原因は刺激[光点]の曖昧さでなく、光点移動に関する判断の不一致だ。不確実感の源は対人関係に求めるべきであり、各人と刺激との関係にではない。判断の違いが生む葛藤を無意識に解消するために相互に歩み寄ったのである。

参加者自身の理解はシェリフの仮説と明らかに異なる。シェリフによれば、集団が影響し、共通規範が形成されるのは、判断すべき対象が錯覚だからだ。しかしスパーリング［追試実験を行った研究者］によれば、（……）意見が一致に向かうのは他の者が異なる判断をするからである。（……）シェリフにとっては、曖昧で不安定な対象をどう見て、どう判断するかという知覚の問題だ。他方、スパーリングは対立を指摘する。他者が見る通りになぜ私には見えないのか、同じようになぜ判断しないのか。シェリフの解釈にとって刺激が錯覚である事実は決定的だ。だが、スパーリングにとって刺激の性質は重要でない。[37]（強調モスコヴィッシ）

アッシュの実験は長さが明らかに違う線分の比較だ。曖昧さはもともとない。それでも影響が生ずるのは、サクラとの対立が環境を不安定にするからである。普通ならば曖昧な点などなく、知覚は安定している。ところが他者は違う意見を主張する。何故だろう。こうして対立が生まれ、認知環境が不安定になる。アッシュは判断対象の特性に注目したが、それ以前に人間関係を分析の出発点に据えなければならない。

社会に生きる中で対立が生じ、その処理過程が影響の方向を決める。相互に譲歩し、妥協するプロセスにシェリフは光を当てた。規範が定まる以前には明確な多数派ができていない。そこで互いに譲歩しながら妥協点を探そうとする。どの立場を信じたらよいのか誰にとっても明らかでない状態ではシェリフが示したタイプの影響が生じる。対してアッシュが検討した状況では多数派と少数派がすでに明確にできている。前者が正常であり、後者は異常だ。この場合、互いが歩み寄って妥協点を見いだすのは難しい。少数派を屈服させ、多数派に吸収することで対立が解消され、社会システムが再び安定を取り戻す。

――少数派が秘める力

だが、多数派への追従だけが影響の方向ではない。間接的ながら少数派も影響を行使し、集団を変える。直接的かつ即座に効果を現す多数派と異なり、少数派の影響は目に見えない形で、また潜伏期間を経た後に顕在化する。そのため少数派が行使する影響が見過ごされる。少数派影響の特徴を挙げよう。

少数派と同じ立場を表明すると周囲の嘲笑をかい、制裁を受ける。少数派との同一化を恐れ、あからさまな影響は拒絶される。ところが少数派に影響される時、建前を維持しつつも本音が変わる。これが第一の特徴だ。表層に留まる多数派の影響と違い、青色スライド実験が示したように少数派影響は無意識に浸透する。自ら気づかないうちに影響を受ける。これが第二の傾向である。そして多数派の影響はすぐに現れるが、その場限りで消えやすい。アッシュの実験が典型的だ。他方、少数派の影響は時間の経過とともに影響効果が強まる。これが三つ目の特色である。少数派の主張を表だっては斥けたり、意識の上では反対の立場をとり続ける。だが、本人も知らずに影響を受けており、時間差を伴って意見が変わる。

具体例を一つ挙げよう。フランスの遺伝学者の逸話だ[38]。ある朝、良いアイデアが不意に浮かび、研究室で披露した。ところが予想に反して同僚の反応はかんばしくない。意見を促すと「それは私が学位論文で展開した考えです」と弟子が答える。驚いた教授は、一年半ほど前に審査した弟子の論文を書庫から引き出して頁を繰ると確かにそのアイデアがあった。それだけでない。教授自身の筆跡で「この考えは誤りだ」と余白に記されていたという。弟子（少数派影響源）の主張を退けておきながら後になって効果が現れる。まるで時限爆弾か一定の潜伏期間を経て発病するウィルスのように。影響源が忘れられ、影響内容のみが無意識に受容される。そのため他者から受けた影響の結果なのに自らの考えだと錯覚するのである。

少数派が行使する影響は盲目的な追従や模倣ではない。常識を見直すきっかけを少数派が与え、新しい発見や創造へと導く。これが四つ目の特徴だ。多様な見解が衝突する中で、暗黙の前提が新しい角度から見直され、多数派と少数派どちらの立場でもない新しい着想が現れる。少数派の主張内容を超え、背景にある世界観や人間像が問い直される。

シェリフもアッシュもモスコヴィッシも条件を区別する棲み分け解釈をしなかった。影響とは何かと大上段から切り込む。コペルニクス・ケプラー・ニュートン・アインシュタインの系譜と同じように既存理論の不備を解決し、一般化を目指した。

アッシュ実験は本当に多数派の影響だろうかとモスコヴィッシは自問した。実験室の中では確かにサクラは多数派をなす。しかしサクラの答えは明らかに異常だ。この実験は多数派影響の証明でなく、逆でないか。異端者が影響を及ぼしうる可能性を示しているのでないか。モスコヴィッシはこう再解釈した。アッシュはサクラの人数を一人から一二人まで変化させ、影響度を比較した。多数性が原因なら、サクラの数が増えるほど影響力も強くなるはずだ。ところが三人に達した後はサクラの数が増えても効果が変わらない。

それだけでない。サクラのうち一人が他のサクラと異なる回答をするだけで影響力が格段に弱まった。影響源のサクラは一人減っただけだ。他の六人は前と同じように誤った答えを選び続ける。だが今、参加者の意見が分裂した。裏切り者のサクラが正しい答えを選ぶ場合でも、他のサクラ以上に誤った答えを選ぶ場合でも影響が同様に弱まる。つまり被験者の味方が現れるから影響が薄れるのでもなければ、情報源の数が問題なのでもない。情報源全員が一つの立場を貫くゆえに、主張が正しいのではと判断を迷うのである。ならば、少数派も一貫して同じ意見を突きつければ、影響できるのでないか。モスコヴィッシはアッシュ実験を以上のように整理し、統一的な理論を練り上げていった。

社会生活で我々が直面する問題について情報源（個人・集団・マスコミなど）と自分の間に意見の相違があるとしよう。次の三つの方法によって対立は解消される。①多数派の権力や権威に寄り掛かって同意してしまえば、葛藤が消える。だが、判断対象をそっちのけにして多数派に追従すると、かえって真の影響効果が失われる。対象そのものから目を背けるからだ。②主張を情報源の特殊性のせいにすれば、意見の相違が正当化され、緊張が緩和される。ワインを勧める人が味音痴ならば、好みが自分と異なっても不思議でない。あるいは精神異常者だから変なことを言うのだと納得すればすむ。政敵を貶めて影響力を奪う、権力がよく使う手である。以上二つの対立解消では情報源だけに注意が引きつけられ、主張内容が吟味されない。

少数派が影響できるのは次の条件③に限られる。一貫性をもって意見・判断を主張し続ければ、あるいは情報源が一人でない場合、何人もが同じ見解を固持すれば、根拠があるかもしれないと考え始める。一度だけの判断なら誤りの可能性もある。しかし主張が何度も繰り返される。それに一人だけなら個人的偏向かもしれない。だが、数人が（依然として少数派であっても）表明する意見だ。何か根拠があるにちがいない。孤立の危険をものともせず、主張し続けるのは何故なのか。主張者が誰であるかを別にして問題そのものが吟味し直される。対立解消の方法①と②が主張内容から目をそむけて情報源の権威や特殊性に引きつけられたのと対照的に、情報源を棚上げして問題だけに注目する。こうしてメッセージの内容に正面からぶつかる。

主張がそのまま受け入れられるとは限らない。少数派に反論するためにも、背景にある世界観を再考し、問題に改めて対峙する。例えば妊娠中絶の是非を議論する時、男女平等や性の自由、生命の解釈、脳死や死刑など関連する他の問題も考え直す。つまり少数派影響は単なる模倣や同調ではない。異なる意見を突き合わせて新たな考えが生み出されるプロセスだ。少数派という触媒に刺激されて自分自身が変わるのである。

少数派の考えが多数派に受け入れられても、それでは初めからあった意見の賛同者が増えるだけだ。新しいアイデアは生まれない。異端者の見解と衝突し、暗黙の前提を新たな角度から見直す契機が与えられる。こうして多数派の見解にも少数派の立場にも収束しない思考が現れる。

少数派が影響する事実はモスコヴィッシ以前すでに知られていた。だが、それを説明する理論がないゆえに実験の失敗だとみなされ、無視されてきた。理論が事実を構成する好例だ。アインシュタインの手法を思い出そう。モスコヴィッシも同様に、データよりも理論の構造に注目した。この演繹的アプローチが既存データの再解釈を導いたのである。

第二章

矛盾を解く型　同一性と変化をめぐって

変化も同一性もとても難しい概念である。オーストリア出身の哲学者ルートヴィヒ・ウィトゲンシュタイン『論理哲学論考』の有名な章句を挙げよう。

> 二つのモノが同じだと言うのは馬鹿げている。そして、ある一つのモノがそのもの自体と同じだと言うのでは何も言わないのとかわらない。[1]（強調ウィトゲンシュタイン）

「私は隣人と同じ車を持っている」という表現を考えよう。同じ製造元の同じ機種、同じ排気量、同じ色で塗装されている二台の自動車を隣人と私がそれぞれ持っているという意味だ。二台はあまりにもよく似ているために容易には判別できないかも知れない。しかしそれでも二つの対象があるのはまちがいない。これを共時的同一性または質的同一性と呼ぶ。

対して「酷い事故に遭った車の修理をしたばかりだが、新品同様になって返ってきたので見違えてしまった」と言う時、違う事態が含意される。ここではただ一つの対象に二つの異なる相が現れている。修理前の車と修理後の車は全然似ていない。それでも一つの車しかない。これは通時的同一性あるいは数的同一性と称される。以下では主に後者の意味での同一性と変化に光を当て、先達の叡智を垣間見よう。同一性と変化の矛盾を通して私は思考の型を学んできた。

——変化とは何か

何かが変化する。この表現にすでに大きな矛盾が含まれている。ドイツの哲学者イマニュエル・カントとフランスの哲学者アンリ・ベルクソンの立場がよく対比される。[2] 変化を受けずに存在し続けるモノがなければ、何の変化なのかさえわからない。モノあっての変化だ。だから変化現象の背後に恒常的実体の存在を前提しなければならない。カントはこう考えた。対してベルクソンは、単に変化が生ずるのであり、変化現象の陰に無変化の実体など存在しないと主張する。

変化の一形態である運動を取り上げよう。視覚的場面を思い浮かべやすい。そのため、空間の一部を占める物体がまずあり、それが移動すると理解する。ところが視覚でなく聴覚の変化を考えると異なる相が現れる。ショパンのエチュードが聴こえる。時間の経過につれて旋律が移ってゆく。音の運動をいくら分析しても恒常的実体は見つからない。

この難問を迂回するため、全体の変化を部分の漸進的置換で説明するのが科学では普通だ。ダーウィン進化論、マルクス・プロレタリアート革命論、経済史家・大塚久雄の周辺革命論、フランスの社会心理学者ジェラール・ルメンヌの提唱した社会異化理論、モスコヴィッシ少数派影響理論を比較しよう。多様な分野で練り上げられた理論を一緒に論じても無意味だ、それでは表層だけの類似性しか摑めないと考える人がいる。だが、違いに拘ると型が見えない。個別性を超えて浮かび上がる共通の論理形式に目を向けよう。異質な現象に潜む共通の構造を探せ、米国の文化人類学者グレゴリー・ベイトソンが説いた。

自然界のすべての現象を律する同タイプのプロセスを発見すべきだという少々神秘的な信念を私は抱いた。例えば結晶構造と社会構造とを、あるいはミミズの分節と玄武岩の円柱を形成するプロセスを同様に貫く法則が発見されるという考えだ。（……）今日なら同じ言い方はしない。ある分野を研究するのに有効な精神活動のタイプが他の分野にも役立つ。こう言うだろう。例外なくすべての分野を通して不変なのは自然の形相《エイドス》ではなく、科学の形相なのだと。[3]

型は思考の無駄を削ぎ、要に集中させる。多様な材料やテーマを貫き、意外な解決をもたらす。類推や比喩の効果も似ている。

まず進化論。ダーウィンの説明は夾雑物が混在するので、メンデル遺伝理論と出会って発展したネオダーウィニズムを取り上げよう。この学説の柱は突然変異と自然淘汰の二原理からなる。突然変異、つまり再生産の失敗が原因で多様性が生まれる。そして従来から生息する多数派よりも、新たに発生した少数派の生き残る率が高ければ、次第に置換されて種が変遷する。全体の変化を部分の置換で説明する。[4] ところで既存の個体に比べて、突然変異で発生する新個体は環境内で最初から有利な条件を備えている。

マルクス革命論と比べよう。生産手段と権力を占有するブルジョワジーよりも数の上ではプロレタリアートの方が多い。しかし孤立する個々の労働者は力を持たない。そこで団結・蜂起して既成の支配構造を覆す。より強大な力を備えて成長した新部分が、それまでの支配部分を凌駕して社会を変える。これも置換モデルだ。強者が弱者を打ち負かす原理はネオダーウィニズムとかわらない。ただし進化論と異なり、各労働者が支配層の人間より優れるから革命が起こるのではない。そこは違う。

封建制から資本主義への移行を研究した大塚久雄も変化を置換で説明する。

> 一定の生産様式が支配的な地位を占めているような構造の社会構成の内部で、まったく新しい別種の生産様式が発生し、古い生産様式を掘りくずしながら発達をとげ、ついに旧来の社会構成を解体せしめて、みずからが支配的地位を占めるような構造の新しい社会構成をうちたてるにいたる（……）そこには、古い生産様式から新しい生産様式への生産様式の移行と、それを内包しかつそれとさまざまな仕方で不可離に結びつきつつ進行する、古い社会構成から新しい社会構成への社会構成の移行、つまりそうした二つの側面が同時に含まれている（……）[5]。（強調大塚）

大塚史学の枠組みは周辺革命論である。支配的生産様式から離れた辺境で新しい経済構造が生まれる。旧様式の圏内では、誕生したばかりの脆弱な生産様式は潰されてしまう。新システムは競合を逃れ、周辺地域で十分発展した後に旧構造を駆逐する。こういう着想だ。スペイン・ポルトガルに興った重商主義がオランダ中継貿易に取って代わられ、さらに英仏資本主義へと経済基盤が進展してゆく。

> 何故にそのような中心地域の移動を伴わねばならなかったのか。(……)或る社会構成内部の中心地域では、次の段階を特徴づけるような新しい生産関係がたしかにいち早く生みだされるけれども、他面において、そこでは古い生産関係の基盤が何としても根づよいために、そうした新しい生産様式の展開は当然に阻害され、或いは著しく歪曲されるほかはない。その結果、新しい生産様式はおのずからそうした中心地域を去って、旧来の生産諸関係の形成が比較的弱かったか、或いは殆んど見られなかったような辺境ないし隣接の地域に移動(または伝播)し、そこでかえって順調かつ正常な成長をとげることになる。[6]

ネオ・ダーウィニズムやマルクス革命論と同様に大塚理論も、異端の要素や構造が誕生した後に少しずつ勢力を拡大し、ついに多数派を打ち負かす構図だ。旧部分よりも新部分の生産性が高いために当該圏の経済構造が変化する。同じタイプのアプローチである。

次にフランスの社会心理学者ジェラール・ルメンヌの社会異化理論を紹介しよう。生物学者・池田清彦が解説するように、生物の多様性を説明する必要から進化論が生まれた。

いまでこそ、進化論は、進化という現象の説明原理でなければならないような按配ですが、ラマルクもダーウィンもウォレスも、もともとは進化論を進化の説明原理として構想したのではないのです。多様性の説明原理として進化を構想したのです。進化というのは仮説であって、その結果、生物は多様化したという理屈を立てたわけです。[7]

強者と同じ生活環境にいれば、弱者は淘汰される。ところが木に登ったり水中生活したり、光の乏しい環境に生育するなど棲み分けすれば、弱小生物も生き残り、生命環境が多様化する。同じ餌を求め、似た生活形態の個体ばかりが増加すると生存の闘いが熾烈を極める。だが、異なる種ならば共存できる。食餌行動が違い、互いが邪魔にならない。

人間の世界も同様に職業上の棲み分けを通して社会の複雑さが増した。主流派と同じ土俵で闘えば少数派は負ける。そこで主流派と比較されない分野に特化する。これはフランスの社会学者エミール・デュルケム『社会分業論』の立場でもある。経済効率向上のために分業が発達するのではない。人口増加とともに生存競争が激化する。それでも弱者が排除されず、分業のおかげで生き残る。多様化した分業社会は均一な社会に比べ、緊密で安定した人間関係を築く。[8]

他の生物と異なり、人間は未占有の生態空間に移動するだけでなく、社会構造を自ら変革してゆく。既存の価値体系を拒み、それに代わる新たな評価基準の採用を要求する。新基準の普及に成功すれば、今度は自分が優位な地位を占める。こうして新しい世界観が生まれ、広まってゆく。実験研究を通してルメンヌはこう立論した。[9]

新基準の普及は、どう説明するのか。支配者との正面衝突を避けながら密かに実力を養っても、いつかは対決しなければ支配を崩せない。その際、広義の力が勝敗を決めると考えるならば結局、今までに見た理論と同じ型である。

モスコヴィッシの少数派影響論はどうか。影響を通して新しい世界観が社会に浸透し、部分が少しずつ置換されて最終的に全体が変化する点は同じだ。だが、少数派が多数派を凌駕するプロセスが異なる。キリスト教の布教を考えよう。イエスの思想は最初、迫害を受け、影響源であるイエスは殺される。だが、紆余曲折を経ながらキリスト教は伝播を続け、ついにローマ皇帝を改宗に導いて西洋社会を席巻する。初期のキリスト教徒は弱者のままで布教に成功した。数の上でも劣り、権力・権威・名声などが欠落したままで少数派は影響する。政治力も経済力もない少数派に留まりながら社会を変える可能性をモスコヴィッシが示した。ここが従来の革命理論との決定的な違いだ。元々、少数派の提案だった事実が忘れられ、自分自身の考えだと多数派が勘違いする。こうして社会が変革される。

新しいアイデアの出現はルメンヌ理論が説明し、そのアイデアの普及を少数派影響理論が分析すると解説する教科書もある。だが、それはモスコヴィッシ理論の誤解だ。前章で見たように、少数派による影響は模倣や同調ではない。少数派を触媒として多数派が自ら変化し、新しいアイデアが生まれるプロセスである。

異端者が弱者に留まったままで影響できるとモスコヴィッシは何故考えたのか。他の説明はどれも強者の論理だ。それをモスコヴィッシは拒否した。支配者に対して力では絶対に敵わないという諦念があったからでないか。それゆえに力とは別種の解決を探したのではないか。この問いには第四章で光を当てよう。

――多文化主義と普遍主義のパラドクス

変化の矛盾を解く例を挙げよう。[10]私の典型的アプローチだ。多民族・多文化主義を標榜するアメリカ合州国では家族構造・宗教・食習慣などの均一化が著しいのに、民族の固有性を認めない普遍・同化主義のフランスにかえって多様性が残る。フランスの文化人類学者エマニュエル・トッドがこう指摘した。[11]

この矛盾の解法はいくつか考えられる。一番つまらないのは、米国社会の方がフランス社会よりも均一というデータの否定だ。つまりトッドの出発点がそもそもおかしい、多文化主義米国の方が同化主義フランスよりも多様性に富むという常識に戻れば、辻褄が合う。だが、トッドの主張を認めた上で矛盾を解く方法はないか。
『異文化受容のパラドックス』で私は類似の問題を扱った。トッドの問いを解くための補助線として説明しよう。日本は閉ざされた社会であり、かつ開かれた文化だと丸山眞男が『日本の思想』（一九六一年）や「原型・古層・執拗低音」（一九八一年）で述べていた。[12] 日本には外国人居住者が少ないだけでなく、海外に住む日本人も総人口に比べてわずかだ。人の交流からすると日本社会は閉じている。他方、日本人は外来要素を自主的に、貪欲に取り入れてきた。ゆえに情報の流れをみると日本文化は外に開いている。

敗戦を喫し、劣等感の虜だった日本人が次第に経済力をつけ、自信を回復していった。一九六四年一〇月一日、夢の超特急と呼ばれた新幹線が開通し、九日後にはアジア最初のオリンピックが東京で開催された。一九六八年には西ドイツの国民総生産を抜き、米国・ソ連に次ぐ世界第三の経済大国にのし上がる。一九六四年から一九七三年の一〇年間の平均経済成長率は一〇・二％という驚異的数字を記録し、フランス（五・六％）・西ドイツ（四・七％）・英国（三・一％）・米国（四・〇％）など西洋先進国の追従を許さなかった。エズラ・ヴォーゲルの『ジャパン・アズ・ナンバーワン――アメリカへの教訓』（邦訳一九七九年）の出版が象徴するように、西洋をついに追い抜いたとマスコミが騒いだ。

その先にやってきたバブル景気は、フェラーリ・ロールスロイス・ベントレーなど高級自動車を輸入し、ゴッホやルノワールの絵画を買い漁り、欧米のゴルフ場やフランスのブドウ畑、ロックフェラー・

センターやコロムビア映画を買収するなど、成金日本が世界中で顰蹙《ひんしゅく》を買った時代でもあった。

　西洋を追い抜いたと日本人が信じていた頃（一九八六年）、白人が登場するテレビ広告の割合を調べたところ、二一・四％に上った。商品名の六七％が西洋語か西洋風の表現を含み、自動車などは例外なく、西洋風の名前で売られていた。タバコもほとんどが西洋名だった。雑誌や美容室などは今でも、ほぼすべてに西洋風の名前がついている。日本に滞在する西洋人の比率とテレビ広告の西洋要素登場率を比較すると、この現象の異常に気づく。日本に住む外国人の割合（三ヶ月以上滞在）は研究当時、日本総人口の〇・〇五％にすぎなかった。したがって居住率に比べて西洋人はテレビ広告に四〇〇倍以上の頻度で登場し、商品は約一三〇〇倍の割合で西洋名が使用されていた。西洋人と実際に接触する機会が少ないのに、イメージの世界では西洋要素が氾濫する。[13]

　矛盾の解き方は様々だ。矛盾にみえるのは現象の理解がまちがいだからかもしれない。日本は閉じているようにみえても見かけだけであり、実際は開放的だと証明できれば、開かれた社会が開かれた文化を持つのだから矛盾が消える。あるいは反対に日本文化の開放性は表層だけで、中核は閉じていると考えてもよい。そうすれば閉鎖社会に閉鎖文化が宿るわけだから、やはり矛盾がなくなる。

　しかし私はデータの矛盾を妥協的に解消せず、矛盾の内部に答えを探した。常識では開放と閉鎖は対義語をなす。だが、私はここに論理的な相補性を見た。その時に助けになったのが免疫の比喩だった。外来異物から免疫が身体を防御する。人間の消化管内面には微細な襞が無数にあり、襞をすべて伸ばすと四〇〇平方メートル、シングルスのテニスコート二面分の面積に相当する。単純化すると身体は一本の管のようなものであり、胃や腸の中は身体の外部である。皮膚や感覚器官に加え、消化管の広大な粘膜を介して我々は外界とコミュニケーションを営んでいる。[14]

だが、無条件に何でも取り入れるのではない。危険な異物は濾過しながら物質・情報・エネルギーを外界と交換する。つまり自己を閉じながら同時に外部に開いている。閉鎖のおかげで開放が可能になる。閉鎖と開放を対立的に捉える前提がそもそもおかしい。日本社会は閉じているにもかかわらず、文化が開くのではない。社会が閉じるからこそ、文化が開く。これが私の到達した結論だった。構造と機能を区別し、閉鎖構造が開放機能を生み出すという解法である（『答えのない世界を生きる』で比喩の意義を分析した）。

比喩の効果を強調するために補足説明しよう。外国文化の要素を取り入れ、絶え間なく変化するにもかかわらず、同一性を保ち続ける日本文化を説明する上でもう一つ他のイメージが私にあった。外部を内部に取り込みながらも同一性を保持するアメーバとの相似だ。ギリシア哲学者ヘラクレイトスが挙げた「ナイル川のパラドクス」にアメーバの無定形性は似ている。川を構成する水は絶えず移りゆく。しかし川の水がいくら変わってもナイル川自体は常にそこにある。構成要素が変化しながらもシステム自体には変容が起きない。こういう事態である。

ちなみに丸山眞男は「開国」（一九五九年[15]）および『日本の思想』（一九六一年[16]）の時点では「閉ざされ

た社会、開かれた社会」と表現していた。「原型・古層・執拗低音」（一九八四年[17]）で初めて「閉ざされた社会、開かれた文化」と書くようになる。矛盾を「閉ざされた社会」と「開かれた社会」との間に見るか、「閉ざされた社会」と「開かれた文化」との間に見いだすかは重要な違いをなす。「原型・古層・執拗低音」ではまだ「閉じた社会（文化）」「開いた社会（文化）」と書き、社会と文化を互換的に扱う傾向もあったが、次の文をみると「開かれた社会」と丸山が言う時、実は「開かれた文化」を意味していた事実がわかる。

ちょうど「開国」という論文を書きました昭和三三年（一九五八年）度の講義のプリントによるとはじめの方で、「日本思想の非常に難しい問題というのは、文化的には有史以来『開かれた社会』であるのに、社会関係においては、近代に至るまで『閉ざされた社会』である。このパラドックスをどう解くのかということにある。」と言っております。つまり、「閉じた社会」「開かれた社会」という、ベルクソンやポッパーの、いわば超歴史的なタイプをつかっても、日本にはどうもそういうパラドックスがあるというわけです。（……）ここに「開かれた文化」と「閉じた社会」とのパラドックス的な結合を解く鍵もひそんでいるようです。[18]（強調小坂井）

アメーバのイメージから出発すると、社会＝文化という一つのシステムに同時に成立する二つの相として変化と同一性を把握する。そのため、この矛盾を止揚するのは極めて難しい。一つのモノが同一性を保てば変化できないし、変化すれば同一性は破られる。同一性を維持しながら変化するとは、どういう意味なのかという古典的難問に戻るからだ。

比喩に頼って論理をごまかすのではない。思考の型として比喩を活用するのであり、具体的な説明は別に提示しなければならない。アインシュタインはまず視覚的なイメージを使って思考した後に、言葉や数式に翻訳した。インフェルト「アインシュタインの思い出」から再び引く。

彼はよく「頭のなかで考えるときに数式をもちいる科学者は、一人もいませんよ……」と言っていた。

実際、物理学者でも、計算をはじめる前にはまず、ある観念とかアイディアを頭のなかで思いうかべてみる。そして、これらの観念やアイディアはふつう、簡単な言葉で表現できるものなのである。計算や数式は、その後にでてくる操作なのである。[19]

影響源である西洋と、影響を受け入れる日本との距離および媒介関係、そして凝集性の高い日本社会のコミュニケーション構造に私は注目して西洋化メカニズムの形式を抽出した。詳細は『異文化受容のパラドックス』に譲り、比喩の効用についてさらに敷衍しよう。

日本は古代から大陸文化の強い影響に曝されてきた。それゆえ、日本思想から外来要素を排除すれば、タマネギの皮剝きのように、あとには何も残らない。だが、「日本的なもの」がまったくないわけでもない。日本の思想や教義は内容としては外来だ。しかし日本文化に入る際に一定の変容を受け、大幅な修正が起きる。仏教はその代表例である。そこで丸山眞男が提案する。要素としてでなく、外来思想が修正されるパタンに恒常的な「日本的なもの」を見い出すべきであると。[20]「日本的なもの」と言っても、そのようなモノがあるわけでない。実体化を避けるために丸山はいくつかの比喩的表現を試みる。「プロトタイプ」「原型」「古層」などを経て最終的に音楽用語の「バッソ・オスティナート（執拗低音）」に行き着く。日本思想史を奏でる「主旋律」は中国大陸あるいはヨーロッパという外部から渡来した。だが、そのまま響かないで、日本文化の「低音部」に執拗に繰り返される一定の「音型」によって変質をこうむり、異なる響き方をする。

変化する要素もあるが、他方恒常的要素もある、とか、断絶面もあるが、にもかかわらず連続面もある、というのではなく、まさに変化するその変化の仕方というか、変化のパタン自身に何度も繰り返される音型がある。[21]

丸山の示唆に導かれ、この「バッソ・オスティナート」を免疫の比喩に私は翻訳した。それはすでに説明したとおりである。理由は、「音型」のままだとブラック・ボックスとして扱われてしまうからだ。内部機構を明らかにするために、社会（人間の相互作用）と文化（意味・象徴体系）という二つの系を区別し、「バッソ・オスティナート」を「音型」という実体的構造でなく、メカニズムあるいはプロセスとして解析した（日本の西洋化をめぐる、もう一つの逆説、日本が西洋の植民地にならず、西洋人が日本に不在だったからこそ西洋化が進んだという解釈については『増補　民族という虚構』参照）。

さて、トッドの指摘に戻ろう。普遍・同化主義を採るフランスは人種や民族の差を重視しない。出身民族の調査は原則禁止されており、国勢調査や学術研究でもたいていは内務省や文科省の許可が下りない。そのフランスで出身文化が根強く残る一方、人種や民族を公認する多民族・多文化主義の米国で文化が均一化する謎をどう解くか。

次のように考えてみよう。A、Bという二つのカテゴリーが作られるとAB間の差異が誇張されると同時にAとB各内部の多様性が見逃される。世界で最も背の高いオランダ人と日本人を比較しよう。平均するとオランダ人は日本人より背が高いが、全員にあてはまるわけではない。両集団の平均値差は一〇センチにすぎない。他方、オランダにも日本にも大男もいれば、小柄な人もいる。各集団の最大値と最小値の差は五〇センチ以上ある。AとBは多くの要素を共有するが、名前を付けてカテゴリー化されると集合Aの要素のどれもが集合Bの要素と違うような錯覚が起きる。つまり分類によりオランダ人と日本人の違いが誇張される。同時に集団内で均一性の錯覚が生ずる。各集合には多様な要素が含まれている。ところがカテゴリー化すると各集合内の要素が似ているような錯覚が起きる。[22]

多民族・多文化主義では集団のラベルを通して人々を認識する。そのため実際は差が小さくとも、違いが誇張される。ところでアイデンティティは他者との差異化に支えられるゆえ、差異の感覚が心理的安定をもたらす（後述）。他の文化を受け入れても自らの本質的部分は変わらないと信ずるおかげで変身が許容される。日本の西洋化にも同じメカニズムが働いた。西洋と日本は本質的に異なると信じるおかげで、西洋要素を取り入れても日本人の同一性は崩れないという感覚が異文化受容を容易にした（『異文化受容のパラドックス』）。

人間はみな本質的に同じだとする普遍主義では反対に、客観的な違いがあっても見すごされやすい。すると差異化が十分に働かないため、他文化要素の受容がアイデンティティを脅かす。こうしてフランス人の文化均一化に歯止めがかかる。

多民族・多文化主義は外部と内部を隔てる壁を取り去るのでなく、カテゴリー化を通して逆に両者の融合を阻止するがゆえに外部が馴致され、受け入れられる。他方、同化・普遍主義は外部の痕跡を内部で消し去る過程を通して、かえって外部の異質性が残存する。こう考えれば矛盾が解ける。

――ソシュールの同一性批判

民族は言語や宗教などの文化要素を他民族からしばしば受容する。日本語の文字も元は中国から借用した。日本文化の象徴のようにいわれる京都や奈良の建築物も中国や朝鮮の模倣だ。ガウタマ・シッダールタが始めた異教である仏教が今では日本人の心の支えになった。ヨーロッパと南北アメリカの諸文化を特徴づけるキリスト教も中東の地でユダヤ人イエスが広めた異教だった。文化が変質しても他民族に吸収されず、同一性を維持する。何故か。

変化すれば、同一性は保たれない。逆に同一性を維持すれば、変化できない。この矛盾をどう解くか。『民族という虚構』で出した私の答えはこうである。変化が生じれば、同一性は実際には破られる。しかしその変化に気づかなければ、あるいは自ら率先して変化したと錯覚すれば、同一性感覚が維持される。

スイスの言語学者フェルディナン・ド・ソシュールの関係論が解決の背景にある。民族実体視の脱却に役立った。モノがまず存在し、それに名前が付けられるのではない。逆に言語による差異化を通してモノが認識されるのだとソシュールは説いた。世界を犬とそうでない領域に分ける。こうして犬が世界に出現する。モノが集まって関係ができるのでない。差異や対立がモノ（カテゴリー）を生み出すのである。[23]

言語・宗教・慣習・民族名称・経済構造・政治組織・地理的隣接性など、民族を分類するために様々な要因が考慮されてきた。ところが実際に分類を試みると各基準による分類結果が一致しない。例えば母語を基準に二人を同じ民族に入れても、宗教に関しては二人が別々の民族に分かれてしまう。文化的特徴が多数ある以上、民族の分類は不可能だ[24]。

民族や文化は実体でない。恣意的に選ばれたシンボルを旗印とするカテゴリーにすぎない。ノルウェーの文化人類学者フレドリック・バルトは固有の文化内容を基に民族を規定する従来の発想を批判し、集団間に引かれる境界に目をつけるべきだと主張した[25]。これはソシュールと同じ型の認識論である。範疇化により集合が区別され、民族として現れる。同一性が初めにあるのではない。差異化の運動が同一性を捏造するのである。

集団を特徴づける要素は無数にあるので、すべてを考慮して境界が定められるのでない。ある要素は民族のシンボルとして注目され、他の要素は軽視されたり、無視される。民族を規定する要素として言語や宗教がしばしば挙げられる。しかし民族の特徴は歴史・社会状況に大きく左右され、変化する。今日では母語がフランス語か英語かでケベック人を他のカナダ人から区別する。ところが歴史的にみれば言語でなく、カトリック対プロテスタントという宗教が彼らを隔てていた。一九四八年の建国当初、イスラエル・ユダヤ人の九〇%がイーディッシュ語を話しており、将来の共通語がイーディッシュ語か英語になるだろうと予想されていた。その後、イスラエル政府の強力な政策によりヘブライ語が急速に普及したのである[26]。ユダヤ人のアイデンティティは言語にも宗教にも支えられていない[27]。

米国社会で一九六〇年代、黒人など少数派のアイデンティティ高揚が見られた。だが、現実には各集団の類似性が増していた[28]。南欧・トルコ・北アフリカ出身のユダヤ人セファルディムとドイツ語圏・東欧出身のユダヤ人アシュケナジムとの間の文化差がイスラエルでの共同生活を通じて減少したにもかかわらず、自らの固有性を両集団ともに強く主張するようになった。[29] 民族の境界に生ずる変化、すなわち同一性＝差異の強化・弱化と、文化内容の変化は二つの異なる社会心理現象である。

戦争が勃発すると国内の宗教対立・階級確執・地域紛争や身分・性別・学歴・世代間の軋轢が跡形もなく消え、一枚岩になった国民が敵に対抗する。外敵の対立項として「我々集団」が生まれる。反植民地闘争から多くの国家が誕生し、国内統一が達成された。群雄割拠の藩対立を超えて日本人という包括カテゴリーが誕生する上で欧米列強の脅威が果たした役割を思いだそう。一三〇年にわたるフランス支配との闘いの中から「アルジェリア人」が産声を上げたのも同じだ。悪意をもった外部がユダヤ人を常に脅かしてきた。そして現在もアラブ諸国という外敵に包囲されている。ユダヤ人[30]もアラブ人も日本人も虚構の物語である。

同一性の正体は差異化だ。ゆえに小さな違いこそが問題を孕む。同一性虚構がそこで試練を受けるからである。二〇世紀初頭、東欧のユダヤ人はゲットーに閉じこめられ、異質性を残していた。他方、フランス革命による解放とナポレオンの政策によって同化への道を辿った西欧のユダヤ人は非ユダヤ人と区別できないほど社会に溶け込んでいた。ナチスドイツによる「黄色い星」着用の強制は、そうしないとユダヤ人を判別し難かったからである。同化の著しく進むドイツにおいてまさに反ユダヤ主義が猛威をふるい、住民に熱狂的に支持されたのは何故か。フランスの思想家アラン・フィンケルクロートが言う。

　一般に信じられているところと違い、ユダヤ人が集団虐殺の犠牲になったのは、彼らが同化の努力をしたにもかかわらず、虐殺政策から逃れられなかったのではない。同化努力への反動として虐殺されたのだ。ユダヤ人が非ユダヤ化すればするほど彼らはより恐怖を募らせた。出自がわからなくなるにつれて、反ユダヤ主義の世論が投げかける呪いは激しさを増した。（……）非ユダヤ人というこの新しい身分こそが敵の恐怖と怒りを煽った。自らに残るすべてのユダヤ性を消し去るべく、同化ユダヤ人は細心の注意を払って純化に努めた。ところがゲットー住民への伝統的嫌悪とは比べものにならない激烈な反応が、この文化同一化に対して巻き起こったのである。[31]（強調フィンケルクロート）

差別の原因が客観的差異でないことは日本の部落問題にも明らかだ。いかなる言語・文化・宗教・身体要素によっても判別できない人々の家系や出生地を探って異質性を捏造する。身体的にも文化的にも朝鮮人ほど日本人に近い人々はいない。その上、在日朝鮮人のほとんどは日本に生まれ育ち、日本語しか話せない。それでもヘイトスピーチや差別に終わりが見えない。黒人差別も差異の問題でない。自らの不条理な感情を米国南部出身の白人知識人が分析する。

> 私が若い頃北部に移って黒人達と対等の立場に立ってつきあいを始めた頃、私は自分が、感情的にも、知的にも、黒人に対する偏見を払拭していたつもりだった。しかし（……）黒人と握手をするたびに、私は自分の手を洗いたいという、甚だ不合理な、しかし、強烈な衝動に駆られたのであった。私はあわて、困惑し、自らを恥じた。しかし、黒人と握手をした自分の手がよごれているという感情を、どうしても禁じえなかった。これは実に信じられない、おかしな感情であった。というのは、私は生まれおちた瞬間から、黒人召使の黒い腕に抱かれ、黒い手によって体を洗われ、黒い乳房から乳をもらい、黒い手の作る食事をたべて育ったのであり、彼等の黒い肌がきたないと感じたことは、ただのいっぺんたりともなかったからである。[32]

差別は差異に対する反応ではない。同質の場に力ずくで差異を捏造する運動である。凄惨な異端狩りを繰り返したキリスト教は多神教やイスラムなど外の異物でなく、内の異端者プロテスタントこそを最も残酷に粛清した（フランスでの少数派への近親憎悪は『異文化受容のパラドックス』参照）。モスコヴィッシの言葉を引く。

> 人種差別は逆に同質性の問題だとわかる。私と深い共通性を持つ者、私と同意すべきであり、私と信条を分け合うはずの者との不和は、たとえ小さくとも耐えられない。不一致は実際の度合いよりも

ずっと深刻なものとして現れる。差異を誇張し、私は裏切られたと感じ、激しく反発する。他方、私とまったく異なる者に対峙する時、我々を分け隔てる、越えられない溝には注意を向けさえしないだろう。つまり我々に耐え難いのは差異ではない。同質性と繫がりだ。[33]

ドイツの社会学者ゲオルク・ジンメルの有名な章句も挙げておこう。

シリウス星人は正確には異邦人でない。（……）我々にとってそもそも存在していないのである。遠いとか近いとかという次元を超えている。貧者や他の「内部の敵」同様、異邦人は集団の一部をなす。その内的位置と所属は同時に外部と対立を意味している。[34]

そして柄谷行人が言う。

人類学者や文化記号論者は、共同体の外にある他者（異者）について語っている。しかし、そのような異者は、共同体の同一性・自己活性化のために要求される存在であり、共同体の装置の内部にある。共同体は、そのような異者を、スケープゴートとして排除するし、また「聖なる」ものとして迎え入れる。共同体の外部と見える異者は、実は、共同体の構造に属しているのである。したがって、この意味での他者は、なんら他者性をもっていない。異者は超越者であったり、おぞましい（アブジェクト）ものであったりする。しかし、フロイトがいったように、そうした超越性は、もともと内在的なものである。[35]

外国移民は民族同一性を保つべきか、受け入れ国の文化に同化すべきかという議論がある。ディアスポラのユダヤ人・在日朝鮮人・在仏アルジェリア人・在独トルコ人などの少数派は多数派に溶け込んで固有のアイデンティティを消失するべきかどうかという問いだ。だが、これは問いの立て方が誤っている。我々人間は常に変化する。変化すること自体が問題なのでない。強制的に変化させられる、あるいは逆に、変化したいのに変化できない事態が問題なのである。

苦しんだ末に宗教の道に入ろうとする人を思い浮かべよう。この人にとっては入信つまり信仰上の変化が自己同一性を維持する。入信を禁止され、元のままの状態を余儀なくされたら、かえって自己同一性の危機が訪れる。変化が同一性を救い、無変化が同一性を壊す。改宗や棄教という変化自体が問題なのではない。なりたいものになれない時、また、なりたくないものにならなければならない時に同一性が脅威にさらされる。[36]同一性は固有の内容を持たない。あるのは同一化という運動のみである。

自らの文化環境から無理矢理引き離されると感ずる時、イソップ物語「北風と太陽」に出てくる旅人のように伝統にしがみつく。共同体の文化に守られて同一性感覚が保たれるおかげで、かえって変化が可能になる。逆に、変化できれば、外部環境に適応し、ひるがえって同一性を守れる。
　ユダヤ性を手放し、居住地の文化に同化する条件がイスラエル誕生のおかげでやっと整ったとチュニジア生まれのユダヤ人作家アルベール・メンミが言う。

　抑圧の真っ直中で同化はまず不可能だった。非ユダヤ人が同化を拒絶したからだけでない。同化の耐え難い不安のためにユダヤ人自身も拒否していたからだ。（……）今後はユダヤ人が固有の土地・国家・文化を持つおかげで、同化に向かうユダヤ人を大目に見ることができる。自由な人間となることで同時にユダヤ人はユダヤ性を放棄する自由を獲得する。だから今日では同化について話せるようになったのだ。（……）同化への憤慨・非難の気持ちがユダヤ人の意識においてすでに十分に和らいだからだ。

（……）同化を望むすべてのユダヤ人にとって同化が正当だと認めなければならない。自らの運命を選ぶ自由をユダヤ人にも返さなければならない。ユダヤ人共同体への所属を再確認するか、他の共同体を選択するかを単なる気分や利益から決められるべきだ。他のどの人間にも許される権利がユダヤ人にだけ認められないということがあろうか。イタリア人がフランスに同化したり、ドイツ人がアメリカに同化したりするのと同じでないか。だが、ここでも忘れてはならない。痛みを伴わずユダヤ性の消失がついに可能になったのはユダヤ人国家が存在するおかげなのだ。[37]（強調小坂井）

――血縁神話

アメリカ合州国・カナダ・オーストラリアなど複数の民族が共存する多民族国家と、ドイツや日本など国民のほとんどが一つの民族で成り立つ国民国家が対比される。だが、複数の民族が集まってできた社会か、一つの民族だけで成立した社会かという出発点を基に二つの形態が区別されるのではない。現時点での了解が両者を分かつだけだ。ソ連やユーゴスラヴィアが内部崩壊したのは多民族を起源とする国家だったからではない。多様な人間集団が一つの民族にまとまらなかったからだ。同一化の運動が同一性を後から生成する。

イスラエル以外に住む離散ユダヤ人は聖書に記されるようにパレスチナから追放されたユダヤの末裔だろうか。フランスの歴史家マルク・フェローがこの定説に疑問を投げかける。ヨーロッパや南北アメリカに住むユダヤ人の中には青や緑の瞳を持ち、金髪の人が少なくない。わずか数千年で瞳や髪の色は変化しない。中東出身者がなぜ金髪碧眼なのか。世界に離散するユダヤ人は現地の人々との間に生まれた子孫か、ユダヤ教に改宗した者の子にちがいない。[38]

イェルサレム攻囲戦（紀元七〇年）の際にローマ人がユダヤ人を追放した史実は有名だ。ところが、これは後世に捏造された神話らしい。労働力として利用できる外国人を追い出す習慣がローマ人になかったと『ユダヤ人の起源　歴史はどのように創作されたのか』を著したイスラエルの歴史家シュロモー・サンドが述べる。またユダヤ教は布教活動しないと信じられているが実際には多くの人々がユダヤ教に改宗した。[39]

ユダヤ教に改宗したテュルク系ハザール族がアシュケナジムの先祖だとケストラー『一三番目の支族』が主張した。一九六〇年頃の数字でアシュケナジムが一一〇〇万人、セファルディムが五〇万人いた。圧倒的な人口に支えられ、イスラエル建国に主導的役割を果たしたのは前者だ。したがってイスラエル国民のうち旧約聖書のユダヤ人と血縁で結ばれた人は僅かである。

異民族侵入のたびにユダヤ人女性が強姦され、妊娠してきた。征服した国の女は戦利品だ。生まれた子どもの面倒を侵略者はみない。だから子どもはユダヤ人の母がユダヤ人として育てる。またユダヤ社会は母系制であり、子どもが母に属すという事情もある。こうしてユダヤ人と他の民族との混血が進んできた。[40]

一般にユダヤ人と非ユダヤ人の結婚は頻繁で、その率が最も低いモロッコ出身イスラエル人でも男性四六％女性五一％という高い数字に上る。すなわちユダヤ人の二人に一人がユダヤ人以外と結婚する。ソ連崩壊直前の一九八九年には一四〇万人のユダヤ人がソ連にいたが、非ユダヤ人配偶者が八〇万人おり、これら二二〇万人すべての人々にイスラエルへ「帰る」権利が与えられている。[41]

共産主義から逃れるために虚偽申告をしてユダヤ人になりすました者も多かった。彼らは少なく見積もってソ連からの全移民の一割、多ければ三分の一に上る。二〇世紀初頭からソ連崩壊までの期間にパレスチナに移住したソ連出身者がイスラエル入植者全体のおよそ三分の一におよぶ。ソ連崩壊後には五〇万人を上回る入植者数を記録し、現在でもイスラエル人口の主な源流をなす。この一割から三割は無視できない数字だ。[42]

このように多くの非ユダヤ人がイスラエルのユダヤ人になっている。血縁を疑問視する事情はまだある。ベタ・イスラエル（ファラシャ）と呼ばれる人々がエチオピアにいる。黒人であり、信仰内容も異なるという理由から宗教権威がベタ・イスラエルをユダヤ人と認めず、イスラエルに入植できなかった。結局、国民大半の反対を押し切って一九八四年一一月から翌年初めにかけてイスラエル政府がベタ・イスラエルを航空輸送する。黒い肌を持つユダヤ人がこうして誕生した。

民族同一性をさらに考えよう。集団の絆を神話が支える。虚構だからこそ、強大な力を発揮する。一九四八年のイスラエル建国を機にアラブ諸国と戦争が勃発し、イスラエル領土のパレスチナ人七〇万が亡命を余儀なくされた。六七年の六日戦争でさらに三〇万の難民が生じた。国際連合パレスチナ難民救済事業機関（UNRWA）に登録される難民の数は現在五〇〇万人を超える。紛争前イスラエルに住んでいたパレスチナ人と子孫には帰国を拒否しながら、世界中に散らばるユダヤ人にはイスラエルに「帰る」権利が認められている。この政治状況の中、離散ユダヤ人のほとんどが実はユダヤの末裔でないとわかると致命的打撃を受ける。現在のイスラエル総人口は八〇〇万。そのうちユダヤ人が六〇〇万、アラブ人が一七〇万を占める。残りは他の民族だ。離散ユダヤ人の流入が止まるとともにパレスチナ難民五〇〇万の大半が帰国すれば、イスラエルはまちがいなく消滅する。
イスラエル国家建設の過程でユダヤ人の血縁が重要な意味を担った。サンドの解説を引こう。

程度の差こそあれ、「血縁共同体」として国民を定義してきたのはシオニズム運動すべての派に共通する。（……）パレスチナの地（……）への権利を保障する根拠の一つとして血縁が機能した。（……）近代のユダヤ人が最初の離散ユダヤ人の子孫でないならば、「ユダヤ人だけの土地」である聖地への移住を正当化できるのか。[43]

シオニズムがイスラエル建国を根拠付けた理由は皮肉にもナチスがユダヤ人を迫害した人種主義とかわらなかった。ユダヤ人は血縁で結ばれた一つの人種をなし、単に文化や宗教を同じくする集団ではない。こう説かなければ、ユダヤ国家は誕生しえなかった。

（……）世俗生活に共通点がまったくない人々の国を、それでもユダヤ国家と定義する以上、生物学的基盤が集団同一性の根拠をなすという曖昧だが有効なイメージが必要だった。イスラエルのアイデンティティを支える国家政策の背後に、国民＝永遠の人種という古びた観念の暗い影が漂っていた。[44]

外敵に脅かされなければイスラエルは生まれなかった。シオニズム運動に最大の貢献をしたのは反ユダヤ主義だった。「反ユダヤ主義者は我々の最も確実な友人となり、反ユダヤ主義の諸国が我々にとっての友好国となるであろう」。テオドール・ヘルツルが書簡にこう記したようにシオニズム指導者たちは反ユダヤ主義を利用した。

反ユダヤ主義が重要な味方であり、ユダヤ国家建設の強力な要因だとヘルツル以来、シオニズムは考えてきた。反ユダヤ主義との同盟関係、そしてナチズムで絶頂を迎えた反ユダヤ主義の発展がなければ、パレスチナのシオニズム運動はほぼ確実に失敗したであろう。ユダヤ人を永遠の異物と考える反ユダヤ主義の教理をシオニストの宣伝が意図的に支えた。[45]

二千年にわたる長い迫害の末、フランス革命による解放にユダヤ人は希望を抱く。だが、フランス普遍主義はユダヤ人を民族として解放せず、あくまで個人として自由を与えた。この理念を受け入れ、ユダヤ人は進んで同化の道を歩む。パレスチナに国家を建設するシオニズムの企てはユダヤ人に支持されなかった。だが、一九世紀末になって反ユダヤ主義が再びぶり返し、ユダヤ人が危惧を覚える。フランスでドレフュス事件（ユダヤ人の陸軍大尉アルフレド・ドレフュスがスパイ容疑で逮捕された冤罪事件）が起きたのが一八九四年、『ユダヤ人国家　ユダヤ問題への近代的解決の試み』をヘルツルが発表したのが一八九六年である。ユダヤ人排斥の激化と並行してシオニズム運動に注目が集まり、活発になる。同化の希望を断ち切り、シオニズムに最大の「貢献」をしたのは、数百万のユダヤ人を虐殺したヒトラーだった。総人口のおよそ三分の一を滅ぼされたユダヤ人は、他の民族と同じように自らの国家を持つ以外に「ユダヤ問題」の解決がありえないと悟った。ホロコーストの衝撃がシオニズムの現実性を一挙に強める一方、ユダヤ人が同化する道はほぼ完全に塞がれた。連合軍勝利後、辛うじて生き残ったユダヤ人の受け入れをどの国も渋った。生きる可能性はパレスチナへの入植しかなかった。

ユダヤ問題解決のために歴史がユダヤ人に課したのは結局、四つの可能性からの「選択」だった。①各国内部に少数民族として差別に甘んじながらユダヤ人として居住し続ける、②解放から同化に至る道、すなわち民族としてのユダヤ人消滅、③ヒトラーが企てた物理的絶滅、④パレスチナの地にイスラエル国家を樹立する道、である。離散ユダヤ人への迫害がなかったら、おそらくイスラエルは成立しなかった。こう述べたのは在仏イスラエル大使を務めた歴史家エリー・バルナヴィだ。[46]

民族は血縁や文化の同一性に支えられる集団でない。外部の脅威が集団同一化を引き起こす。民族は虚構だ。それはユダヤ人に限らない。アラブ人・アメリカ人・ドイツ人・フランス人・中国人・朝鮮人・日本人も虚構である。ユダヤ人が血縁で結ばれているかどうかはイスラエルの正当性と無関係だ。血縁でつながる人々だけに国民形成の権利があると言うならば、南北アメリカ諸国・オーストラリア・ニュージーランドなどの移民国だけでなく、日本・中国・韓国・イギリス・ドイツ・フランス・イタリアなどの国民国家も成立しえない（血縁概念の原理的な批判は『増補　民族という虚構』）。

ソシュール関係論とバルトの民族境界論に導かれ、ここまで来れば、同一性と変化が共存する謎が解ける。集団同一性のシンボルが恣意的に選択・意識されるとともに、他の要素が見過ごされる。こうして集団を分かつ境界が現れる。したがって境界を成立させる中心要素以外ならば、他の集団から受容しても境界自体は消滅したり曖昧になったりしない。ある時点において中心的価値をなすと感じ取られる部分への急激な変化を避ける条件が満足されれば、周辺部分から比較的容易に変化を受け入れる。

――同一性の幻影

つまり中心とは、主観的に感知された集団間の差異＝境界を生み出す要素であり、同一性感覚の拠り所をなす要素を意味する。そして集団を分離する基準として機能しない残りの要素群が周辺をなす。表現は逆説的になるが、中心の役割を境界が果たす。中心や周辺を実体化せず、機能の観点から捉えなければならない。どの要素が中心的役割を担うかはケベック人やユダヤ人の場合のように歴史・社会的状況により決まる。客観的性質が中心性や周辺性を規定するのではない。

こんな比喩が理解を助けるだろうか。テレビ画面は毎秒数十回更新される。したがって画面に映る風景や人物の像は実際には何度も中断されている。しかし変化が徐々にまた連続的に生じるために、残像作用に助けられ、登場人物や風景の同一性が錯覚される。画像更新の頻度が低下すれば、過去にあった分解写真のように人物などが断続的に位置を変えて見えるようになり、同一性感覚に亀裂が入る。

高画質テレビ開発時、単位時間に送るべき情報が急激に増加し、必要な情報量を従来の送信方式では処理できなくなった。画面の隅から隅まで完全に情報を入れ替える余裕が送信能力にない。そこで視覚の盲点を利用して、あまり注意が向けられない部分は情報更新を手抜きしつつ、重要な部分の更新に処理能力を集中する方法が考案された。注意散漫な部分は更新頻度が低く、画像の変化が断続的になる。しかし認知的に鈍感な領域なので見過ごされる。

民族同一性が次第に変遷する過程も、このごまかしの手口に似ている。同一性を支える中心は客観的根拠を持たない。時間が経過するにしたがい、中心の機能を果たす象徴的要素もゆっくり他の要素に代わられてゆく。テレビ画像の布置変遷に応じて目立つ部分が移動するように、中心を構成する象徴的要素が他の要素によって置換されてゆく。同一性は虚構であり、一時的な重心にすぎない。

同一性と変化の矛盾はギリシア時代から議論されてきた。こんな物語を想像しよう。漁師が木の舟を漕いで毎朝、魚を捕りに行く。舟はだんだん傷んでくる。ときどき新しい木材で修理しなければならない。漁師はしだいに年をとり、引退し、息子に舟を引き継がせる。息子も同じように毎日漁に出る。舟はさらに悪くなり、修復され、そして孫の代になる……。舟は修理の度に部品が替わる。したがって、いつかすべての部分が交換される。そこで疑問がわく。この舟は祖父の舟なのか。毎日使ってきた舟だから同じ舟のような気がする。だが、祖父の舟の材料はもう残っていない。それでも同じ舟と言えるのか。これが「テセウスの舟」の謎である。

舟を構成する木材、つまり質料《ヒュレー》は変化しても、この舟をこの舟たらしめる形相《エイドス》は維持されている。したがって、すべての部品が交換された舟も同じ舟である。アリストテレスはこう考えた。[47] では目前で舟を破壊しよう。そして前の舟と同じ構造になるように新しい材料で舟をその場で建造する。この場合、新しい舟は復元コピーにすぎず、連続性が感じられない。一〇〇年かけて徐々に材料を替えようが一瞬で替えようが、すべての材料が新しくなる事実は同じだ。だが、部品交換に必要な期間が十分長ければ、同じ舟だと感知される。アリストテレスはまちがいだ。すでに見たように万物に本質が備わると考えるからだ。同一性は対象自体に備わる性質でなく、観察者に現れる錯覚である。

ホッブズが提案した思考実験もある。[48] 古くなった舟板を今度は捨てずに保存する。そして材料がすべて交換された後で、保存してあった元の板を使って再び設計図通りに組み立てる。すると初めの舟テセウスⅠ、新しい材料で少しずつ修復したテセウスⅡ、元の板で再度組み立てたテセウスⅢという三つの舟が概念上考えられる。古い材料をそのつど捨ててテセウスⅢが出現する可能性がなければ、テセウスⅠとテセウスⅡの連続性は自然に納得できる。だが、残っていた材料を組み立ててテセウスⅢが出現した瞬間に確信が揺らぐ。古びて傷んだテセウスⅢを目の当たりにするや否や、それまでテセウスⅠと同一視されていたテセウスⅡが途端に複製の位に格下げされるとともに、傷だらけのテセウスⅢが実は祖父の本当の舟だったと感慨に浸る。

a＝bかつb＝cであれば、a＝cという等式推移律が必ず成り立つ。だが、この例ではテセウスⅠ＝テセウスⅡ、かつ、テセウスⅠ＝テセウスⅢでありながら、テセウスⅡ≠テセウスⅢである。テセウスⅡはテセウスⅠと空間および時間軸上で形が連続する。テセウスⅢはテセウスⅠと時間的にも空間的にも断絶しているが、同じ材料で構成されている。だが、同じ空間に同時に存在するテセウスⅡとテセウスⅢの間には明らかに数的同一性を認められない。二つのモノは一つでありえない。どうして、そんなことになるのか。

テセウスⅠ＝テセウスⅡという等式がそもそも成立しないのである。形相の連続性を根拠に同一性は保証できない。それ以外の何かが必要になる。だが、その何かは舟自体にない。同一性の根拠は当該対象の外部に隠れている。

目前に一つの塊がある。どの部分も時間の経過を通して変化せず、同じ状態を維持すれば、塊は同一性を保つ。さて、塊から極少量の部分を削り取るか、あるいは他の材料を微少な量加える。これで塊全体の同一性が破棄された。だが、変化が小さければ、同一性が維持されていると我々は認識する。探知されない変化が徐々に生じれば、時間が経過して変化の総量がかなりの程度に達しても、同一性が中断された事実に気づかない。

構成部品が間断なく入れ替わる舟と同様に、集団もその構成員が不断に交代する。一〇〇年ほどで日本人の総入れ替えが完了する。それにもかかわらず集団が同一性を保つと感じるのは、構成員が一度にすべて交換されず、ほんの少しずつ連続的に置換されるからである。毎日交換される日本人の割合は総人口の〇・〇〇三%ほどにすぎない。ある状態から他の状態への移行が断続感なく、滑らかに行われるおかげで日本人と呼ばれる同一性の感覚が保たれる。特にヒトは他の動物と異なり、生殖活動が季節の限定を受けないので集団更新時期が特定されない。そのため変遷が切れ目なく連続的になされるという事情も民族同一性の錯視を助ける。

度重なる修理にもかかわらず同一性感覚が消えないもう一つの理由は、舟の各部分が同じ目的のために結合されていると感じるからである。部分と全体との間に必然的関係が想像され、あたかも構成部分から遊離して全体が存在するような錯覚が生まれる。

スコットランドの哲学者デイヴィッド・ヒュームが次の例で説明する。[49] レンガ造りの教会が長い年月を経て荒廃し、信者が教会を復旧する。今度はレンガでなく石材を使い、近代建築様式を採用したとしよう。テセウスの舟と違い、この例では材料だけでなく、外形も以前の教会と異なる。それでも新旧二つの教会に対して信者が同じ目的を見いだすために、二つの異なる対象が同一化され、教会の同一性が維持される。新しい教会の建築時にはすでに古い教会が消滅している事実も同一性感覚の強化に役立つ。忘却のおかげで同一性虚構が機能する。国家・民族・大学・法人など共同体存続の背景にも、このからくりが隠されている。[50] フランスの思想家エルネスト・ルナンの有名な言葉を引こう。

忘却と歴史誤謬が国民形成のための本質的要因をなす。したがって歴史研究の発展は国民にとって危険な営為なのである。[51]

奇術師が白いスカーフを丸めると純白の鳩に変わる。実際にはそんなこと無理だから、スカーフを鳩とすり替えるしかない。スカーフが消失して鳩が出現するのであり、モノの次元で変化は起きていない。すり替えでなく、スカーフが鳩に変化したと感知されるためには、観客によって両者が同一化される必要がある。スカーフが消えて数分後に鳩が現れても変化が起きたと思わない。あるいは奇術師の手からスカーフが消えた直後に舞台の袖から虎が現れても、スカーフが虎に変身したと信じる観客はいない。白いスカーフが同じくらいの大きさの白い鳩に同じ場所で瞬時にすり替えられるから変化を感じるのである。空間と時間の連続性が錯覚としての同一性と変化を両立させる。

変化が起きれば、同一性は崩れる。だが、異なる状態を観察者が不断に同一化する。これが同一性の正体である。時間の経過を超越して継続する本質が対象の同一性を保証するのではない。対象の不変を信じる観察者が対象の同一性を錯覚する。

アメーバと免疫という二つの比喩は異なる認識論をなす。アメーバ型では、時間とともに刻々と変化する見かけ上の現象とは別に、変化を受けないで同一性を保つ形相（構造）を措定する。対して免疫型では、そのような不変の形相を否定し、変化を受けた万物は自己同一性を実際には保っていないとする。同一性は対象自体に内在する性質でなく、観察者による不断の同一化を通して生ずる錯視の産物にすぎない。変化と同一性は論理的には両立し得ないが、連続的に生ずる変化に観察者が気づかないために同一性維持の錯覚が生まれる。後になって対象の経時的推移に思いをはせる時、変化と同一性が同時に認められるために、あたかも変化を超越した実体が存在するかのごとく感じるのである。

アメーバの認識論では同一性と変化を対象自体の性質として同時に認め、対象一項の内部で完結した性質として捉える。それに対して免疫の認識論は対象だけに注目せず、主観と客体の関係の中に同一性と変化を両立させる。同一性と変化が二項関係という拡大された認知環境に移行されている。

だが、主観は客体から切り離された精神でもなければ、他者から独立する個人主体でもない。同一性と変化は対象・主観・他者が織りなす三項関係が生み出す現象あるいは出来事である。これら三項は相互に作用し、不断に変化しながら生成される一時的沈殿物にすぎない。

万物は流転する。絶え間なく変化する対象や主体の同一性はモノとしてでなく、コトとして把握しなければならない。共同体の人々が瞬間ごとに集団同一性を構成・再構成する。集団同一性を実体化するから、実体の変化などという形容矛盾の前で右往左往するのである。世界は同一性や連続性が支えるのではない。反対に、断続的な現象群の絶え間ない生成・消滅が世界を満たしている。

虚構の物語を無意識に作成し、断続する現象群を常に同一化する運動がなければ、連続的様相は我々の前に現れない。休みなく流れてゆくものとして我々は時間を認識する。ところが離人症患者には、今という瞬間がバラバラにやってくるだけで、それらの間に自然な連続性が感じられない。瞬く時、視界が遮られる。我々は外界からの情報を断続的に受容している。それでも今という刹那の集合としてでなく、連続する経験として感知するのは、無意識に捏造される物語のおかげである。[52]

民族の記憶や文化と呼ばれる表象群は常に変遷し、一瞬たりとも同一性を保っていない。したがって我々の問いは集団同一性がどのように変化するかではない。虚構の物語として同一性が瞬間ごとに構成・再構成されるプロセスを解明すべきなのである。

――自律と他律の相補性

オーストリア出身の経済学者フリードリヒ・ハイエクからも矛盾の解き方を学んだ。人間が社会を構築するのか、あるいは人間は社会の操り人形か。社会科学で久しく続けられてきた論争だ。自由で合理的な個人が他者と交換を行い、社会関係が営まれる。経済学、特に新古典学派がこう主張してきた。他方、歴史的に生み出される社会規範に人間の思考が縛られるおかげで人の絆が保たれると社会学、特にデュルケム学派が反論する。前者は方法論的個人主義、後者は包括論的アプローチと呼ばれる。

ケプラーとニュートンの違いを思い出そう。ケプラーはシステム全体としての太陽系を考察した。だが、それではシステムがブラックボックスになり、内部のメカニズムが不問に付される。ニュートンは各惑星をいったん切り離した上で万有引力を媒介に再び結びつけた。こうしてブラックボックスの中に足を踏み入れる。ところが、それにより遠隔作用という魔法の力を説明するために神とエーテルという架空の概念が要請された。

人の絆の謎もこれと似ている。前近代の共同体はヒエラルキーを本質とし、個人が従属・服従する全体存在として現れた。[53] そこでは神という外部が秩序をアプリオリに保証していた。だが、自律する個人という非社会的な表象を近代は生み出した。個人はどう結びつき、社会で共存するのか。自由な個人の単なる集合が、どうして有機的共同体に変質するのか。物理学を悩ませた難問は人間社会にも共通する。

集団は意識や意志を持つ主体ではない。にもかかわらず、人間から遊離して自律運動する。個人は自由を失い、集団に操られる。個人の自律性を認めながらも同時に集団が自律する現象をどう考えるか。個人が自律するなら、その産物である社会が自律するはずがない。逆に社会が自律運動するなら、そこに巻き込まれる個人は自律できない。方法論的個人主義と包括論的アプローチの対立を解消する方法はあるのか。

ハイエクは世界の事物を三種類に分類した。①生物や山野などの自然物、②自動車や船など人工的に製作されるモノ、③言語・道徳・宗教・市場など、人間が生み出す人工物でありながら人間の意図や制御を超え、自律的に機能する集団現象。個人の自律性と集団の自律性が矛盾せず、両者が同時に成立する認識論をハイエクは模索した。その答えが自生的秩序（spontaneous order）の概念である（概念自体は荘子、アダム・ファーガソン、マイケル・ポランニーなどがすでに主張していた)[54]。社会秩序は人間の相互作用から生成される。だが、人間が意図的に構築するのではない。

こんな場面を想像しよう。火事だという叫びで劇場にいる人々にパニックが起き、誰もが逃げ道を探す。誤報だったと知ってもパニックは容易に収まらない。逃げる必要がないと思っても周りの人々が逃げ続けるから、自分も逃げなければ踏みつぶされてしまう。しかし自分が逃げれば隣人も逃げる。誤報だったと全員が知ってもパニックは終わらない。危険がないと隣人も自分もわかった。だが、その事実を相手が知っているかどうか不明だ。だから逃げる方が無難である。こうして、逃げる必要がないと思いながらも仕方なしに皆、逃げ続ける。[55]

道徳・宗教・価値・言語・市場・噂・流行・戦争・革命などの集団現象がこうして生成される。各人の行為の集積にすぎないにもかかわらず、集団現象は当事者から遊離する。自律運動する集団が人間を操る逆転現象が現れる。パニックの中で逃げまどう人々は客観的外因から逃げているつもりでも、実は彼らの行動がパニックの原因を作りだしている。こうしてハイエクは個人の自律と集団の自律を両立させた。

スコットランドの思想家アダム・スミス『国富論』の「見えざる手」も似ている。有名な章句を挙げよう。

> 見えざる手によって人は導かれ、自分の意志とかけ離れた目的を果たす。そして、この目的が意識されない事態は社会にとって悪いことでない。社会全体の利益のために働こうと意識するよりも、自分の私的利益だけを求めながら人はしばしば、ずっと有益な役割を果たす。[56]（強調小坂井）

社会の中に個人が生まれるのであり、個人から社会が生まれるのではない。デュルケムは一貫して主張した。個人の精神にではなく、集団表象に価値の源泉を求め、政治的には左派に属する社会決定論者デュルケムと、しばしば右派に入れられ、新自由主義の理論家に数えられる個人主義者ハイエク。だが、この対比は先入観にすぎない。個人心理と集団表象の間に断絶を見るデュルケム同様、個人の意志と社会制度との間に超えられない溝をハイエクも認める。自律する個人の相互作用として集団現象を捉えた上で集団の自律性を説く。二人の親和性に気づかない理由は、デュルケムの著作に頻繁に登場する集団表象概念を勘違いするからである。

> 社会現象を支える媒体が個人の意識だと認めないのは、他の媒体を我々は考えるからである。それはすべての個人意識が結合し、組み込まれて生成される媒体だ。これは実体でもなければ、存在論的な意味での本質でもない。何故なら、部分が組み合ったただけの合成物だからだ。だが、この合成物はその部品と同様、現実の存在である。部分［個人意識］がそもそもすでに合成物だ。（……）心理学者

も生物学者も、より基礎的な要素の組合せとして研究対象を分析する。社会学も同じだ。[57]

水分子の特性は水素原子にも酸素原子にも存しない。合成物は要素に還元不可能であり、全体は部分の総和を超える。これを創発性と呼ぶ。集団現象を個人の意志に還元できないのも同じ事情だ。商品や宗教など自ら作りだした生産物に人間自身が捕らわれ、操られる。マルクス主義が批判した疎外（Entfremdung）である。だが、この現象を異常事態としてだけ把握してはならない。ヘーゲル哲学の外化（Entäußerung）は道徳など集団生産物が人間自身から遊離する現象をいう。腐敗と発酵のように人間にとっての意味は反対でも疎外と外化は同一の社会現象をなす。各人の主観的価値・行為が相互作用を通して集団的価値へと昇華されるプロセスである。[58]

疎外／外化の仕組みに気づかず、人間が主体性を発揮できなくなる状況をマルクスは批判した。対してドイツの社会学者マックス・ヴェーバーは疎外／外化の事実を人間が知ってしまったために、社会秩序の超越的意味が失われ、本来の恣意性がむき出しになる事態を問題視した。つまりマルクスが批判したのは自由の喪失であり、ヴェーバーにとっての問題は意味の崩壊だった。[59] 人間の生産物が遊離・外化し自律運動するプロセスが阻害されれば、価値の無根拠が露わになり、人間は生きられない。

人間の相互作用がなければ、いかなる社会も生まれないし、変化もしない。歴史の意志や民族の運命などは存在しない。しかし、生産者である人間自身を超越する存在として社会秩序は我々の前に現れる。どの人間にも操作できないからこそ普遍の錯覚をもたらす。虚構が生まれると同時に、その虚構性が隠される。

――架空概念の命運

アインシュタインはデータよりも理論の内部矛盾に注目した。データは完全に認めた上で理論の純化を図る。遠隔作用という魔法に万有引力が頼っていた事情はすでに見た。古典力学の基礎を築いた『自然哲学の数学的諸原理』、別名『プリンキピア』をニュートンが出版したのが一六八七年。エーテルの存在を主張したデカルト（1598–1650）を経てニュートンの万有引力説が認められてからもアインシュタインの特殊相対性理論が発表される一九〇五年まで二〇〇年以上、エーテルが宇宙を満たすと物理学者は信じていた。そのエーテルに引導を渡し、アインシュタインが理論純化に成功する。自然に無駄は一つもない。これが彼の変わらぬ信念だった。

エーテル同様、最初必要とされ、後に切り捨てられた虚構が化学にもある。一八世紀初頭のこと、燃焼を説明するためにフロギストンなる物質をドイツの化学者ゲオルク・シュタールが発案した。材料が燃焼すると中に含まれるフロギストンが消費されるという説で、科学者に広く受け入れられた。ところで金属が燃焼後に重くなる事実が当時すでに知られていた。後にフランスの化学者アントワンヌ・ラヴォアジエが証明したように燃焼とは酸素と化合する現象だから、燃焼後に重量が増すのは当たり前だ。

ところがシュタール説によるとフロギストンが消費されるのだから逆に軽くならなければならない。そこでフロギストンは負の重量を持つという詭弁が採用された。一八世紀末にラヴォアジエ理論によって取って代わられるまで、負の重量なる奇妙な概念が長く認められていた。

物理化学に比べると未発達でスケールの小さい社会心理学だが、そこにも似た展開がある。フェスティンガーの認知不協和理論と同じ実験結果を予測しながら、ダリル・ベムの自己知覚理論は異なる説明を提案した。考える型の例として取り上げよう。

フェスティンガーの理論を知らないと以降の議論がわからないから、まず認知不協和理論を紹介する。[60] 人間は簡単に影響される。スタンレー・ミルグラムが行った有名な「アイヒマン実験」を考えよう。学習の実験だと偽って見知らぬ人を拷問させる実験である。「先生」役を充てがわれた被験者の三分の二は抵抗を覚えながらも、痛みで絶叫する「生徒」を四五〇ボルトの高圧電流で苦しめる（生徒はサクラであり、実際には通電されない）。ミルグラムの実験だけでない。社会心理学の膨大な研究ほぼすべてが人間の自律性を否定する。他方、自分自身で考え、行動を選び取る感覚を我々は持つ。影響されながらも、意志にしたがって行動を選ぶ感覚が同時に起きるのは、どうしてなのか。意志と行動の乖離になぜ気づかないのか。影響の事実と自律感覚の両立をどう説明するか。

意志が行動を導くと我々は信じる。しかし実は因果関係が逆だ。外界の力により行動が無意識に引き起こされた後に、発露した行動に合致する意志が形成される。人間は合理的動物でなく、合理化する動物である。これがフェスティンガーの出した答えだった。この理論は社会心理学で過去最も注目を集め、多くの研究を誘発した。[61] これほど大きな足跡を残した社会心理学理論は未だない。

日常生活の中で我々は様々な情報にさらされ、それらはしばしば矛盾する。喫煙は健康に悪い、ところがタバコはやめられない。ここには喫煙が健康を害する認識と、タバコを吸い続ける認識が拮抗している。この矛盾（認知不協和）は不快感をともなうので情報のどれかを歪曲するか、他の情報をつけ加えて矛盾の軽減が図られる。現代生活は危険だらけだからタバコだけやめても意味ないとか、父は相当な愛煙家だったが九〇歳すぎまで生きた、うちは長寿の家系だから心配ないなどの理由を持ち出せばよい。こんな常識的前提から認知不協和理論は出発する。だが、その論理を追うと、慣れ親しんだ人間像が覆され、驚くべき結論に達する（『社会心理学講義』で詳しく論じた）。こういう理論は美しい。

一九六〇年代初め、米国で大学紛争が起こり、鎮圧のために警察が介入した。この事件がきっかけとなり、警察介入に反対して大学自治を守る意識が学生に芽生える。そんな状況の中、警察介入に賛成と反対、両方の意見を尋ねているという口実の下、あなたには介入賛成の理由を想像して説得力ある文章を書いて欲しいと依頼する。参加の謝礼を約束し、介入奨励の文章を書かせた後、被験者自身の意見を尋ねた。

実験条件によって報酬額が異なる。どの参加者も警察介入に反対であり、自分の信条に反する意見を支持した事実（介入を求める声明文の作成）にはかわりない。しかし、そのために受けとる報酬が条件により違う。常識で考えれば、多額を受け取った者の方が警察介入を認めると予想される。これは二〇世紀前半に勢力を振るった行動主義心理学（アメとムチの学習理論）の予測だ。

ところがフェスティンガーによると反対の結果が現れなければならない。介入反対の認識と、介入擁護の文章を書いた事実は辻褄が合わない。ところが多額の報酬をもらったのなら矛盾はない。嫌なことや信条に反することでも金のためならする。したがって報酬が高いほど、本心にそぐわない意見を述べた事実から生ずる葛藤は小さい。逆に少額しかもらわなかったのに嫌なことをした場合は葛藤が大きい。そこで認知不協和を緩和するために「警察介入はいけないと思っていたが、よく考えると紛争の取り締まりも必要だ。民主主義を守るために最小限の措置だ」などと、報酬が高い場合に比べて低い場合の方が警察介入を正当化しやすい[62]。あるいは人種差別や女性差別に反対する人にヘイトスピーチや女性蔑視の文を書かせる際、報酬が少ないほど、人種差別者や女性差別者に変身する。こういう意味だ。

さて、ベムのアプローチを確認しよう。一四世紀の哲学者オッカムのウィリアムにちなみ、理論に導入する仮定を必要最小限に絞る原則を「オッカムの剃刀《かみそり》」と呼ぶ。認知不協和理論にベムはどんな無駄を見つけ、切除したのか。

フェスティンガー理論への批判のほとんどは常識の枠内でデータを再解釈するだけだった。従来の理論で説明できないデータを前に実験方法がおかしいと文句をつけるだけだった。モスコヴィッシが嘆く[63]。

適切に構築されていく科学であれば、このような理論［認知不協和理論］はすぐさま新しいアイデアを引き起こし、社会・心理的文脈に取り入れられ、実際の社会環境に適応・統合されるはずだ。しかし認知不協和理論はそのような運命を辿らなかった。ベムの研究は例外だが、他の学者は誰もが方法論の些末な部分にばかりこだわった。チャパニスの有名な論文が提示した批判は被験者の選定方法と統計的検定の細部に集中した。認知不協和の適切な測定方法をフェスティンガーが明示しておらず、それでは結果の予測ができないと他の研究者たちは非難した。しかしそれ以上の発展は何もなかった。学習強化理論［アメとムチ式の行動主義理論］や交換理論［報酬／コストのバランスで対人関係を説明する］の枠内に多くの社会心理学者は留まった。まるで認知不協和理論が存在しないかのごとくだった。彼らが無批判に受け容れていた行動理論と、認知不協和理論が矛盾しないかのように振る舞った。（強調小坂井）

——ダリル・ベムの剃刀

ところが一九六〇年代半ばになると、より根本的な見地からベムが異議を唱える。データ批判に終始した学者たちと異なり、データをそのまま認めた上で徹底的行動主義（radical behaviorism）の立場から新たな解釈を提示した。[64]

徹底的行動主義とは何か。行動主義の創始者ジョン・ワトソンは観察不可能な精神活動を研究から除外した。科学が進歩し、脳の生理状態はかなりわかるようになったが、怒りや悲しみ、思考という心理現象は外から覗けない。これは技術の問題でない。精神状態は科学の方法では摑めない。だから行動主義は物理刺激と生理反応だけに注目し、原理的に観察不可能な心理現象を研究から追い払った。この立場をバラス・スキナーがさらに徹底し、精神は科学に理解できないだけでなく、そもそも精神という概念自体が無意味だと考えた。意志・意識・感情・判断などを行動の一種として条件付け（オペラント学習）の枠組みで理解する。つまり精神現象は行動を生む原因でなく、身体運動と同じように刺激対象への反応にすぎない。主体を根本から否認する立場である。

一九六〇年代に入ると、意識判断に行動が従わない事実が決定的になった[65]。人間は外部情報によって簡単に影響され、行動を自己制御できない。だが、それでも自律感覚は維持される。この矛盾をどう解明するか。認知不協和理論の答えはこうだった。精神が身体に命令を出すという常識が誤りで、実は反対に行動が生じてから、それに合わせて意識が変化する。意識が行動に絶え間なく順応するため、意志が行動を起こすと錯覚する。

フェスティンガーと異なる人間像からベムは問題に挑む。他人の心の中は覗き込めない。代わりに我々は行動を観察して心理状態を推測する。犬を連れて散歩する隣人を毎日見かけると、この人は犬が好きだと思う。だが、その解釈が正しい保証はない。ところでベムによると他人だけでなく、自分自身の心も覗けない。それどころか心は存在しない。自らの行動を見て推測するにすぎない。飼い犬を連れて毎日散歩に出る自分の姿から「私は犬を好きに違いない。そうでなければ、高い餌代を払って犬を飼うはずもなければ、仕事が忙しいのに毎朝散歩に連れて行くはずもない」と推察するのである。

心理過程は意識に上らない。行動や判断を実際に律する原因と、当人が想起する理由は違う。原因は物理・生理的メカニズム、理由は行為の説明である。心理状態がどのようにして生じるのか、何が原因で喜怒哀楽を覚えるのか、どのような過程を経て判断・意見を採用するのか、つまり精神状況の原因や経緯は本人にもわからない。

補助線を引こう。身体運動と同様に言語・意識・感情・思考なども脳が司る。脳が精神活動を生む以上、その生成は瞬時に行われず、時間がかかる。したがってその間、脳の生成物は意識に上らない。どんなスーパー・コンピュータでも演算に時間がかかるように、脳が意志を生成するまでに〇・三秒ほど必要だ。秒速三〇万キロメートルで進行する光でさえ、太陽から約一億五〇〇〇万キロメートル離れた地球まで到達するのに八分二〇秒近くかかる。仮に今、太陽が消失しても八分以上、地球はその事実を知らず、同じ軌道を回り続ける。情報や力は瞬時に伝わらない。精神活動を脳が生む以上、どんな行為も出発点は無意識の脳信号であり、意識的制御は不可能だ。

意識が生まれた後、そこから脳のメカニズムにフィードバックが起きても、そのプロセスも無意識下の脳活動である。意識と無意識のフィードバックと言う時、両者が実体視されている。意識と無意識というモノや生成物は存在しない。脳の状態の違いにすぎないのに、この誤解が原因で、無意識が意識化された後にフィードバックが起こり、そのループが主体を生むと論じるのである。

脳では多くのプロセスが同時進行しながら情報処理される。意志や意識は行動を起こす出発点でなく、脳で行われる認知処理の一到達点にすぎない。米国の脳科学者マイケル・ガザニガが言う。

何かを知ったと我々が思う意識経験以前に脳はすでに自分の仕事をすませている。〈我々〉にとっては新鮮な情報でも脳にとってはすでに古い情報にすぎない。脳内に構築されたシステムは我々の意識外で自動的に仕事を遂行する。脳が処理する情報が意識に上る〇・五秒前には、その作業を終えている。[66]

脳科学の立場を斥けるためにはデカルト二元論や生気論（vitalism）に戻り、脳の活動と独立する霊魂を措定するほかない。精神の出発点をどこに据えるかが立場を分ける。脳か霊魂か。選択肢は他にない（分析哲学への批判は『格差という虚構』第七章「主体という虚構」を参照）。

ところで合理的理由によって行為や判断を主体的に行うと我々は信じる。急に催す吐き気のような形で行為や判断は感知されない。何故か。脳科学の検討は前著に譲り[67]、ここではわかりやすい例を一つ挙げておく。催眠術をかけ、「私が眼鏡に手を触れると、あなたは窓辺に行って窓を開ける」と暗示する。催眠が解けた後、何気ない会話の中で眼鏡に手をやると突然立ち上がって窓を開けに行く。この時、なぜ窓を開けたのかと尋ねても、何故かわからないが急に窓が開けたくなったとは答えない。暑いのでとか、知人の声が聞こえた気がしたなどと真っ当な理由を持ち出す。窓を開けた原因がわからないため、ありそうな「理由」を常識の中に見つけるのである。催眠術という特殊状況に限らず、同じことを人間は常に行っている。[68]

　認知不協和は本当に存在するのかとベムは自問した。矛盾する情報が共存すると心理葛藤が生じるとフェスティンガーは言う。だが、実際は誰も認知不協和を測定しない。情報の整合性を外から検討して認知不協和の程度を研究者が推定するだけだ。喫煙が健康に悪いという知識と喫煙の習慣は論理的に矛盾する。だから被験者が認知不協和の状態にあると推測する。だが、実際の心理はわからない。

　フェスティンガーとベムの理論はどちらも同じ結果を予測する。したがって実験しても両者の成否を判定できない。女性差別に反対する人に逆の内容の声明文を書いてもらうとしよう。認知不協和理論の説明はこうだ。女性差別反対の立場と、女性蔑視の声明文を書いた事実は相反する。したがって報酬を得た人と、そうでない人を比較すると、後者の認知不協和がより高い。ゆえに報酬を受けなかった人は認知不協和を緩和するために女性蔑視に傾く。

　ベムも同じ結果を予測する。だが、説明が違う。自分は女性差別に反対だと思っていた。しかし現実に女性蔑視の文章を書いた。ところで報酬を得るために嘘をついたのならば、この行動は理解できる。だが、差別の声明文を報酬なしで作成した。ということは結局、自分は女性蔑視の人間に違いない。こう推論する。認知不協和理論と同じ結果だ。両者の成否を確かめるため多くの実験がなされてきたが、未だに決着がついていない。[69]だが、我々の関心は今そこにない。

ベムはアインシュタインのように純化を目指したのではないかも知れない。しかしニュートンが最後まで手放せなかった神とエーテルを無駄な仮説としてアインシュタインが切り捨てたように、ベムも二つの重要な概念を手放した。物理学からエーテルが放逐されたのと同様、ベムは認知不協和を不必要な概念だと斥けた。そして科学が神を見捨てたように、意志を始めとする精神活動からベムは主体の地位を奪い、脳の物理・化学的メカニズムとして位置づけた。意識は受動的な副産物であり、行動の原因ではない。こうして霊魂の亡霊を追い払った。意志と呼ばれるデウス・エクス・マキナを放逐したのである。

——フェスティンガーの「閉ざされた社会」

理論の内的整合性について敷衍しよう。社会心理学の教科書を紐解いて認知不協和理論の項を読むと、態度と行動の矛盾を解消するために態度が変化すると説明してある。両者の矛盾から認知不協和が生まれる。すでに起きた行動は否定できない。そのため行動に合うように態度を変化させて認知不協和を軽減するのだと。

だが、この説明はあやまりだ。フェスティンガーは心理や社会の変化でなく、逆に人間と社会の現状維持に光を当てた。隔離された実験室から出て社会の広い文脈に視線を移すと認知不協和理論の本当の姿が見えてくる。

この理論が発表される一年前、新興宗教団体の動向を研究した『予言がはずれる時』が上梓された。[70] 教義が揺らいだ時に何が起こるかを追ったレポートである。ところは米国シカゴ。一九五四年一二月二一日、大洪水が起きて人類が滅亡するとのメッセージを教主が宇宙から受け取る。空飛ぶ円盤がやってきて信者だけは救ってくれるという予言だ。予言がはずれた時、信者がどのような行動に出るかをフェスティンガーらは観察した。

予言がはずれると信者の心に強い認知不協和が生じる。大洪水に見舞われ、信者だけが空飛ぶ円盤に救出される予言と、洪水も起こらず、円盤も飛来しなかった現実は矛盾する。この認知不協和はどう緩和されるか。信仰を捨て去れば、不協和が解消されるだろうか。信者は多くの犠牲を払い、人生を捧げてきた。過去の努力がすべて無駄だったと認めるのは辛い。したがって、この方向には変化し難い。認知不協和がかえって強まってしまう。過ちを認め、棄教するぐらいなら、矛盾を我慢する方が楽だ。

認知不協和を減らす一つの方法は予言がはずれた事実の否認である。日時など些末な部分で誤っただけだと考えれば良い。洪水が来る新たな日付を公表すれば、その日までは認知不協和を緩和できる。あるいは経典や歴史の再解釈を行い、予言の本当の意味を開陳する。様々な捏造・防衛・言い訳を通して認知不協和の低下が図られる。

ところで言い訳を信じる支持者がいると防衛反応が実を結びやすい。自分の家に留まり、お告げの時を独りで待った信者と、他の信者と一緒に予言失敗を知った信者を比較したところ、孤立状態の信者は信仰を捨て教団を去った。他方、互いに信仰を支え合った信者の反応は違った。まさに自分たちの信仰のおかげで世界は洪水に襲われなかった、救われたのだとメッセージを再解釈し、信仰が保たれた。

もう一つ重要な発見があった。結末を集団で待った信者らは、予言がはずれた後に布教活動を始めた。それまでこの教団は布教しなかった。ところが予言の失敗を機に精力的な布教活動が始まる。信仰を支持する人が増加すれば、認知不協和が緩和する。信者増加の事実はとりもなおさず、信仰が正しい証拠である。

臓器移植を受けた患者はその後、移植推進運動に参加しやすい。[71] この現象も認知不協和理論で解釈できる。自分が生き続けるために他者の死や大きな犠牲を必要とした。移植患者の多くが罪悪感を抱く。重大な認知不協和だ。死にたくない、しかし他人の臓器をもらってまでして生きて良いのか。この葛藤を和らげる手段の一つは臓器移植制度の正しさを信じ、もっと多くの人を助けるために努力すべきだと自分を納得させることである（『格差という虚構』第六章「人の絆」参照）。

このフィールド・ワークにおいてフェスティンガーらは信仰の変化でなく、維持を説明するために認知不協和理論を用いている。ところが実験研究は行動に合致する態度の変化を扱う。一方では現状維持を研究し、他方では変化を説明するために同じ理論が動員される。何故か。

意志に反する行動が生まれる理由をまず考えよう。それは社会が強制するからだ。幼少の頃から親・親戚・近所の人・教師・会社の上司が社会のしきたりを押しつける。裸で外を歩くな、嫌いな野菜でも食べよ、他人のものを盗むな、未成年者は喫煙禁止、理不尽でも上司の命令には従え、男と女は違うなどと言われながら我々は規範を受け入れる。同様に、実験参加者は昆虫を食べたり、電気ショックを受けるなど不快な行動をさせられる。本当は人種差別に反対なのにヘイトスピーチに賛意を表明させられる。その後、認知不協和を緩和しようと、強制された行動に合致する方向に意志や信条が変化する。つまり理論が説明するのは常に、集団が押し付ける価値観が内在化されるプロセスであり、集団規範が維持されるメカニズムなのである。

人間の意識が存在を規定するのではない。逆に人間の社会的存在が意識を規定する。

カール・マルクス『経済学批判』「序言」の有名な言葉だ。フェスティンガーの発想はこれに通じる。社会状況に応じた思考を人間は持つ。つまり認知不協和理論は社会変革の理論でなく、社会構造の再生産を説明する心理学理論である。[72]

フェスティンガーの著書『認知不協和理論』は参考文献と索引を除くと二八〇頁あまり、一一章で成り立つ。そのうち信条を支える他者の役割分析に三章が割かれている。分量にして八四頁、全体のちょうど三割だ。フェスティンガーは「日常的社会コミュニケーション理論」（一九五〇）[73]・「社会比較プロセス理論」（一九五四）[74]・「認知不協和理論」（一九五七）を発表した。当人が意識していたかどうかは別に、これらはどれも社会変化でなく、規範が維持されるメカニズムの分析である。サーモスタットのように、システムに生ずる変化を負のフィードバックを通して元の平衡状態に戻すホメオスタシス・モデルで考える以上、社会変化を説明する理論は出てこない。

——自由の逆説

アインシュタインはデータにでなく、理論の論理構造に注目した。このアプローチに倣って認知不協和理論を検証しよう。重箱の隅をつつく批判をする学生をモスコヴィッシは叱ったものだ。「下らないことをするな。他人の欠点を見つけるのは、お前でなくともできるんだ」。読書は批判的にせよと幼い頃から学校で繰り返されてきた。著者の主張を鵜呑みにするなという意味では正しい。だが、批判の意味を誤解してはならない。著者の主張に一々文句をつけず、素直に最後まで読む。そこに展開される論理を突き詰めた時に、どんな世界が現れるだろうか。些末な揚げ足取りをせず、細かい事実の誤りにも目をつむり、中心の論理をどこまでも追う。その結果、内部矛盾との格闘から豊かで新しい問いに気づく。現在知られている事実・知見にあわないからといって、すぐに仮説をしりぞける態度はつまらない。それではコペルニクスもダーウィンもフロイトも生まれない。

認知不協和理論には重要なパラドクスがある。昆虫を試食させたり、信条に反する声明文を書かせたり、嘘をつかせたりなど、普通ならば行わないはずの行為をさせる状況がどの実験にも共通する。苦痛な電気ショックを自らに課す実験もある。ところで、なぜ被験者はこのような不快な行為をするのだろうか。信条・道徳・欲望に反する行為を自らの意志で行ったと認識しなければ、認知不協和は生じない。強制されたと感じれば、矛盾がないから認知不協和は起きない。したがって、どの実験においても不快な行為を要請した後に「するかしないかは自由です」と必ず念を押す。つまり正当な理由なしに、したくない行為を自由意志の下に行う不条理な状況である。認知不協和実験はおびただしい数に上るが、研究者の要請を拒む者はほとんどいない。バッタを食べる実験でさえも米国被験者の半分が試食した。このような不思議なことが何故起こるのか。

この謎はしかし簡単に解ける。主体的に選択したと思うだけで実は外界の情報に影響されている。嫌ならば拒否しても良いと言おうが言うまいが、参加を承諾する者の割合はほとんど変わらない。だが、嫌なら強制しないと言われると、外的強制力が引き出した行為なのに自ら決めたと錯覚する。この勘違いがなければ、矛盾する状況は初めから起こらない。

この論理を押し進めよう。個人主義者ほど簡単に意見を曲げやすいという、常識と反対の結論が導かれる。他人の意見に流されず、自分で判断し、自らの行為に責任を持つ自律的人間像が近代の理想だ。しかし心理機構の原理からして、そんな人間はありえない（『社会心理学講義』『増補　責任という虚構』

を参照)。個人主義的とは、外部情報に依存する事実に無自覚だという意味にすぎない。行為をした後、何故このような行動をとったのかと自問する時、個人主義者ほど自分に原因があったと内省し、行動に責任を感じる。そのため行動と意識の矛盾を緩和しようと無意識に意見を変える。こうして個人主義者こそ、強制された行為を自己正当化し、影響されやすいという逆説に至る。

人間は周囲の影響を常に受けつつ、同時に自律幻想を抱く。性別・年齢・文化にかかわらず、この錯覚が広範に観察されるため、人類共通の認知形式だと考えられてきた[75]。ところが、この自律幻想は近代が生んだ個人主義イデオロギーの産物だと後にわかる。ヒトの脳が持つ癖でなく、資本主義社会に流布する世界観が原因である。アジア人やアフリカ人に比べると西洋人にこの錯覚がより強い。同一社会内でも社会階層を上昇するほど、学歴が高いほど、自律幻想が強い。子どもより大人がこの錯覚に囚われやすい。社会的に学習するバイアスだからだ[76]。

思考実験しよう[77]。自由があると信じる民主主義社会と、国家権力が人間を押しつぶす全体主義社会を比較する。前者では市民がほぼ自主的に規則を守る。対して後者では警察が怖いから仕方なく規則にしたがう。社会規範はどう維持されるか。行動を強制されるのはどちらもかわらない。しかしその時、思い浮かべる理由が異なる。全体主義社会では外からの強制が明白だ。ゆえに行動の原因を自らの動機や人格に結びつけない。他方、民主主義社会では自分自身の決定だと錯覚する。既存ヒエラルキー維持に剝き出しの暴力を用いる全体主義に比べ、民主主義社会ではより巧妙かつ隠されたメカニズムを通して秩序が維持される。

強制の事実に気づかず、自らの意志で行為するという虚構がかえって支配を可能にする。被支配者が自ら率先して正当化するおかげで、支配は真の姿を隠蔽し、自然法則の如く作用する。本当は自由でないのに自由の幻想を抱くからこそ、権力の虜になる。

認知不協和緩和のメカニズムが文化に左右されるとフェスティンガーは考えなかった。人間だけでなく、ネズミにも理論が通用すると信じていた。[78] だが、理論に内包される矛盾に注目し、演繹するだけで新しい仮説に行き着く。アインシュタインのアプローチに似ていないか。

第三章

主体虚構論の舞台裏

私がした仕事は三つだけだ。一番目は集団の同一性と変化に関する分析。『異文化受容のパラドックス』（一九九六年[1]）と『民族という虚構[2]』（二〇〇二年。その後二〇一一年に補考「虚構論」を加えた文庫版）として上梓した。二番目は主体をめぐる考察。『責任という虚構』（二〇〇八年、その後二〇二〇年に補考「近代の原罪　主体と普遍」を加えた文庫版）、『人が人を裁くということ』（二〇一一年）、『神の亡霊　近代という物語』（二〇一八年）、『格差という虚構』（二〇二一年）として出版した。三番目は『答えのない世界を生きる』（二〇一七年。第一部は学問論、第二部は二〇〇三年に発表した自伝『異邦人のまなざし』の復刻と発展）と本書であり、私がどう考えてきたかを綴る作品である。『社会心理学講義』（二〇一三年）は社会心理学論だが、これも間接的な意味で私の自伝になっている。社会心理学への愛憎を綴った。

最初のテーマ、集団同一性と異文化受容の考察過程については『答えのない世界を生きる』に書いた。本書では二番目の問題群の発展プロセスを解析しよう。私のやり方はいつも同じだ。常識として普段何気なく通りすぎている知見のいくつかを一緒にした時、大きな問題に気づく。それをどう解くか。ケストラーが言う。

既存の事実・情報・機能・技術の出会いや組み合わせ、そして統合から創造が生まれる。要素自体が平凡であればあるほど、組合せの結果として出てくる新発明に我々は驚く。潮の満ち干や月相の変化を人類は大昔から知っていたし、熟した果実が大地に落ちる様子も当たり前だと思っていた。しかしこれら既存のデータや、その他ありきたりの情報を組み合わせてニュートンは重力の法則を発見し、我々の世界観を根底から覆したのだった。[3]

――『責任という虚構』解題

講義中に学生から出た一つの質問が『責任という虚構』執筆のきっかけだった。ミルグラム実験が示したように上から指示されるだけで、ほとんどの人間が悪事をなすなら、責任概念はどうなるのか。問題はこの研究に止まらない。人間行動の他律性は社会心理学の中心メッセージである。私が学生に伝える知識はとんでもない結論に行き着くのでないか。

大学の同僚に尋ねた。社会状況に人間行動が強く影響されるからといって完全に決定されるわけではない。ミルグラムの実験では被験者の六五％が高圧電流で拷問した。その後に他の数カ国で行われた追試実験でも七〇％から九〇％の服従率だった。つまり少なくとも残りの一割から三割は指示に抵抗して拷問を拒否した。人格によっても行為は左右されるから各人に自由がある、したがって責任を負う必要があると言う。

だが、人格も元を正せば、親から受けた遺伝形質に家庭教育や学校などの環境要因が作用してできる。我々は結局、外来要素の沈殿物だ。私は一つの受精卵だった。父の精子と母の卵が結合し、外界の物質・情報が加わって私になった。したがって行動の因果関係を分析し続ければ、最終的に行動の原因や根拠が私の内部に定立できなくなる。

初めに外因しかないのに、どうして主体が生まれ、行為と能力の自己責任を問われるのか。米国の風刺画家シドニー・ハリスの作品に物理学者二人が議論する場面がある。新理論の証明が記された黒板の前で年配の学者が若い同僚に指摘する。「この第二段階だが、もっと明確に示すべきじゃないか」。見ると「ここで奇跡が起こる」と書いてある。[4] どうして外因から内因が生まれるのか。この風刺画と同じように論理飛躍つまり奇跡が起きている。この問題を真正面から見据えよう。

自律的人間像を疑問視する科学の因果論と、自由意志に依拠する責任概念の矛盾をどう解くか。解決の一つは実証科学の決定論や研究結果の否定だ。そうすれば、自由と責任を維持できる。もう一つのやり方は逆に実証科学の成果を完全に認めて自由や責任の概念を否定する。だが、人間社会にとって不可欠な自由や責任の放棄は到底できない。かといって科学に背を向けるのも建設的でない。どうしたら矛盾が解けるか。これは大変な問題だ。論理矛盾というだけでなく、教員として人間として、どう対処すべきか困った。社会心理学はまちがっているのか。学生から突きつけられた、この問いとの格闘の結果が『責任という虚構』だった。

序章「主体という物語」で紹介した社会心理学や脳科学の研究は有名なものばかりであり、第一章「ホロコースト再考」で提示した解釈も専門家にとって常識だ。ホロコーストの本質を官僚制の責任転嫁メカニズムに求めたラウル・ヒルバーグの大著『ヨーロッパ・ユダヤ人の絶滅』はこの分野のバイブルである。[5] クリストファー・ブラウニング『普通の人々』もすでに古典の地位を獲得している。第二次大戦中にポーランドに駐留したドイツ警察予備隊の活動を元隊員二一〇名の証言から明らかにした。配属された警察官のほとんどは年をとりすぎ、前線に送っても使いものにならない、家庭の平凡な父親だった。工員・商人・手工芸者・事務員などをしていた普通の人たちだった。ヒトラーが政権を奪う以前に感受性豊かな思春期を過ごし、ユダヤ人絶滅政策が猛威を振るう頃にはすでに人格形成を終えていた彼らはナチス・エリートのような反ユダヤ主義者でなかった。ところが合計五〇〇人に満たない少人数の部隊でありながら、一年四ヶ月の期間に三万八千人のユダヤ人を銃殺し、四万五千人をトレブリンカ絶滅収容所のガス室に送り込み、殺害した。[6]

第二章「死刑と責任転嫁」で分析した死刑執行の心理メカニズム、[7] 第三章「冤罪の必然性」で検討した、警察・検察・裁判所という秩序維持装置が自動運動を起こし、冤罪を生む事情も周知の事実だ。[8] 私は何ら新しい知見を提供したわけでない。ところが、それらを総合した時、それまで見過ごしていた重大な事態に気づく。フランス語版の草稿を歴史家に見せたら驚いた。

なるほど、凄い話になるんだな。ホロコーストの本質が官僚制の生む責任転嫁にある事実はすでに受け入れられて歴史学の常識になっている。しかし、それを脳科学や心理学の知見と突き合わせると大変なことになる。常識が切り離されている限り、問題に気づかない。だが、それらを同じ俎板に乗せる時、それまで気づかなかった問い、あるいは無意識に目を逸らせていた問いがこうして姿を現すのか。

フランスの数学者アンリ・ポワンカレが言った。

無関係だと長らく誤って信じられていた他の事実との類似性を明らかにする数学的事実だけが検討に値する。最も実を結ぶのはしばしば、非常にかけ離れた分野の要素の組み合わせである。[9]

既存の知識をつきあわせた時に導かれる困った結論にどう立ち向かうか。ドイツ出身のユダヤ人哲学者ハンナ・アーレントの『イェルサレムのアイヒマン』はホロコーストを「悪の陳腐さ」と表現した。精神異常者の仕業でなく、正常な心理機制を通して普通の人々が遂行した事実を詳らかにしつつも、殺害に手を染めた人間の責任をアーレントは問う。この書を読んだ時、覚めた眼で虐殺メカニズムを分析する姿勢に感服しながらも、最後に肩すかしをくわされた気がした。自らの論理をなぜ突き詰めないのか。因果関係で考える限り、責任は原理的に定立不可能でないのか。ヒルバーグやブラウニング、ツヴェタン・トドロフ『極限に面して』[10]など、人間の他律性を執拗なまでに暴き立てる他の作品を読んでも、この違和感は消えなかった。

ミッシェル・テレスチェンコ『これほど脆い人間性の表層　悪の陳腐さ　善の陳腐さ』[11]に出会った時、常識的な責任概念を根底から疑う書がホロコーストの文脈でもついに出たかと期待を持って読み始めた。だが、これも結局は同じだった。人間は想像以上に他律的であり、状況次第で誰でも悪事をなすと説く。ところが多くの事例に慄きつつも最終的に著者は人間の自由を救ってくれる、慣れた責任概念を擁護すると安心できる。

自由意志の存在を疑問視する脳科学も事情はかわらない。自由や責任に触れるやいなや問題を馴致し、常識に収拾してしまう。例えば量子力学を持ち出して偶然の導入が決定論から自由を救うと言う。素粒子の軌道は確率的にしか予測できない。同様に人間の行為も多くの人間を観察すれば、確率を計算できる。しかし、どんなに詳しいデータを集めても特定の個人が犯罪に及ぶかどうかはわからない。だから人間行動は決定論に従わず、自由がある。したがって責任を負う必要もあるのだと。だが、この類推は問題のすり替えだ。素粒子は軌道を主体的に変更できない。人間は自己の行為を予測し、制御できるかという肝心な点の考察に、この推論は役立たない。

それに問題は人間の行為が決定論に従うかどうかでない。偶然生ずる行為とは何か。勝手に手足が動き出し、通行人の頭を金槌で殴る。不意に殺意を催し、隣人の首を絞める。このような状況を我々は自由と言わない。行為が原因なしに偶然生ずるならば、単なる出来事であり、自然現象だ。したがって私の行為と呼ぶことさえできない。このような妥協的解決では自由も責任も救えない。

殺人など社会規範からの逸脱が生じた時、その張本人を確定し、責任能力が認められる限り、懲罰を科す。人間は自由な存在であり、行為を主体的に選び取るという近代の人間像がそこにある。

だが実は意志が行為を起こすのではない。脳科学が実証するように、脳で発生する無意識信号により意志と行為の生成が同時に始まる。行為の発現よりほんの少しだけ早く意志が生ずるために、意識的に行為を決断すると錯覚するだけだ[12]。意志は行為の出発点でなく、行為と同じように無意識の認知過程が生み出す（『増補　責任という虚構』序章「主体という物語」および補考「近代の原罪」、『格差という虚構』第七章「主体という虚構」で議論した）。

社会学者・心理学者・脳科学者の多くは主体の危うさを認める。ところが、その論理を最後まで突き詰めずに、主体を担保する場所がどこかにあるだろうと高をくくる。砂漠に現れるオアシスの蜃気楼のように、そこに着きさえすれば飲み水があり命拾いすると安心する。だが、近づけば蜃気楼は遠のき、ついには消え去る。本気になって探さないから解決の出口がすべて塞がっている事実に気づかないだけだ。

『責任という虚構』上梓の後、フランス語版を準備し、出版社いくつかに尋ねた。だが、どこの版元も拙稿を受け入れてくれなかった。『民族という虚構』の元になったフランス語版がよく売れて、文庫になってからも増刷されていたので[13]、版元の担当編集者に先ず打診した。ところが草稿を一読しただけで、その後は口も聞いてくれなくなった。最初の章で提示したホロコースト解釈に腹を立てたからだ。

政治的に慎重を要するテーマなので、用心のためフランスの社会学者と歴史家に拙稿を読んでもらった。学界ではすでに周知の事実であり、まったく問題ないとの評価だったが、版元には相手にされなかった。事情通でない編集者の眼には修正主義者の弁と映ったのだろう。その後、大手版元数社に原稿を郵送したが、「内容や文体の高い価値は認めますが、貴君の原稿を受け入れる媒体が残念ながら弊社にはありません」という就職の不採用通知のような定型の断り状がいつも返ってきただけだった。ホロコーストを題材に非ユダヤ人が責任を論じること自体、フランスでは難しい。この失望も与って、それ以降、フランス語では執筆しなくなった。

——内因幻想

どんな出来事にも、それを引き起こす原因となる他の出来事がある。その原因たる出来事も他の原因によって引き起こされる。したがって因果関係の連鎖が無限に続く。人間も自然の生産物だから無限に続く因果関係から逃れられない。

脳に蓄積された情報と外部刺激の相互作用が生み出す内容が意識に上る。私とは思考や感情など精神活動が投影される場所であり、思考する私はいない。外因が私を操る。主体はどこにも存在しない。私は一つの受精卵から発達した。私の誕生前にあったのは両親の遺伝子と母親の胎内環境だけだ。それらがどのような相互作用を起こしても、産まれた後に環境と偶然が影響しても、生成される認知メカニズムの製作主は私でない。私が成立する以前に私は存在しないのだから。膨大な基礎プロセスが脳内で並列的に生じ、その演算結果が統合されて意識に上る。

どんなに頑張っても自分の人格は選べない。人格形成の原因を遡れば、当人を突き抜けて外部に雲散霧消する。選択の仕方や好み、意志の強さ、努力する能力も外的条件が育む。外因をいくつ掛け合わせても内因には変身しない。身体運動と同様、精神活動も脳のメカニズムが司る。社会の影響は外因であり、心理は内因だという常識は誤りだ。自由意志が発動される内部はどこにもない。

因果律で考える限り、私の行為や存在の責任は私に負えない。醜い姿に生まれたり、身体に障害を持って生を受ける。それは遺伝が原因かも知れないし、枯れ葉剤やサリドマイド製剤のような異物が起こしたのかも知れない。あるいは偶然の結果かも知れない。だが、いずれにせよ当人の責任ではない。精神も同じだ。私の人格と能力は遺伝・環境・偶然の相互作用が育む。どれも外因である。唯心論や二元論を採って身体と独立する霊魂を想定しても、この問題は回避できない。私の魂を作るのは私でないからだ。

創発性に依拠して、外因の相互作用から、それを超える主体が生成されると主張する論者がいる。[14] だが、これは誤解だ。

創発性からは自律性が導き出される。人間行動は身体要素の相互作用に還元できない。全体は部分の総和を超える。その通りだ。しかし、この意味での自律性は人間に限らず、生物すべてに共通する。自律や学習能力と主体は違う。イヌやネコは経験を通してエサ場や危険な地域を覚える。生物はすべて自律的存在であり、学習も人間だけの特性ではない。人工知能も自律し、学習する。創発性・自律性・自己言及性・学習能力は免疫系や神経系あるいは内分泌系にも当てはまる。水素原子にも酸素原子にもない性質を水分子が持つように無生命の化合物も創発性を示す。自由や主体は創発性・自律性・自己言及性・学習能力と峻別しなければならない。

脳腫瘍ができて認知機能を失う。筋萎縮性側索硬化症（ＡＬＳ）を発症する。統合失調症になり、日常生活に支障をきたす。癌に罹って死ぬ。これらは創発性が起こす症状だ。「お前の創発性が原因だから自己責任だ」とは言わないだろう。人格の発達も同じである。

親や外界の条件が人格を形成したとしても、他の誰でもないまさに自らの人格である以上、行動や存在に対して責任が発生するという意見もある。人格形成責任論と呼ばれる立場だ。

しかし、この論はすぐに破綻する。人格を作り出した責任を問うためには、人格形成の時点で自由な行為者を想定しなければならない。ところが、その自由な行為者も、それ以前に形成された人格に基づく以上、論理が無限背進する。責任は当人を突き抜けて外部に消失する。法哲学者・瀧川裕英『責任の意味と制度　負担から応答へ』から引用する。

（……）人格形成責任論は様々な批判を浴びているが、最大の問題点は人格形成責任論が「時間的な」理論であろうという点にある。すなわち、人格形成責任論は、ある行為に対して責任を問うことは、たとえ当該行為が決定されていたとしても、行為を決定した人格を形成した責任があるならば可能であると主張するが、その主張が妥当であるためには、当該行為以前の人格形成過程自体が自由であり、その人格形成過程に対して行為者が責任があると主張できることが必要である。しかし、その行為者がその人格生成過程自体に責任があると主張するためには、その人格形成過程自体がさらにそれ以前の人格形成過程の所産であると主張できることが必要である。そのため、人格形成責任論は無限背進に陥ることになり、結局生後間もない乳児が最も自由であり、その自由によってその後の全ての行為の責任が基礎づけされるという奇妙な理論に陥ってしまう。人格形成責任論がこのような問題を抱えてしまうのは、人格形成責任論が時間的な理論であり、時間的な遡行を理論的に内在させているからである。[15]

人間の性格や能力は遺伝と環境のどちらが決めるのか。この論争が一世紀以上繰り広げられてきた。両親から伝わる遺伝子は誰にも選択できない。遺伝も環境も外因であり、内因はどこにもない。酒を飲んだり、覚醒剤や抗鬱剤を摂取すると知性や感情に変化が現れる。ホルモン・バランスが崩れると苛立ったり、意欲をなくす。脳にタンパク質が蓄積すると認知症になり、人格が崩壊する。心肺停止が数分続くと脳組織が破壊され、死を免れても意識は戻らない。交通事故で頭を怪我したり、脳腫瘍切除手術の後遺症で痴呆化する。脳が精神活動を生成するのでなければ、何故このような変化が起きるのだろう。

内部の心と外部の身体という二元論は誤りだ。部屋の内と外は観察者にとって両方とも外部に位置する。内と外は部屋を基準に区別されるが、それは外界にある物の左右や上下を分けるのとかわらない。心と身体の関係は違う。内因と外因は空間的区別でなく、主観と客観という二つの認識枠である。[16] 内因が属する場所、やってくる源泉はどこにもない。遺伝・環境・偶然以外に我々を形成する要因は存在しないし、それらはどれも外因である。

外因から内因は絶対に生まれない。内因は外因から生ずるのでなく最初からあると言うならば、神や霊魂のような存在になり、とにかく初めからあるとしか言いようがない。内因論は実体としての生命を想定する生気論に行き着く。だが、このような神秘主義を採る科学者は今日ほとんどいない。

因果関係で処罰を理解する常識がそもそも誤っている。次の二つの例を考えよう。恋人を奪われ嫉妬に狂い、復讐心から相手の男性を銃で撃つ。撃たれた相手は病院に搬送されるが、運悪く経験不足の医者しかおらず、治療にまごつくうちに出血多量で死ぬ。あるいは交通渋滞のために救急車が病院にすぐ辿り着けず死亡する。もう一つの筋書きを考えよう。先ほどと同じように恋人を奪われて嫉妬に狂う男が相手の男性を銃で撃つ。しかし今度は撃たれた相手を治療する医者が優秀で一命を取り留める。あるいは交通渋滞に巻き込まれず、救急車がすぐに病院に着いたおかげで助かった。

さて犯人が捕まり、裁判が行われる。判決はどうなるだろう。第一の筋書きでは殺人罪である。他方、第二のシナリオでは殺人未遂にすぎず、罰の重さが大きく異なる。では二つは何が違うのか。犯人の行為はどちらの場合もかわらない。同じ動機（恋人を奪われ嫉妬に狂い、復讐したい）、同じ意図（殺す）の下に同じ行為（銃の照準を定めて引き金を引く）が行われた。被害者にとっての結果は異なるが、違いの原因は犯人に無関係な外的要因である。医者がたまたま優秀だったか新米だったか、道が混んでいたかという、犯人に無関係な原因だけが二つの状況設定で違う。動機も意図も行為も同じなのに、どうして二つのケースで責任および罪が異なるのか。

この思考実験は決して特殊な例でない。酒を飲んで運転し、注意力が鈍ったために横断歩道の前で徐行しなかったとしよう。そこに運悪く子どもが飛び出し、轢き殺してしまう。運転手は実刑判決を受け、過失を後悔するだろう。ところが子どもが飛び出さず、事故が起きなければ、飲酒運転自体は平凡な出来事として記憶にも残らない。

犯罪の原因は何なのかという発想自体が躓きの元だ。殺人事件を前にする時、どのような過程を経て被害者が死に至ったのかと我々は問うのでない。いったい誰が悪いのか、責任を誰が負うのかと怒りをぶちまけ、悲しみに沈むのである。

――自由の正体

フランスの社会学者ポール・フォーコネが答えを教えてくれた。『責任。社会学研究』という地味なタイトルで一世紀も前に出た本だ。

自由は普通信じられているように責任が成立するための必要条件ではない。逆にその結果である。人間が自由だから、人間の意志が決定論に縛られないから責任が発生するのではない。責任を負う必要があるから、その結果、自分を自由だと思い込むのである。[17]

自由と責任の関係が逆立ちしている。自由だから責任が発生するのではない。逆に我々は責任者を見つけなければならないから、つまり事件のけじめをつけるために行為者を自由だと社会が宣言する。小浜逸郎も同様の指摘をする。

責任をめぐる正しい洞察からすれば、「意図→行為→損害の事態→責任の発生」という時間的な順序があるのではなくて、「起きてしまった事態→収まらない感情→責任を問う意識→意図から行為へというフィクションの作成」という論理的な（事実の時間的流れに逆行する）順序になっているのですね[18]。

主体や自由はブラック・ボックスであり、責任を根拠付けるために動員される虚構、デウス・エクス・マキナである。カントの「自由による因果性」を中島義道が解説する。

　自由による因果性を導入する目的はただ一つ、行為の発生に至る自然因果性とは独立に、行為者に責任を帰する根拠（理由）がほしいからです。

　自然因果性から独立にまったく別の因果性を認めることは、まずもってわれわれが責任を追及する存在者であるところから導かれる。しかも、責任追及とは、ある限定された範囲に収束するものでなければならず——よく言われることですが「一億総懺悔」は責任追及の放棄でしかない——、しかもいつかどこかで終止するものでなければならない。これらのことをしっかり押さえていた点、カントは正しかった。

　しかし、残念ながら、カントはそこに至ることによって責任追及を終える点を、そこから自由が発する点へと読みかえてしまった。すなわち、本来責任追及の因果性である自由による因果性を、行為を純粋に開始する原因としての自由（超越論的自由）が引きおこす因果性という悪しき形而上学に陥ってしまった。

（……）

自由による因果性とは、そのつどの禍を責任主体としての「人格（Person）」の「意志」へと至らせる責任追及の遡及的因果関係にすぎない。その範囲に限定して、しかも現実の行為を実現しようという経験的＝心理学的意志が発動されるまさに「そのとき」に「純粋な自発性」という性質を帰することは、そこで責任追及をストップさせ、それ以前にさかのぼることをやめることにほかならない。[19]

（強調小坂井）

意志は行為者の心理状態でなく、責任を誰かに帰属し、処罰するための虚構なのである。中島の他の著書からも引用する。

もしXが「歩いている」という記述を行為として認めるなら（当人が意識しようとすまいと）そこに「歩こう」という意志記述を認めなければならないということである。Xが「殺した」ことを認めることは、Xのそのときの心理状態に一切かかわらずこの意味でXに「殺す」意志があったことを認めることにほかならない。川で溺れそうな子を見て無我夢中で飛び込み、ずぶ濡れになって子供を抱きかかえつつ「自分が何をしたかわからない」と語る男はその子を「助けた」がゆえにその子を「助ける」意志をもっていたのである。「助けたい！」と内心叫びながら岸辺で腕を拱いていた人々は「助けなかった」がゆえに「助ける」意志をもっていなかったのである。（強調中島）（……）こうした行為と同一記述の意志をわれわれが要求するのは、過去の取り返しがつかない行為に対してある人に責任を課すからである。「実践的自由」における「自由による因果性」とは意志と行為とのあいだの因果性ではなくて、じつは意志と責任を負うべき結果とのあいだの因果性なのである。ある行為の行為者に責任を負わせることをもって、事後的にその行為の原因としての（過去の）意志を構成するのだ。[20]（強調小坂井）

精神活動はデカルトにとって意識、フロイトにとっては無意識、認知心理学にとっては脳の機構を意味する。したがっていずれのアプローチも精神を個人の内部に位置づける点は共通する。[21] しかし意志は個人の心理状態でもなければ、脳あるいは身体のどこかに位置づけられる実体でもない。意志とは、ある身体運動を出来事ではなく行為だという判断そのものだ。人間存在のあり方を理解する形式が意志と呼ばれるのである。人間は自由な存在だという社会規範がそこに表明されている。以前に流行った表現を借りるならば、意志はモノでなく、コトとして理解しなければならない。[22]

痛みを感じるのは当人だけであり、他人の痛みは想像しかできない。歓喜に沸いたり、悲しみに沈んだりする時、そう感じている私がいると考えやすい。デカルトのCogito ergo sum（我思う、ゆえに我あり）も同じ論理構造だ。だが、ここに飛躍がある。

ラテン語cogitoは動詞cogitare（思う）の一人称単数形であり、Ego cogitoのego（我）が省略されている。英語なら、I think、フランス語なら、Je penseである。しかし、cogito（我思う）が成立するからといって、そこに私という主体が存在するとは結論できない。「私が思う」という形で意識が産出される、あるいは「私の歯が痛い」「私は哀しい」という形で認識が成立する。だからといって「思う私」「痛みを感ずる私」「哀しむ私」が実在することにはならない。cogitoが可能ならば、「私が考えている」という状態が成立する。だが、それはあくまでもcogito（我思う）という現象が成立するのであり、それを可能にする〈私〉が存在するわけではない。cogitoをI thinkやje penseと分けて表現すると、さらに錯覚しやすい。成立するのは「I think」「je pense」であって、その現象から切り離されたIやjeではない。

それゆえ、ドイツの科学者ゲオルク・リヒテンベルクはEs denktと言い、イギリスの哲学者バートランド・ラッセルがIt thinks in meと表現し、フランスの精神分析学者ジャック・ラカンが、Ça pense en moi、つまり「私において、それが思う」と表現したのである。もちろん、このes、it、çaは実体として存在するのでなく、Es regnet, It rains, Il pleut（雨が降る）における形式主語にすぎない。そうでなければ、cogitoの無意識バージョンでしかなく、何の進展もない。

〈私〉はどこにもない。不断の自己同一化によって今ここに生み出される現象、これが〈私〉の正体である。プロジェクタがイメージをスクリーンに投影する。プロジェクタは脳だ。脳がイメージを投影する場所は自己の身体や集団あるいは外部の存在と、状況に応じて変化する。ひいきの野球チームを応援したり、オリンピックで日本選手が活躍する姿に心躍らせる。勤務する会社のために睡眠時間を削り、努力する。我が子の幸せのために喜んで親が犠牲になる。これら対象にそのつど投影が起こり、そこに〈私〉が現れる。

〈私〉は脳でもなければ、イメージが投影される場所でもない。〈私〉はどこにもない。虹のある場所は客観的に同定できず、それを観る人間によって、どこかに感知されるにすぎない。それと似ている。〈私〉は社会心理現象であり、社会環境の中で脳が不断に繰り返す虚構生成プロセスである。

――神の擬態

解決の端緒は見つかった。自由は虚構にすぎない。だが、まだ十分でない。なぜ自由を持ち出す必要があるのか。中世キリスト教世界では神が罰した。近代になると責任の根拠を個人の内部に探すようになる。何故なのか、何が変わったのか。疑問が残った。

大きな転機になったのが米国の倫理学者マリオン・スマイリーの考察だった。[23]彼女からヒントを得て『責任という虚構』に書いた。私論を決定づける箇所なので、長いが拙著からそのまま引用する。

行為が決定論的に生ずるかどうかは責任と本来関係ない。ギリシア時代においてもまたキリスト教世界でも責任は決定論問題と結びつかなかった。近代に入って初めて起きた議論だ。（……）

アリストテレスは『ニコマコス倫理学』において随意的（ヘクーシオン）行為と不随意的（アクーシオン）行為とを区別し、責任＝非難が生ずるのは前者の場合だけだとした。しかしそれは非難・罰・責任という社会的慣習において随意的行為と不随意的行為とが区別される社会基準の総括であり、自由意志が存在するかどうか、人間行為が決定されているかどうかという議論ではない。（……）

完全な知識を伴ってなされる行為はありえないとアリストテレスは認める。しかしだからといって、すべての行為を不随意的と規定するわけにはいかない。それでは社会秩序が崩壊してしまう。では随意行為と不随意行為との間にどこで線を引くべきか。両者を区別する基準は行為の客観的性質を分析してもわからない。その代わりにアリストテレスは、随意行為と不随意行為とを我々が日常生活において実際に区別する社会規範に求めるのだ。

このようなアリストテレスの分析に対して決定論の脅威や自由意志の問題を十分議論していないと今日の哲学者の一部は批判するが、それはそもそもアリストテレス哲学への誤解に基づいている。ギリシア時代には社会から自律する単位として個人を捉える発想がなく、彼の言及する随意性は自由意志と同一視できない。

道徳責任の根拠を社会規範に求めるアリストテレスの考えはキリスト教世界では受け入れられない。原罪で堕落した人間が織りなす世俗制度とは別に、真の責任は神が定めるものだ。人間共同体を超越する普遍的原理として道徳責任は表象される。したがって変動しうる社会規範に惑わされず、罪や罰の規定は絶対的根拠に基づく必要がある。むろんその根拠とは神の意志であり、それに従わない行為は悪である。

（……）

社会共同体の規範に道徳の根拠を見いだすアリストテレス哲学においても、また人間を超越する神という絶対者に根拠を投影するキリスト教哲学においても、個人の自由意志が外部の要因によって決定されているかどうかという問題は切実にならなかった。前者にとって、人間の意志や行動が外部の影響を受けるのは当然だし、後者にとっても各人の属性・人格が神の摂理に適合するかどうかが判断基準をなし、個人の内的要素がどう形成されるかは問題にならない。

社会規範に道徳の根拠を求めるアリストテレスと近代思想は袂を分かち、キリスト教哲学と同じように、各文化・時代に固有の偶有的条件に左右されない普遍的根拠によって道徳を基礎づけようと試みる。しかし神なる超越的権威にもはや依拠できない近代人はここで袋小路に迷い込む。社会あるいは神という〈外部〉に世界秩序の根拠を投影しなければ、根拠は個人に内在化されざるをえない。そのため前近代には大きな問題にならなかった、個人の属性がどのように形成されるかという点が責任の考察にとって切実になる。殺人を犯す者がいる。なぜ彼は罰せられるべきなのか。社会が罰を要請するからだとアリストテレスは答える。神がそれを欲するからだとキリスト者は言う。しかし近代個人主義に生きる我々は、そのような答えでは満足できない。責任の根拠が個人に内在化される世界において私の行為の責任を負うためには、この行為の原因が私自身でなければならない。だから決定論と自由意志の問題をめぐって近代以降、哲学者は膨大な議論を費やしてきたのだ。

その後、『神の亡霊』で神の機能を考察した。

神は死んだ。世界は人間自身が作っていると私たちは知り、世界は無根拠だと気づいてしまった。もはや、どこまで掘り下げても制度や秩序の正当化はできない。底なし沼だ。幾何学を考えるとよい。出発点をなす公理の正しさは証明できない。公理は信じられる他ない。どこかで思考を停止させ、有無を言わせない、絶対零度の地平を近代以前には神が保証していた。だが、神はもういない。

進歩したとか新しいという意味で近代という表現は理解されやすい。だが、近代は古代や中世より進んだ時代でなく、ある特殊な思考枠である。（……）

人間はブラック・ボックスを次々とこじ開け、中に入る。だが、マトリョーシカ人形のように内部には他のブラック・ボックスがまた潜んでいる。「分割できないもの」を意味するギリシア語アトムスに由来する原子も今や最小の粒子でなくなった。より小さな単位に分解され、新しい素粒子が発見され続ける。いつか究極単位に行き着くかどうかさえ不明だ。

内部探索を続けても最終原因には行き着けない。そこで人間が考え出したのは、最後の扉を開けた時、内部ではなく、外部につながっているという逆転の位相幾何学だった。この代表が神である。手を延ばしても届かない究極の原因と根拠がそこにある。正しさを証明する必要もなければ、疑うことさえ許されない外部が世界の把握を保証するというレトリックである。そして、神の死によって成立した近代でも、社会秩序を根拠づける外部は生み出され続ける。

こうして神と自由意志が同じものだと腑に落ちた。

人間社会は二種類の主体を捏造した。一つは外部に投影される神。最終責任を引き受ける外部は偶然ではなく、神や天あるいは運命のように主体として表象される。責任を問う行為は、怒りや悲しみの矛先を見つける機能を果たす。したがって意味を与える存在でなければならない。偶然を罵っても怒りは収まらない。共同体の外部に主体を見失った近代は、自由意志と称する別の主体を個人の内部に発見した。だが、これは神の擬態にすぎなかった。人間を超越する外部を捏造した前近代と同じ論理が踏襲されている。

どんな論理体系も完全には閉じられない。幾何学の公理がそうであるように大前提の正しさは証明できない。大前提は信仰であり、外部の消滅は原理的に不可能だ。神なる第一原因を宗教は捏造し、解決を図る。それは人格神を戴くユダヤ・キリスト・イスラムの一神教だけでない。無神論の仏教も因果・縁・業・運命という虚構を外部に据える。神を殺した近代は、ここでアポリアに陥った。

これら虚構が消えた時、何が起こるか。次の例で考えてみよう。ウィリアム・スタイロンの小説『ソフィーの選択』に劇的な場面が出てくる。アウシュヴィッツ強制収容所前でガス室への選別をソフィーと二人の子が待つ。彼女らに近づいたナチの軍医が残酷な提案をする。「子どもを一人だけ助けてやる。どちらかを選べ」。この惨い選択を彼女はすぐさま拒否する。だが、「もういい。二人とも向こうに送れ」と部下に告げる軍医の声を聞き、「娘を連れて行きなさい」と発作的に叫んでしまう。こうして息子の命を救うために娘が犠牲になる。[24]

ソフィーはどうすべきだったのか。二つの可能性しかない。一つはどちらかの子を犠牲にして残る子の命を救う道。もう一つは選択自体を拒絶して子どもが二人ともガス室で殺される道である。ソフィーは選択し、一人を救った。しかし、それにより凄まじい良心の呵責に苦しむ。娘の死の責任を背負うからだ。ここでソフィーが乱数表やサイコロを持ち出して、どちらの子を犠牲にするか決定しても罪悪感は消えない。

偶然と運命は違う。我が子を癌で亡くす。偶然ならば、別の結果もありえたはずだ。なのに、なぜ死んだのか。答えが出ないまま、苦悶が続く。出来事を制御できないのは偶然も運命もかわらない。しかし偶然と違い、運命は決定論であり、他の結末はありえなかった。運命として諦める。最終責任を引き受ける外部は神や天のように主体として現れなければ機能しない。[25]

二〇〇七年初秋、当時の鳩山邦夫法務大臣の発言が物議を醸した。実際に処刑に立ち会わない大臣にとっても執行許可は簡単な決断でない。この葛藤を緩和するため、死刑執行命令書への法務大臣の署名を廃止し、乱数表を利用して執行を自動化する提案である。

だが、責任転嫁の仕組みはトランプのババ抜きのように最後に必ず誰かにツケが回ってくる。乱数を発生させるためにコンピュータを操作するのは誰か。法務大臣自身がスイッチを入れるなら死刑執行決定の構図に本質的変化はない。他の官僚に乱数表を扱わせても執行命令の担当者が代わるだけだ。偶然は責任を取れない。

アメリカ合州国の陪審員は死刑判決を正当化するために、しばしば神の権威に訴える。この悪人の処刑は神が決定するのであり、我々人間が決めるのではない。犯罪者を赦す権利は陪審員にない。犯罪者を赦せるのは殺された被害者だけだ。しかし被害者がもういない以上、その代わりに主権者である国家が死刑を命ずる。判決を言い渡すのは国家という全体であり、検察官でも裁判官でも法務大臣でもない。神や国家と呼ばれる外部に責任の源が投影される。

隠された大きな意志が関与すると感じる時、人は救われる。この外部を近代は消し去り、原因や根拠の内部化を目論んだ。その結果、自己責任を問う強迫観念が登場する。

『責任という虚構』がつけた道筋がこうしてやっと完結した。二〇〇八年に単行本を発表してから『人が人を裁くということ』（二〇一一年）、『神の亡霊』（二〇一八年）、そして『責任という虚構』の文庫版に加えた補考「近代の原罪」（二〇二〇年）まで一〇年以上考え続けて到達した結論である。

――架空の媒介項

エーテルとフロギストンの役割を第二章で見た。これら架空の概念がなければ当時、天体運動も燃焼も説明できなかった。神と自由意志も社会秩序を安定させるための虚構であるのは同じだが、エーテルやフロギストン以上に構造化されて世界像に組み込まれている。神や天という架空の主体が偶然を運命に変換する奇跡を起こす。そして神が死んだ後も、自由意志と呼ばれる神の亡霊が逸脱行為の処罰を正当化し続ける。

神も自由意志も人間の〈外部〉に置かれている点に注意しよう。神が外部に投影された虚構であるのは一目瞭然だが、各人の内部に投射される自由意志が外部に位置するという表現はわかりにくいかもしれない。ここでの外部とは人間の手に届かない位置という意味である。行為を発動する無限遠点としての出発地、デウス・エクス・マキナとして自由意志は機能する。

政治も経済も外部虚構が媒介しなければ成立しない。ここにも共通の型がある。まず次の寓話を紹介しよう。フランスの中学数学教科書に載っている古典問題だ。元は七世紀頃アラブ世界で誕生し、一九世紀後半、英国に伝えられた物語らしい。共同体の外部からやってくる媒介項がアポリアを解消するモデルである。

アラブの老人が三人の息子に遺言をしたためた。長男には財産の半分を、次男には四分の一を、そして末っ子には六分の一を与える。ところが遺産は一一頭のラクダだ。生きたままでは分配できない。兄弟喧嘩が始まる。村の裁判官に伺いを立てたところ、謎めいた判決が下った。「わしのラクダを一頭やるから遺産に加えよ。アラーの思し召しのおかげでラクダは再び、わしに戻るだろう」。今や一二頭になった財産の半分すなわち六頭を長男が取り、四分の一である三頭を次男が受け、六分の一に相当する二頭を末っ子がもらう。こうして遺産は分配され、平和が戻る。

ラクダが一頭余った。そして予言通り裁判官に返された。結局分配されずに余ったという意味では、このラクダは無用だった。だが、そのおかげで分配が可能になり、兄弟に平穏が戻ったという意味では不可欠な要素である。外部から来たトリックスターは役目を終えた後、再び外部に帰ってゆく（一人も損も得もしていない。数学的種明かしは『神の亡霊』「第七回　悟りの位相幾何学」注一五）。

まず経済における虚構の媒介構造を示そう。贈与には原理的矛盾がある。矛盾を止揚してシステムを稼働させる上で、架空の媒介項が決定的役割を果たす。贈り物を受け取った者は贈り物を返さなければならない。さもなくば、贈与の連関が途絶える。ところが贈り物を必ず返してくれると知っているならば贈与と呼べない。等価の見返りを期待する贈与は単なる取引であり、贈与ではない。それに御礼を返されれば、最初の贈与が色褪せる。贈り物を返す行為がまさに贈与の意義を奪ってしまう。こうして贈与は概念自体に論理矛盾を内包する。

フランスの文化人類学者マルセル・モースはニュージーランドのマオリ族が信じるハウという霊に注

目した。贈与物にハウが取り憑き、元の持ち主に返還しなければならないという負い目が、贈り物を受け取った者に生まれる。この信仰のおかげで本来矛盾する現象が成立すると説いた。[26]

贈り物をするが見返りは期待しないという言明と、贈り物をもらったら必ず返礼せよという言明が矛盾と映るのは、両方とも贈与当事者が発すると誤解するからだ。当事者の外部に位置する第三項の導入でパラドクスが解消される。贈り物を受け取ってくれという気前の良いメッセージは贈り主のものであり、贈り主に感謝し他の贈り物で返礼せよという命令はハウが送る。つまり二つの異なる内容のメッセージが二つの異なる情報源からやってくる。ハウが当事者と分離するおかげで贈与の連鎖が可能になる。[27]

ハウはマオリ族の迷信である。だが、この虚構媒介のおかげで共同体の絆が維持される。贈与当事者に生ずる心理現象と、贈与制度という社会現象との間に循環関係が成立する。下心のない贈与を受けたのならば、なぜ贈り物を返す義務があるのか。返す義務があるなら、どうしてそれが贈与なのか。贈与し合う人間と贈り物だけでシステムを構成するとアポリアに陥る。だが、メタレベルに仮現する虚構の導入によって、この二つの疑問が同時に氷解する。

媒介項の役割をさらに浮き上がらせるため、贈与と復讐の論理構造を比較しよう。仲間を殺され、殺した敵に復讐する。復讐した者を今度は敵の仲間が的にかける。こうして報復が新たな標的を生み出す。原因の消去作業が同じ原因を再生産し、入力と同じ値を出力する関数$F(x)=x$が成立する。いったん開始されれば、それ以降、外部入力が要らない自律循環システムである。対して贈与では時間が反対方向に流れる。相手を信じて先に切っておく約束手形であり、未来完了形の虚構が循環運動を生み出す。復讐は過去に原因を見いだし、贈与は未来に原因を据える。

二つのシステムはよく似ている。だが、決定的に違う点がある。復讐は、過去の状況が次の状況を必然的に導く安定したプロセスだ。他方、贈与はシステムが展開されるごとに、相手を信頼すべきかどうかと疑問が頭をもたげ、いつ中断するかわからない。賭けを内在する不安定な構造である。復讐に復讐で返すという過去への自動反応に代えて、前もって相手を信頼し回路を反転する。[28]未来に向けて投げかける根拠なき賭けだ。だが、それなくして人の絆は築けない。利益を受けたから返礼するという過去から未来へと作用する義理や義務の関係は真の信頼を生み出さない。信頼は不合理な信仰であり、外部に仮現する媒介項をなす。

貨幣も外部に位置する媒介項だ。貨幣が流通する保証はない。貨幣価値は集団虚構に支えられる。喫茶店でコーヒーを注文し、「ありがとう。御礼に明日リンゴを持ってくる」と言って店を出たら、どうだろう。見知らぬ客の約束を信じて飲み逃げのリスクを負うよりも、その場でコーヒー代を払ってもらい、その金でリンゴを自分で買う方が喫茶店主にはありがたい。あるいはリンゴよりも居酒屋で一杯飲む方がいいかもしれない。

だが、そのような計算が成り立つのは、日本銀行券と印刷された紙切れを果物店や居酒屋が受け取ってくれると信じるからだ。リンゴや酒を生み出す魔法の力は紙切れをどれだけ凝視しても見つからない。コーヒーを注文する客と喫茶店主の間の交換は二人だけで成立しない。果物店や居酒屋という第三者が媒介しなければ、貨幣制度が機能しない。

商品を売って貨幣を受け取る者はトランプのババ抜きのように貨幣を次の人に回す。貨幣というジョーカーを摑まされた人はまたそれを他の人に回し、価値のあるモノと交換してもらう。岩井克人『貨幣論』から引く。

商品のばあいは、たとえそれが売り手にとってはまったく無価値であったとしても、買い手にとっては有用なモノとしての価値をもっている。（……）これにたいして、貨幣のばあいは、それをほかの人間にあたえようと思っている買い手にとってだけでなく、それを買い手からうけとろうと思っているそのほかの人間にとっても、モノとしてはまったく無価値である。（……）

結局、一万円の貨幣と一万円の商品との交換という価値の次元における公明正大な等価交換の下には、無価値のモノと価値あるモノとの交換というまさに一方的な不等価交換がモノの次元で存在している。無と有との交換――だが、それにもかかわらず、一番目のほかの人間がこの一万円札を商品と交換にひきうけることになるのは、それをモノとして使うのではなく、それをそっくりそのまま二番目のほかの人間に手わたそうと思っているからなのである。（……）そして、このようなことが可能なのは、もちろん、その二番目の人間自身も、だれかほかの人間がその一枚の紙切れを一万円の価値をもつさらにべつの商品と交換にひきうけてくれることを期待しているからである。[29]

外部にはじき出された貨幣、この価値不在の虚構が媒介するおかげで交換が可能になる。架空の外部がシステムを稼働させるのである。

——主権と神

次は政治の虚構媒介構造を抽出しよう。神が秩序を定めていた中世共同体が解体した。個人の群れに還元された近代社会は正しさをどう担保するのか。ホッブズとルソーは正しさを主権問題として捉え、解決を探した。

近代以前には秩序の根拠を神や自然に求めていた。殺人が悪いのは神の摂理に背くからだ、普遍的価値が存在し（カトリックという言葉は「普遍的」を意味するギリシア語カトリコスに由来する）、それに違反するからだ。だが、個人という自律的人間像を生み出した近代は、人間を超越する外部を否認する。すると正しさの証明を人間がしなければならない。ところが正しさの根拠が明示された瞬間に、ではその根拠はなぜ正しいのかと問われる。問いは無限遡及し、真理は人間の手をすり抜けてしまう。

そこで社会秩序を正当化する装置として主権概念が現れる。公理の虚構性が露わになり、何が正しいかという問いは解答不能に陥った。その代わりに、誰が正しさを定めるべきかと問うのである。正義の内容を決めるのは主権者であり、主権者が宣言する法が正義を定義する。殺人を犯罪と認めるのは主権者がそう判断するからであり、それ以外の根拠はない。主権者が殺人を善と定めれば、その社会において殺人は善である。フランスの政治哲学者ジェラール・メレが要約する。

> 法が正しさを意味するのであり、正しさの定義を他の抽象的内容に帰すことはできない。なぜならば、正しさの内容を法が定めるからだ。ある者は奴隷であり、他の者は主人だと主権者の意志が宣言するならば、それが公正の定義である。[30]（強調小坂井）

万人の万人に対する闘争を避けるためホッブズは市民から権利をすべて奪い、共同体の外部にはじき出された主権者に移譲する。権力を独占する主権者が政策を決定し、それに市民が服従する状態を作り出せば、平和がもたらされる。強大な覇権が治めるパクス・ロマーナと同じ戦略だ。刀狩り、つまり国家の暴力独占も同じ原理である。

　ホッブズの社会契約は主権者と市民との間に結ばれるのでない。市民どうしで契約を締結する際、全市民から権利が完全に剥奪されるとともに、主権者に選定される者が共同体の外部にはじき出される。

ある人間に対して、汝も同様に自らの権利をすべて放棄し、彼がなす如何なる行為をも汝が受け入れるという条件の下に、我自身を統治する権利を我も彼に与えよう。（……）偉大なリヴァイアサン（……）はこうして生み出される。[31]

ホッブズの解決は共同体の外部を生み出し、それを正しさの源泉と定義する。つまり中世の神と同じ機能を主権者が果たす。共同体の法を外部が根拠づける論理形式は依然として踏襲されている。ただし神と異なり、ホッブズの外部は協約により人工的かつ意識的に生み出される。主権者が行う施策の正当性は手続き上の正統性にすり替わり、主権者の決定内容が正しいかどうかという難問が迂回される。主権者がなした決定だから正しい、主権者の決定が正しさの定義であるという手続き問題に変容する。

ルソーはこのような外部を認めず、共同体内部に留まったままで正しさを根拠付けようと試みた。そのために導入される概念装置が一般意志である。この方式では市民がそのまま主権者として位置づけられ、ホッブズ契約論と同じ構造の外部を必要としない。

と、一見そう思われる。だが実はルソーも最終的に外部を密造する。それ以外に根拠を生み出す術がないからだ。ルソー思想の骨格を確認しよう。自己愛（amour de soi）と自尊心（amour-propre）は違う（『人間不平等起源論』[32]）。誰でも自己保存欲を持つ。その限りで欲望は自然であり、正当だ。ところが、隣人が持つというだけの理由から、必要でないのに同じものを人間は欲しがるようになる。それは自尊心が原因である。価値や必要が他者に依存する模倣状況では人間の主体性と自由が失われる。必要でないものを欲しがったり、必要以上の量を求める陋習《ろうしゅう》に諸悪の根元がある。そこから嫉妬心が生まれ、奪い合いが始まる。自由かつ平等な理想社会を建設するために、他律的な自尊心を社会から根絶しなければならない。

この対立構図は用語を変えて『社会契約論』[33]に受け継がれ、自己愛と自尊心という心理概念の代わりに一般意志と特殊意志という社会学的道具立てが導入される。他者との比較から悪しき自尊心が生まれる。ゆえに、それを克服する最良かつ唯一の方法は市民が比較し合わないように関係を断ち切ることである。この状態で心の底から湧く純粋な欲望こそ本物だ。したがって人間を孤立状態に置いた上で規則をうち立てれば、自由と平等を重んじる理想社会が建設できるだろう。各人に固有な特殊意志を斥け、社会の一般意志を析出しなければならない。

一般意志は市民の単なる総意とは違う。多数決による決議は多数派の横暴かもしれない。怒り狂ってリンチに走る群衆のように、全員一致であっても正しいとは限らない。形こそ違え、それでは強者の論理にすぎない。そこで市民の総意と質的に異なる一般意志が登場する。

> 市民の総意と一般意志の間にはしばしば違いがある。後者は全体の利益にしか関心がない。前者は私的利益の方を向いており、各市民が抱く個別意志の総和にすぎない[34]。

人間の手の届かないところに法を位置づけるとルソーが言う。市民の総意を超える以上、一般意志は、ある時代・社会に限定される規範でなく普遍的射程を持つ。つまり一般意志は自然法として提示される。他者を羨望することなく、自らの心に問いかける時、普遍的に正しい人間のあり方が発見される。こういう論理構成である。[35]

神の権威に頼れなければ、正しさをどう決めるのか。これが近代に課せられた最大の問いだ。正しさを主権者が定義するという手続き問題への解消によりホッブズはこの難問を迂回した。ルソーはこの方向をさらに進め、人間は正しさを一般意志として最初から知っていたという解決を採用した。こうして正しさの内容吟味を迂回しつつ、主権を外部に立てる必要をルソーは回避する。

ところが、これは見かけだけの詭弁だった。市民の私的欲望の背後に隠れる真の意志として一般意志を構想するルソーの解法では、市民の具体的意志から遊離する、論理的な意味での外部が共同体の内部に捏造される。論理体系には出発点が必ず要る。幾何学の公理のように大前提は信仰だ。外部は絶対に消去できない。一般意志が自然法であり、それを人間が発見するという論理構造をみれば、一般意志が外部にとどまっていることに気づく。

ちなみにカントの定言命法も外部を捏造する。ドイツの哲学者モーリッツ・シュリックの解説を参照しよう。

善行とは（……）我々がなすべき行為のことだ。戒律・要請・命令に言及するからには、それを発する者がいる。発令者が誰なのかを示し、命令系統を明示して道徳律を性格づける必要がある。

ここですでに意見が分かれる。神学倫理学において、この発令者は神である。神が望むから善は正しいという最も浅い解釈がまずある。この考えでは論理の道筋自体（神が決めた戒律）がすでに善の本質を表す。次に、善は正しいから神がそれを望むという、より深い解釈もできる。この場合は論理の道筋とは独立に何らかの実在的内容によって善の本質が前もって規定される必要がある。それゆえに社会を発令者として同定したり（功利主義）、行為者を発令者の位置に据えたり（幸福主義）、さらには発令者はどこにも存在しない（定言命法）といった諸説が倫理哲学で展開される。カント理論が行き着いたのは「絶対的義務」、すなわち発令者の存在しない命令という、この三つ目の解決策だった。

（……）

倫理秩序を根拠づける「他者」が誰であろうとも、倫理秩序が「他者」の願望や力に依存したり、この「他者」の不在によって消滅したり、あるいは「他者」の意志によって変化するようでは倫理秩序が安定しない。それ故、この不安定を除くためにカントは神であっても道徳律の責任者にしたくなかった。そこで彼に残された可能性は虚無に救いを求める道だけだった。つまり義務は絶対に、どんな「他者」からも由来しない。絶対的義務であり、倫理的戒律はどのような条件からも独立する定言命法だと彼は主張したのだ。[36]（強調小坂井）

この虚無が外部である。公理は理屈抜きに正しいと言うのとかわらない。人間自身が生み出した規則にすぎないと知りながら、道徳や法の絶対性をどうしたら信じられるのか。人間が決めた規則でありながら、人間自身に手の届かない存在に変換する術を見つけなければならない。外部を屠る試みをルソーは円積問題になぞらえた。定規とコンパスだけを有限回使って円と面積の等しい正方形を作図する円積問題は円周率πが超越数だから解けない。答えの存在しない問いである。[37]

人間世界を超越する神、近代のデウス・エクス・マキナである自由意志、ホッブズのリヴァイアサン、ルソーの一般意志、贈与を可能にするハウ、信頼という約束手形、臓器をモノ化する国家（後述）、魔女裁判、処罰のスケープゴート（第五章参照）……。人間世界内部で生まれながらも外部にはじき出される媒介項により社会システムが成立する。[38] 媒介項の虚構性が隠蔽されるおかげで社会が機能する。

マルクスからは逆のやり方を学んだ。『資本論』が暴いた搾取メカニズムの分析は手品のような鮮やかさだ。奴隷制・農奴制・封建制・資本制と表向きの生産関係は変遷した。だが、搾取は依然として続く。奴隷の生産物は奴隷所有者がすべて取り上げた。自分がする労働の一部を農奴は領主の所有地に振り分けた。自ら生産した農作・畜産物の一部を小作農は封建領主に差し出した。これらの支配形態では搾取の仕組みが明白である。

ところが、人間の労働力が商品になる資本主義社会では事情が変わる。労働力以上の価値が労働（労働力の消費）によって生み出される。だが、労働力の価値と、労働力の消費によって生まれる価値の差は労働者に還元されず、資本家が掠め取る。結局、搾取はなくならない。仕組みがより巧妙に隠され、他の理屈で正当化されただけである。[39]

搾取というと、労働力の価値が完全には支払われない状態だと普通思われている。だが、マルクスが喝破したメカニズムはそうでない。労働力に見合う価値はすべて正しく支払われる。ところが労働力が使われる時、それ以上の価値が生まれる。この差が搾取の原資となる。労働力自体の価値と、労働から生み出される価値を峻別し、そのズレに注目することでマルクスは新たな形の搾取を暴いた。隠れていた剰余価値の姿を可視化した。神・自由意志・エーテル・フロギストン・ハウなどの虚構と逆の仕掛けだ。

――能力という政治装置

ここまで来れば、『格差という虚構』まであと一歩だ。

格差を糾弾する書がたくさん書かれてきた。貧富差が大きすぎる、さらに拡大していると警告する。学歴格差を指摘する本も多い。ところが格差を減らすべきだと説いても、完全になくせとは言わない。格差解消が現実に不可能だから無理な目標を立てないのではない。格差消滅が望ましいと考えないからだ。かといって、どこまで減らすべきか明示する本もほとんどない。なぜか。

メリトクラシーという理念がある。能力に応じた格差は正当だが、それ以上に開くのはおかしいと言う。法の下の平等も同じ考えである。だが、これは欺瞞だ。東大生の家庭の多くは裕福で学生七割以上の父親が大学教授・高級官僚・会社経営者・弁護士・検事・医者などの職に就いている。[40] 親が高学歴だと子は幼い頃から勉強の習慣を身につける。優秀な家庭教師を雇い、有名塾に通う。周囲には勉強好きな若者が集い、刺激し合う。有益な情報に接する機会も多い。親を見習って子も高い地位を目指す。ところが、このような誘因が下層の子どもには働かない。だから能力には家庭環境の差が反映されており、不公平だ。外因による影響を排除し、実力だけで勝負すべきだ。こういう批判が出てくる。

ところで本当の能力とは何か。家庭環境を均一にし、子どもの能力発達が親の経済条件や教養に左右されない社会が実現したとしよう。それでも能力に差が出る。遺伝要素が違うからである。家庭の影響を排除し、「本来の自分」の状態に戻した上で各自が競争すれば公平だと言うが、家庭環境と同様、遺伝も当人に制御不可能な外因だ。環境も遺伝もくじ引きの結果にすぎない。親の貧富によって社会での成功率が左右される現状を非難するなら、遺伝が原因で生ずる地位の違いや格差も拒否するのが筋だろう。

能力という言葉がそもそも怪しい。野球のイチローや大谷翔平の身体能力が卓越するのは誰もが認める。だが、走力・背筋力・遠投力・動体視力などは計測できるが、これら数値がいくら優れていても打率・本塁打数・防御率の実績に結びつくとは限らない。相手がいるからだ。一六〇キロ以上のストレートや魔球のような変化球を投げても三振を取れるとは決まっていない。そして味方の働きも影響する。計測できる能力と、「能力が高いから素晴らしい成績を残した」という時の能力は別物だ。後者の意味での能力は客観的に測れない。この能力は成績から逆算して「能力が高い」と言っているだけである。

実際に生ずる差を能力という不可視の定規で説明する。これは循環論であり、「能力に応じた格差は正当」という文は同義反復にすぎない。能力は実質に支えられた概念でなく、格差を正当化するための社会装置である。

この種の循環論は多い。物理学の力もそうだ。外力が物体に働くと運動状態が変化する。これが力の定義である。だが、実際に観察できるのは物体の位置と運動量であり、力自体は測定できない。運動状態が変化する時、力が加わったと理解し逆算する。運動の原因が力なのかは明らかでない[41]。

優良だから売れるのでなく、売れるから良い商品なのか。強いから勝つのでなく、勝った者が強いのだというスポーツ界の定義もある。美人だから愛されるのか、愛されるから美人と称されるのか。悪だから非難されるのか、非難される行為が悪と呼ばれるのか。真理だから受け入れるのか、受け入れられたから真理と映るのか。このような論理の転倒はすでに『責任という虚構』の執筆で気づいていた。だが、それでも、どこか納得できなかった。この疑問は第五章で再び取り上げることにして、格差への私のアプローチを示そう。

世の識者は格差を程度の問題として理解し、どのような格差なら正しいのか、健全なのかと問う。だが、この方向に解決はない。格差は程度や内容の問題でないからだ。経済問題でさえないからだ。ヒエラルキーという容れ物あるいは形式をめぐる現象である。ヒエラルキーのない社会はありえないし、どのようなヒエラルキーであっても不満は消えない。格差は多数派と少数派の対立プロセスの表現であり、同一化と差異化という互いに矛盾する二つの相が絡み合って生成する運動である。

格差を告発し、少しでも格差が減るようにと願う善意こそが格差の正体を隠蔽する。格差が消えない理由は支配者や勝ち組が格差を正当化するからだけでない。そのような単純な見方では格差の根が地中に潜ったまま隠され続ける。格差を望むのは負け組も含めた全員である。格差は集団生活に必然的に生じる構造であり、人間世界の原罪をなす。

平等な社会の建設は原理的に不可能だ。人間は他者との比較を通してアイデンティティを育む。したがって格差のない社会に人間は生きられない。経済格差を少しでも減らせば、問題解決に近づくのではない。逆に差が小さくなるほど、その小さな違いが人々をよけいに苦しめる。身分の違いを公然と制度化する伝統社会に比べて、より平等な近代社会が人間を幸福にするとは限らない。

比較にならないほど実力が違えば嫉妬は起きない。生まれるのは尊敬の念である。アインシュタインやマイク・タイソンに敵わないと嘆き、ダ・ヴィンチやモーツァルトに劣等感を抱く人は珍しい。だが、拮抗する者に劣ると認めるのは辛い。封建社会では出生の違いにより身分が固定された。そのため下層の人間は上層との比較を免れ、嫉妬に悩まされにくい。

だが、近代を迎え、身分制が崩壊すると人間は相互交換可能な同類になる。ゆえに他の理屈を見つけて地位の違いを正当化する必要がある。格差はなくすべきなのか、正当な格差があるのか。個人の内部に根拠が移動した世界では、こういう疑問が頭をもたげる。

身分制が打倒され、不平等が緩和されたにもかかわらず、さらなる平等の必要が叫ばれるのは何故か。人は常に他人と比べる。[42] そして比較は優劣を必ず導く。近代社会では人間に本質的な違いがないとされる。だからこそ人は互いに比べ合い、小さな差に悩む。

相互比較は避けられない。そこで自らの劣性を否認するために社会の不公平を糾弾する。私は劣っていない、社会の評価がまちがっているのだと。神・天・運命など外部の正当化装置を消し去り、優劣の根拠を個人の内部に押し込める時、必然的に起こる防衛反応である。平等を理想として掲げる民主主義社会の出現を前にフランスの思想家アレクシ・ド・トクヴィルが喝破した。

同胞の一部が享受していた邪魔な特権を彼ら［フランス革命を実現した人々］は破壊した。しかしそのことによって、かえって万人の競争が現れる。地位を分け隔てる境界そのものが消失したのではない。境界の形式が変化しただけだ。（……）差異が社会の常識になっている時には最も著しい差異にも人は気づかない。ところが、すべての人々がほとんど平等になると、どんな小さな差異も人の気持ちを傷つける。だから平等が進むにしたがって、さらなる平等への願望が一層強まり、不満が高まるのである。[43]

これは近代の構造的欠陥だ。格差が生まれる仕組みを近代はごまかし続けなければならない。

――遺伝・環境論争の真相

能力を決めるのは遺伝か環境か。このテーマに一九世紀の西洋が関心を寄せた理由は階級・人種・性別などの差を説明するためだった。科学的好奇心とイデオロギーが最初から複雑に絡み合っていた。人格や能力が遺伝で決まり、どんな教育を施しても変えられないならば、劣悪な人間にはそれに見合う生活を強いてかまわない。劣等人種の植民地支配や男尊女卑は正当化されるし、下級労働者の待遇改善も必要ない。この発想が社会進化論や優生学の素地を用意する。だが、格差の原因が社会環境ならば、教育を施して改善しなければならない。こうして保守と革新陣営の対立が一世紀以上続いてきた。

遺伝・環境論争という表現にそもそも問題がある。遺伝と先天性は違う。遺伝子構成が同じでも胎内環境の影響により誕生時の出発点が変わる。先天性・後天性の対立でなく、遺伝・環境論争という表現が普及したのは何故だろう。遺伝は親子の連続性を指す言葉だ。対するに先天性には偶然が強く作用する。つまり先天性は親との連続でなく、逆に断絶を表す。

ヒトの細胞には二二対の常染色体四四本と二本の性染色体があり、計四六本。減数分裂で生成される配偶子（精子と卵）は半数二三本の染色体を持つ。ある遺伝子構成の精子・卵が生まれる組み合わせは父由来と母由来の各染色体のうちどちらが選ばれるかで二通り、それが二三本あるので2^{23}（八三八万八六〇八）通りになる。どの精子と卵が出会うかも偶然だ。精子と卵それぞれの組み合わせが2^{23}通りだから、受精時の遺伝子組み合わせは$2^{23}\times2^{23}=2^{46}=$七〇兆三六八七億四四一七万七六六四通りある。そして精子と卵ができる減数分裂の際に組換えが生じるので実際の組み合わせの数はさらに多くなる。この膨大な可能性の中から、ある精子とある卵が偶然結合して受精卵ができる。性染色体Xが二本集まるか、XYの組み合わせになるかによって性別が決まる。男として生まれるか女として生まれるかにより人生が大きく変わるが、これも偶然の結果である。

両親の遺伝子集合の中から選ばれる以上、受精卵にはすでに何らかのバイアスがかかっている。だが、七〇兆以上の組み合わせから無作為に受精が生じ、それに、たった一つの遺伝子でなく、複数の遺伝子の複雑な組み合わせを通して先天的素質が定まる（ポリジーン遺伝）以上、「蛙の子は蛙」とか「親の因果が子に報い」という単純な因果関係は親子にない。その上、子宮内ですでに遺伝子と環境の相互作用が開始され、そこでも偶然が作用する。胎内環境は先天的要素だが、遺伝条件ではない。

環境的要因というと、多くの方は生まれてからの生育環境や教育をイメージされるかもしれませんが、もっと影響が大きいのは母胎内での環境です。人間は母親のおなかの中で、顕微鏡でしか見えないたった一つの細胞（受精卵）から細胞分裂を繰り返して、体重三キロ前後の、手足と様々な臓器を備えた人間のかたちへと成長するのですから、母親のおなかにいるあいだが、実は最大の成長期である、ということは容易に想像がつくと思います。[44]

偶然の結果も先天性にはかわりない。誕生時にすでに決まっている。だが、それは遺伝という言葉がまとう決定論的人間観とは違う。それなのに先天と言わず、親とのつながりを強調する遺伝という表現を使うのは何故か。

才能・犯罪行為・美醜などに対する社会の反応を考えよう。各人の状況は①運命、②自己責任、③偶然のいずれかで説明され、どの論理を採るかで責任の帰属が異なる。

①貧困・犯罪・美醜が運命の定めならば現実を受け入れるしかない。インドのカースト制度や西洋の貴族制、徳川時代の士農工商など身分社会における階層の正当化がこれに当たる。犯罪行為・無能・醜さなどの原因が当人に留まらず、親、そのまた親……と無限遡及する。自己責任に依拠せずに格差や処罰を正当化する方法である。

②一九世紀末から二〇世紀にかけて社会進化論が席巻した。適者生存というハーバート・スペンサーの言葉が象徴するように、弱肉強食の論理は貧富差・犯罪傾向・美醜の原因を個人内部に求め、自己責任論によって処理する。昨今の新自由主義も同様である。

③誰にも偶然起きうる不幸なら当人にも親にも責任はない。裕福な人、美しく能力に恵まれた人も危うく劣等な形質を授かる可能性があった。この世界観が拡がる社会においては不幸が自業自得だと考えられない。くじ引きの悲惨な結果を蒙った人々を救済する措置が講じられるだろう。身体障害者の多くは自らのせいで障害を背負うのでない。幼少の頃、ポリオに罹ったり、染色体異常でダウン症児として生まれた人々に向かって「お前の障害は自己責任だ」とは言わない。能力も同じである。遺伝・環境・偶然という外因が育むのだから。

どの説明が流布するかは社会の事情による。内在的理由はない。各時代において多数派と少数派の間に繰り広げられるイデオロギー闘争の結果であり、社会秩序を安定させる必要から都合の良い説明が選ばれる。

能力を遺伝が決めようが環境が育もうが偶然が作用しようが、どちらにせよ当人の与り知らぬところですべてが進行する。したがって能力の自己責任は成立しない。だが、主体虚構を捏造したおかげで近代は生贄のメカニズムを隠蔽し、格差の正当化に成功する。

私論を環境説だと勘違いする行動遺伝学者がいる。

一部に遺伝を何が何でも否定したがる人たちがいる。たとえばニスベット（2010）の『頭のでき―決めるのは遺伝か、環境か』や小坂井（2021）の『格差という虚構』などがそうである。遺伝の可能性は徹底的に踏み潰してその息の根を止めて、やっと安心して子どもの教育にあたりたいとお考えの読者は、ぜひこれらの本を手にすれば勇気をもらえるはずだ。知能や学力の遺伝論者の主張はマヤカシで、環境が圧倒的に重要だ、遺伝といっていることも、実はみんな環境で説明できると雄弁に語ってくれている。[45]

私論は環境説ではない。能力外因説である。遺伝・環境論争には二つの対立軸が絡んでいる。第一の軸は不変／可変の対立である。人間の能力や性格を遺伝が決定するならば、教育に期待しても無駄だ。だが、学校教育により能力を伸ばし、劣悪な人格を矯正する余地があれば、社会政策に期待がかかる。これは変化の可能性をめぐる問いであり、行動遺伝学や教育社会学のテーマである。

もう一つの軸は内因／外因の対立だ。遺伝は内因であり当人の責任だが、環境は外因であり当人に責任はない。こう誤解する者が多い。だが、両親から伝わる遺伝子は当人に選択できない。遺伝も外因だ。能力や性格を遺伝が完全に決定しようと、逆に環境がすべてを決めようと、どちらにせよ当人の手がまったく届かないところで事態が進行する。これが『格差という虚構』で主張したテーゼである。〈私〉は遺伝・環境・偶然の相互作用が生み出す一時的沈殿物であり、どこにも内因は存在しない。『日本人の9割が知らない遺伝の真実』で安藤寿康が言う。

人間は年齢を重ねてさまざまな環境にさらされるうちに、遺伝的な素質が引き出されて、本来の自分自身になっていくようすが行動遺伝学からは示唆されます。[46]（強調小坂井）

だが、遺伝形質は「本来の自分自身」ではない。遺伝を内因、環境を外因とする誤解、そして行動遺伝学の先入観がこの表現に透けて見える。安藤の他の著書から、もう一箇所引用しよう。

「遺伝だけでなく環境の影響も受ける」
この言葉こそ、人々に希望を与えてきました。遺伝の方は、自然から与えられ、親から自分の意志とは無関係に受け継いでしまったものなので、もうどうしようもない。しかし環境であれば、なんとか変えることができる。たとえ好ましくない遺伝子を受け継いだとしても、環境しだいでそれを克服することも可能だ。遺伝は制約を、環境は自由を与えてくれる……。そう考える人が多いと思います。

しかしながら、このように環境をとらえる人たちにとって、本章ではまさに「環境の不都合な真実」を聞かされることになるでしょう。環境が人々を遺伝の制約から自由にしてくれるという考え方とは正反対に、ここでは、環境こそが私たちを制約しているのであって、私たちが自由を求め、自由を必要とし、自由を目指そうとするその根底のところに、実は遺伝が大きくかかわっていることを示

していこうと思います。[47]（強調小坂井）

遺伝要因が自分自身であり、環境が攪乱要因だという構図がみえる。だが、自分とは遺伝でもなければ環境でもない。

暗い場所を好む性質が遺伝的に決まっているゴキブリならば遺伝形質が内部をなし、それが外界に反応するという図式で捉えることもできよう。だが、人間の性向や能力は遺伝・環境・偶然の絶え間ない相互作用から生まれる。内部とは、外部要素の融合により生成され、変化し続ける一時的沈殿物にすぎない。

外部を取り込みながら内部が次第に変化する図式は、受け入れ社会に移民が溶け込むプロセスと似ている。移民（外来要素）が受け入れ文化（内部）に吸収されるという構図は誤りだ。受け入れ社会の価値・規範なる固定物があって、それに移民が同化するのではない。社会や文化は多数派と少数派の相互作用を通して不断に変化と再構成を繰り返す。少数派が一方的に多数派に吸収される受け皿ではない。両者の相互作用が刻々と社会や文化を創り上げていく。

外部が次第に内化され、暫定的「内部」が現れる。内化というプロセスがあるのであり、恒常的な内部は存在しない。どんな手段を採っても遺伝と環境は区別不可能だ。最初にあったのは遺伝・環境・偶然という外因だけである。それなのに内因＝主体を無理に立てるから遺伝を内因と取り違える。あるいは遺伝・環境・偶然という外因以外に架空の内因を捏造して生気論（vitalism）が現れるのである（行動遺伝学の謬見については『格差という虚構』第二章「遺伝・環境論争の正体」と第三章「行動遺伝学の実像」で詳しく論じた）。

主体は遺伝でもなければ環境でもない。処罰や格差を正当化するために捏造される社会装置であり、イデオロギーである。

――怪我の功名

最初の目論見がはずれ、検討を続けるうちに矛盾だらけになる。諦めそうになるが、それでも妥協してはならない。矛盾をより突き詰めることで新たな仮説が見つかる。『格差という虚構』の解題はひとまず中断し、矛盾が解けてゆく過程を『神の亡霊』（第九回「堕胎に反対する本当の理由」）の題材で例示しよう。

西洋は脳死を容認する。対して日本では反対が強い。ところが妊娠中絶は逆に日本の方が寛容だ。ポーランドやアイルランドなどで堕胎が厳しく制限されている。アメリカ合州国も連邦最高裁判所が従来の指針を翻したのを皮切りに、妊娠中絶に制限をかける州が急増している。脳死も堕胎も命に関わることなのに逆の態度がなぜ現れるのか。

キリスト教は精神と肉体を峻別する。精神を本質視し称揚する一方で、醜い付属物・汚物として肉体を忌み嫌う。新約聖書から引用する（「ガラテヤ人への手紙」第五章）。

わたしは命じる。御霊によって歩きなさい。そうすれば、決して肉欲を満たすことはない。なぜなら、肉の欲するところは御霊に反し、また御霊の欲するところは肉に反するからである。（……）肉の働きは明白だ。すなわち、淫行・汚れ・好色・偶像礼拝・まじない・敵意・争い・嫉妬・怒り・党派心・分裂・分派・ねたみ・泥酔・宴楽、そのような類だ。（……）キリスト・イエスに属する者は、自分の肉を、その情と欲と共に十字架にはりつけたのである。

身体はただの容器であり、実体である魂が中に宿る。魂と肉体がこうして切り離されれば、脳死に反対する理由がなくなる。他方、仏教・神道・儒教の影響が強い日本では精神と肉体の区別が曖昧だから拒否反応が起きる。

堕胎も同じく説明できる。受精の瞬間から生命が始まるとキリスト教は説く。胎児は母親と別の独立した存在だ。他者が勝手に壊してはならない。対するに日本人にとって胎児は母親の肉体の一部である。したがって妊婦が望めば、堕胎が許される。盲腸を切り取るようなものか。過去に行われた間引きも同じ論理で把握できるかも知れない。矛盾が解けた。

と、思った。ところが歴史事実を確認したら、この解釈に綻びがいくつも見つかった。一般に西洋よりも日本の方が妊娠中絶に寛容だという前提がすでに誤りだった。日本では一九四八年の優生保護法により堕胎が認められた。さらに翌年、中絶の許可条件に母親の貧困が追加された。経済困難による堕胎の正当化は世界でも珍しい。フランスで堕胎が合法化されたのが一九七五年だから、日本の法整備はずいぶんと早い。

ところが日本以前に制度化した国も少なくない。ソ連ではレーニンの下、一九二〇年に許可された。三六年にスターリンが禁止するが、五五年に再び合法化される。アイスランドが三五年、スウェーデンが三八年、デンマークが三九年、スイスが四二年、どれも日本より早い。そして日本に少し遅れて五〇年にフィンランド、五六年にハンガリー、五七年にルーマニアとチェコスロヴァキアが堕胎を認めた。

他方、比較的最近まで禁止してきた国もある。一部の州を除いて米国では七三年まで禁じられた。オーストリアは七四年、すでに述べたようにフランスは七五年、イタリアは七六年、さらに遅れてオランダとギリシアは八四年、ベルギーは九〇年に合法化された。ナチスによる優生政策の暗い過去を持つドイツの事情は複雑だ。七二年に東ドイツで禁が解かれる一方、西ドイツでは長くタブー視された。統一後の九三年、堕胎を容認する法が成立するものの、三年後に連邦裁判所が違憲判断を出すなど紆余曲折を経て、現在の合法に至った。

各国固有の事情や偶然に左右されながら歴史は動く。兵士一四〇万人に加えて三〇万の民間人を第一次世界大戦でフランスは失った。人口回復を狙って一九二〇年に発布された法令は避妊薬と用具の販売・頒布・宣伝を行った者に六ヶ月の懲役を科した。堕胎は処置の場所を提供したり、医師を紹介するだけで六ヶ月から三年の刑である。だが、厳しい政策にもかかわらず、出生率は上昇しなかった。第二次世界大戦が迫ると罰則がより厳格になる。一九三九年の法律は堕胎した女性を五年から一〇年の懲役に処した。ナチス・ドイツに北部を占領され、ヴィシー傀儡政権が成立すると、さらに苛酷な法令が布かれる。四二年、堕胎は国家反逆罪に格上げされ、社会に対する破壊活動として強制労働が科せられた。死刑判決を受け、ギロチンにかけられた助産婦もいる。戦後すぐにヴィシー法は破棄されるが中絶禁止は解けず、堕胎した女性、および施術した医師が刑に服した。[48]

日本では戦前の人口増加政策の下、避妊や堕胎が制限されたが、終戦後に事情が変わる。貧困に加え、海外からの引き揚げ者を多く抱え、食料不足が深刻になった。そのため人口抑制政策に転換し、妊娠中絶合法化への道が開かれる。その際、収入増加を目論んだ産婦人科医たちのロビー活動が優生保護法成立に大きく貢献した。法制化まもなく、中絶の公式件数が年間一〇〇万件を超え、産婦人科医の重要な収入源となる。[49]

アイルランドやポーランドの根強い禁止や米国の狂信的な中絶反対運動を思うと、日本の寛容の原因を宗教事情に求めたくなる。だが、法制度変遷には様々な条件が絡む。それに西洋は一枚岩でない。私が思いついた仮説は誤りだった。

問題は歴史事実だけでない。考えれば考えるほど矛盾が出てくる。命は神のものであり、胎児の生死を親が勝手に決めてはならない。キリスト教はこう断じる。自殺や安楽死を禁じる理由も同じだ。神の所有物である以上、命を当人も自由にできない。

では、なぜ脳死が受け入れられるのか。プロテスタントもカトリックも脳死概念を是認し、臓器移植を容認する。心臓はまだ動いている。体温が保たれ、爪も毛髪も伸び続け、臓器は新陳代謝を継続する。神は死をまだ与えていない。まもなく死が訪れるとしても、神の決定前に人間が見越して死期を早めてよいのか。脳死は臓器移植推進のために捻り出された、死の新しい定義である。生命が終焉する瞬間を人間が決めて良ければ、生命開始の判断も人間に委ねられるはずだ。だが、キリスト教は肯んじない。どうしてなのか。

ここで振り出しに戻って考え直してみた。カトリック教会の公式見解は本音だろうか。受精卵はすでに生命であり、その破壊は殺人だと言う。では避妊も同様に禁止するのは何故か。堕胎を避けるために避妊が奨励されても良いはずだ。ところがカトリック教会は避妊を禁止する。エイズ蔓延に苦しむアフリカにもコンドーム使用を許さない。精子に魂が宿るという思想はヘブライ・ギリシア・ローマの伝統にない。キリスト教も同様だ。生命尊重のドグマから避妊禁止は導けない。

そこで、自然に反する行為ゆえに避妊を禁ずるのだと理屈づける。しかし本来、性行為は子を作るためでない。子を産もう、家族を作ろうと意図して交尾するイヌやネコはいない。交尾は性行為である。性交と生殖の因果関係に原始人は気づかなかっただろう。現代人だって、性交により妊娠すると教えられ、その知識を信じているだけだ。性交しても妊娠するとは限らないし、発情期のないヒトは季節にかかわらず性交する。それに受精から妊娠発覚まで数ヶ月かかる。因果関係の把握は容易でない。

性行動と生殖の分離は人間も他の動物とかわらない。それを不自然だと錯覚するのは性欲を断罪するからである。禁止の根拠として自然を持ち出すのが、そもそもおかしい。文化は自然に反する。裸を隠す習慣も死者を弔うしきたりも医療も不自然な行為だ。多様な性行動もそうだ。キリスト教の戒律自体が不自然な要求である。人間として生きるとは不自然に生きることに他ならない。制度を正当化する理屈と、制度が維持される原因は違う。カトリック教会の弁明に惑わされてはならない。

こうして新たな仮説が現れる。実は胎児の命が問題なのでない。堕胎禁止の根にあるのは性への罪悪感だ。避妊と堕胎以外にも自慰・膣外射精・獣姦・同性愛・肛門性交・オーラルセックス、妊娠中および月経中の性行為を中世キリスト教は禁じた。夫婦のどちらかが不妊症の場合や、生殖年齢前の男女、逆に生殖年齢を過ぎた者の性交も許されない。[50] これらの性行為では妊娠しない。それでも禁ずるのは何故か。

妊婦が街を平気で歩く。数ヶ月前に性交した事実を世間に公表しているわけだが、おめでとうございますと祝う人はいても、恥知らずな淫乱女めと罵る者はいない。だが、自慰するとは言いにくい。相手のある性行為は愛の結果だと理屈が立つが、自慰は愛と無関係であり、性欲が剝き出しになるからだ。

カトリックでは羞恥心が強迫観念に変貌する。どんな性行為も淫らであり、悪でしかない。それはイエスの独身生活とマリアの処女懐胎に象徴されている。できれば神父と同様、人類全員に性行為を禁じたい。その理想の姿がバチカン市国である。だが、そんな理念を掲げても普通の人間には従えないし、人類が死に絶えてしまう。人口の再生産を外部で行い、新しい人員を輸入する特殊構造がなければ、バチカンは存続できない。

そこで一夫一婦制度に性欲を閉じ込めた上で、出産に結びつく性交だけ仕方なしに免罪する。罪悪感や羞恥心も、ここまで来ると集団ヒステリーだ。洗礼・告解・聖体拝領などにずっと遅れ、婚姻が秘蹟に加えられたのは一二世紀である。キリスト教にとって本来、結婚は祝福される行事でなく、必要悪にすぎなかった。[51]

脳死と堕胎に関して日本と西洋の反応が相反するのは何故か。出発点はこの疑問だった。長らく不思議に思っていた謎だ。ところが問題設定自体がまちがいだった。脳死と堕胎への異なる態度は社会条件に左右されるだけでなく、生命と性タブーという二つの別の問題だった。

――臓器の国有化

最初見えていなかった意味が後に明らかになった例をもう一つ挙げよう。臓器移植をめぐる文章を『神の亡霊』に書いた（第二回「臓器移植と社会契約論」）。

ヨーロッパは死体の国有化を目指しているのか。

推定同意の原則がすでに欧州の多くの国で採用されている。臓器提供拒否の意思を当人が生前に示さない限り、臓器摘出に同意したとみなす考えである。フィンランド・スウェーデン・ノルウェー・フランス・ベルギー・ルクセンブルク・オーストリア・スペイン・イタリア・ギリシア・ポルトガル・ハンガリー・ブルガリア・チェコ・スロヴァキア・ポーランド・スロヴェニア・ラトヴィアがこの原則を法制化した。

しかし、いつか自分が死ぬ事実は誰にもわかっているものの、ほとんどの人々にとって自分の死には現実感がなく、臓器提供を真剣に考える機会がない。したがって、拒否意思を生前に明示していなければ、死後に臓器を取られても文句を言うなという法律は詐欺のようなものだ。

時代を少し遡ろう。一九四九年に制定されたフランスのラフェイ法は、故人の遺言書に明記される場合に角膜提供を認め、角膜を遺産相続した家族がレシピアントに無償贈与すると理由付けした。だが、医療事情はその後、大きく変化し、心臓・腎臓・肺などの供給を善意に頼っていては、急増する臓器需要に追いつかない。そこで、拒否遺志がなければ、同意したとみなすカイヤヴェ法が一九七六年に成立した。（……）

移植推進のために導入されたとはいえ、推定同意の原則はドナー増加のための単なる方便ではなく、法制度内での正統性確保にも配慮されている。ラフェイ法は遺言書による相続の枠組みを踏襲しているし、カイヤヴェ法は無遺言相続を模している。つまり、子どもへの相続を指示する遺言書がなくとも相続意思が推定されるのと同様に、拒否の明示がない限り、共同体への連帯意思が原則として前提されるという論理構成である。

この時は推定同意の深い意味を理解せず、臓器供給を促進する策略だとしか思っていなかった。実際、文化・経済条件の似るドイツとオーストリアを比較すると同意の割合に大きな違いがある。明示同意（オプトイン方式）の前者が一二％に留まるのに対し、推定同意（オプトアウト方式）の後者では九九・九八％に上る。[52] だが、後に『格差という虚構』を執筆した際、人の絆の文脈で改めて考え直したら、推定同意に隠された本当の意味に気づいた。臓器販売はほとんどの国で禁止されている。臓器提供は贈与だ。ところで、この贈与には奇妙な矛盾がある。

死体の臓器をスペアパーツとして再利用するためには、固有の氏名を持つ人間を匿名のモノに変質させなければならない。手術室ではドナーの氏名が伏せられ、整理番号で扱われる。プライバシー保護のためだけではない。最大の目的は死体の非人格化つまりモノ化である。遺体とレシピエントを同じ手術室に入れれば、臓器をすぐに移植できる。そうしないのは何故か。匿名性が大切なら隣接する手術室を使えばよい。だが、現実には切り取られた臓器だけが場所を移す。搬送中に臓器は劣化する。摘出後、移植して血流再開まで数時間しか保たない。それでも遺体とレシピエントを同じ場所に集めない。

臓器摘出と移植双方に必要な手術スタッフを一カ所に揃えにくいとか、手術室を必要数確保するのが難しい、遺体の運搬が大掛かりになるなどの物流事情もあるだろう。一人の心臓・肝臓・腎臓・角膜を複数のレシピエントに分けて届ける場合もある。遺体と患者を動かさずに、摘出した部品だけ移動すれば経費節約できる。しかしドナーとレシピエントを一緒にしない理由は匿名性保護・技術制限・経済性だけでない。

臓器摘出の現場に入ろう。血色が良く、まだ温かい状態で死体が手術室に運ばれると臓器冷却と同時に血液を抜く作業が始まる。臓器劣化を防止するためだ。魚の活け締めに似ている。冷却液を血管に注入し、助手が冷却液を臓器に直接浴びせる。その間、医師は臓器を揉んで血抜きを促進する。臓器から血を抜き、冷却液を注入する工程は臓器の鮮度を保つためであり、技術的必要から生まれた。しかし同時に心理機能も果たす。血抜き作業、そして時間経過と空間移動を通して人間の身体からスペアパーツへと臓器の意味が変化する。それによって初めてドナーからレシピエントへ臓器の所属変更が可能になる[53]。なぜ、この変換が必要なのか。

生命の贈り物をもらったレシピエントは死者に心から感謝しつつも、遺族に会って礼を述べたいとは希望しない。匿名性に阻まれ、それが不可能だからではない。遺族から金銭を要求されると恐れるからでもない。死者に自分を乗っ取られ、臓器を保存する容器に変身するとレシピエントが感じるからである。家族との接触がドナーの具体的イメージを喚起して同一化を引き起こす[54]。移植の結果、ドナーの性格が乗り移ったとレシピエントが錯覚する記憶転移現象が知られている。思い出・癖・嗜好などが脳だけでなく臓器や細胞にも記憶されるという疑似科学も現れた。真相は心理的同一化だ。レシピエント・ドナー・家族だけでなく、手術に携わる医療スタッフも、このモノ化プロセスに巻き込む必要がある。新薬認可に際して二重盲検試験が要求されるのも同じ理由だ。薬かプラシーボかを患者に隠しても、処方する医者が知っていれば、それだけで効果が異なるからである。

異物取り込みには方式が二つある。一つは消化。外来物を解毒・中和・無力化し受容する。異物は同一性を留めず分解されて、受け入れ側の身体に同化する。対するに臓器移植は合体方式だ。消化と逆に異物をそのままに保ちながら、免疫抑制剤によってレシピエントの身体を中和・無力化する。外来物は同一性を保持し、異質性が残存する。[55]「他者と共生する」状態が死ぬまで継続する。この問題をどう処理するか。

レシピエントのドナー同一化を防ぐため、医学は身体の機械論に頼る。心臓はポンプであり、腎臓や肝臓は濾過装置にすぎない、角膜はカメラのレンズだ、臓器はスペアパーツだとレシピエントに説く。だが、ドナーの遺族にはこのレトリックが使えない。臓器は単なるモノでない、大切な生命の贈り物だと二枚舌を余儀なくされる。

この難問を切り抜けるため、国家が戦略を立てる。故人と遺族から死体を切り離し、公共財とする。これが推定同意の本当の機能だ。臓器提供の拒否を当人が生前に明示する場合の例外を除き、すべての市民を潜在的ドナーと認定する。社会の共有財産として死体を位置づけたのである。死体の所有権を国家に認め、国家から国民が受ける権利として臓器供与を位置づければ、老齢年金や失業手当と同様、臓器が国民に配布すべき資材になる。単なるスペアパーツであり、他の医薬品とかわらなくなる。

この発想をさらに進めたのがフランスの哲学者フランソワ・ダゴニェ『生体管理』の提案だ。持ち主のない遺失物としてすべての死体を扱い、国家が没収して社会全体の財産にせよと言う。

連帯の名において国家権力は擬人法でこう宣言するべきだ。「お前の誕生を国家は可能にし、お前を保護し、見守り、教育し、世話してきた。命が尽きたら、お前の死体を放棄せよ。こうして国家を介して、お前は子孫の健康維持に貢献するのだ[56]」。

死体国有化は社会契約論であり、死体のモノ化を通して、贈与が起こす危険な同一化を防止する。贈与が同一化を引き起こすのに、なぜ契約はそうでないのか。

交換制度は契約・市場・贈与という三つの形態に区別できる。契約は権利と義務を定め、公正な交換を保証する。市場は商品と貨幣をブラック・ボックスに投入し、需要と供給のメカニズムに則って交換する。どちらの場合も合理的な等価交換が行われる。他方、合理性からの積極的な離反が贈与の原動力をなす[57]。

規則が明示された関係では精神的負い目が誰にも生じない。権利を持つ者は履行を要求でき、相手は権利を満足させなければならない。義務を果たすだけの相手には感謝する必要もなければ恩を感ずる理由もない。権利が行使される瞬間に互いの関係が決済されて終わる。契約は人間関係を排除しながら必要な物資・労働力・情報を交換する社会装置だ。市場も人間関係を避けながら交換を可能にする。同意した価格が支払われる限り、買い手は商品を受け取る権利があり、売り手は手放す義務を負う。権利と義務を明確に規定された合理的な契約、市場経済が織りなす自由な交換はどちらも人間無関係を意味している。岩井克人『資本主義を語る』から引く。

> 貨幣として使われているモノに価値があるということを、すべての人間が信じていれば、貨幣の交換にはいわゆる人と人とのあいだの「信用」というのがいらないんです。普通われわれが「信用関係」というのは、人間と人間のあいだの信頼、相手にたいする共感や同情、さらには社会的な公正観や正義感といったものが必然的に介在しています。（……）これにたいして、貨幣的な交換の場合、「貨幣」というモノが価値があるのだという「信任」さえあれば、人間がべつの人間と直接的に信用関係を結ぶことがなくても、交換なりコミュニケーションなりが可能になるんです。ですから、ここで人間と人間との関係は直接的なものにはならない。かならずモノを媒介とする間接的な関係になります。いや、間接的な関係であるから、逆に、関係が一般的に可能になるんです。[58]

ドナーとレシピエントが国家の媒介により切り離され、臓器が中和・解毒・不活性化される。市場経済における貨幣と同様、国家という第三項の媒介により贈与の人間関係を迂回する。

心臓・腎臓・肝臓などの実質臓器以前に血液がモノ化された。感染症防止および効率の理由から全血でなく、赤血球・血小板・血漿製剤に分離し、必要な成分だけ輸血するのが普通だ。血液は加工され、薬品に変身する。輸血は医療処置である。ドナーの匿名性に加えて、数人から得た血液成分が混合される場合もある。輸血によってドナーに同一化する危険は少ない。

精子提供にも同じ心理メカニズムが働く。一七八〇年にイタリアの修道士がメス犬で成功して以来、人間においても夫の精子を使って密かに人工授精が行われていた。一八八四年になると米国フィラデルフィアで初めて夫以外の精子を使った人工授精が試みられる。一九三〇年以降、この方法で毎年五〇人から一五〇人の赤ん坊が誕生したらしい。

だが、この技術は恥ずかしい行為、タブーとして隠され続けた。人工授精を姦通とみなすカトリック教会の糾弾をかわすため、七〇年代に入ると医学界は精子提供の匿名制度を設け、医療行為としての性格を強める。冷凍保存技術が発達し、精子の提供と使用が切り離されたおかげで人工授精の社会認知が進んだ[59]。夫以外の男の新鮮な精液のイメージが薄れ、白衣を纏う技術者が扱う医療素材に精子が変質していった。このようなモノ化プロセスを経なければ、精子提供者の影がつきまとい、人工授精を受ける女性と夫の心に傷痕が残る。

臓器提供の推定同意原則の意味がなぜ見えなかったのか。それはこの制度の欺瞞性に憤りを覚えたからだと思う。こういう規範論的な思考と感情が本質を視野から隠してしまうのである。

『格差という虚構』の解題は第五章で続けよう。だが、その前に研究にとって最も大切なことを語らねばならない。

第四章

モスコヴィッシの贈り物

パリの社会科学高等研究院（École des Hautes Études en Sciences Sociales）に私は前期（日本の学部に相当）・後期（大学院）合わせて一〇年間在籍し、指導教授モスコヴィッシから三つの大きな贈り物を受け取った。一つは矛盾の効用。彼のセミナーは社会学・文化人類学・心理学・哲学などを横断する内容だった。多様な分野の知見を突き合わせた時に気づく矛盾をどうするか。

最新の論文だけでなく、古典を読め。学ぶべきは内容でない、著者の思考パタンであり、論理の道筋だと教えられた。これが二つ目の贈り物だ。内容を超えてメタレベルの型を学ばなければならない。これらはすでに述べた。

だが、矛盾の解き方や型を覚えるだけでは不十分だ。創造性を尊ぶ常識にまだ囚われている。研究は新発見の競争ではないと説いてきた。学問は頭だけでできない。激怒・悲哀・怨念・嫉妬などの苦悩と無縁の時空間に人文・社会科学の思索は実を結ばない。モスコヴィッシの自伝を手がかりに彼の研究が生まれた背景を探ろう。

――研究と実存

モスコヴィッシが遺した二冊の自伝に三つ目の贈り物を見つけた。『失われた年月の日記』は一九九七年、七二歳の時に出版された[1]。ルーマニアでの幼少時代から始まり、密入国者として四七年、パリに亡命するまでが記されている。一九二五年生まれだから二二歳までの生活である。日記の体裁で書かれ、七八年九月三日、イェルサレムからの発信で始まっている。六〇〇頁のほぼ半分がイスラエル滞在中のメモを基に「イェルサレム、もしあなたを忘れたら」[2]「父と子」「戦争と運命」という三章で構成され、最後の日付が七八年一二月二七日になっている。

私が初めて海外に出たのが同年八月。横浜から旧ソ連ナホトカまで二泊三日で海を渡り、一八時間列車に揺られてハバロフスクに移動した。一泊してシベリア鉄道に乗り、モスクワまで七日間の長い旅の後にホテルで一泊。そしてフィンランドのヘルシンキに再び列車で向かった。スウェーデンとデンマークを通ってドイツ・フランス・オランダ・ベルギー・スペイン・ユーゴスラヴィア・イタリアなどヨーロッパ各地を周った後、ギリシア・トルコ・イラン・アフガニスタン・パキスタン・インドへと陸路で移動した。カルカッタからは飛行機でタイに渡り、バンコクに一ヶ月滞在の後、成田空港に戻った。半年ほどの気ままな旅だった。この旅行中に遭遇した出来事と考えたことは『答えのない世界を生きる』に綴った。ちょうど同じ時期にモスコヴィッシはヴァン・リー基金の招きでイェルサレムに滞在していた。

後半は九四年四月五日から翌年五月一五日までのメモ。「歪められた像の時間」「放浪、希望」「パリ、パリだ！」の三章が収められている。私が博士論文の口頭試問を終えたのが同年二月、そしてリール大学に就職が決まったのが五月。偶然の一致にすぎないが、私の人生に重ね合わせて、あの時、我が師はこんなことを考えていたのかと感慨深い。

二冊目の自伝『パリでの私の戦後』は遺稿を基に歴史家アレクサンドラ・レニエル＝ラヴァスティンヌの手で編集・刊行された。[3] パリ移住以降、モスコヴィッシが生きた時間が赤裸々に描かれている。遺稿を初めて手に取った時の印象を編者が語る。

パリの書斎に置いてあった、感情を掻き立てる小さな木の戸棚の中に様々な色と大きさのファイルが二〇〇以上あり、手書きのメモがいっぱい詰まっていた。日付なしでバラバラだったり、何枚かをクリップで括ったりした紙の群れに判読困難な文字がしたためられていた。七つか八つの言語で断片は書かれ、フランス語や英語だけでなく、ドイツ語・イタリア語・ロシア語、それにヘブライ語やイーディッシュ語、さらには数十年使っていなかったはずのルーマニア語もあった。

複数の言語を操るようになった経緯をモスコヴィッシが語る。

私たちの言語状況は複雑だった。母の言葉はルーマニア語、父はヘブライ語だ。（……）私たちは皆、ユダヤ人学校に通う子どもだった。家ではイーディッシュ語も話していた。ベッサラビアやブコヴィナ［ルーマニアの地方］のユダヤ人は習いもせずにロシア語とドイツ語を誰もが話していた。そのうえ私は終戦直後、ヨーロッパを転々としながらイタリア語と英語を学んだ。

以下、主に二冊目の自伝から引用しながら人物像を描こう。モスコヴィッシはルーマニアの田舎に生まれ、ユダヤ人として迫害を受けた。ルーマニアの反ユダヤ主義は凄まじく、残虐なやりかたでユダヤ人が殺された。例えば一九四一年一月に起きたポグロム（ユダヤ人リンチ）。ユダヤ人およそ五千人を貨物列車に詰め込み、全員死ぬまで目的地なしに何日も列車を走らせた。そしてユダヤ人が経営する肉屋の軒先に死体を吊り下げる残虐さだった。残忍さに驚いたナチスが殺戮を止めた事実さえ報告されている。[4] モスコヴィッシ自身、ブカレストの集団殺戮に遭遇する。

一九四一年一月二〇日（……）、「大変なことが起きる」と、しばらく前から皆感じていた。未知の出来事に子どもが途方に暮れるように、何が起きているのか理解できず、思考が停止した。迷信を恐れ、名指ししないよう誰もが気をつけていた。だが、ついに運命の言葉を誰かが発した。「私たちにもポグロムがやってきた」と。

鍛冶屋のふいごで風を送られるように我々の脳裏に、噂でしか知らなかった言葉が激しく流れ込み、鎖を解き放たれて怒り狂う群衆のイメージを掻き立てた。何世紀も前から続く声が皆の頭に響いた。（……）恐ろしかった。抵抗不能な暴力への恐怖がますます絶望的になる。卑劣な暴力への嫌悪が募る。（……）いつものように本を読んで不安を紛らわせていた時、叔母のアンナが買い物に行ってくれと言う。小康状態になっていた。私はルーマニア人に似ている「ユダヤ人っぽくない」から、それほど危険でないと言う。（……）だが、外出してすぐに後悔した。忘れられない、気を動転させる悪夢だった。私が見たことは今までの人間像を完全に打ち砕いた。それまで人間は驚くべき創造性に富み、輝く存在だった。だが、どんなに頑張っても、このイメージはもう戻らない。人間への信頼がこの日を最後に消え去った。（……）

過去の世代が受けた不幸が繰り返され、私たちが犠牲になる番が今やってきた。同じことの繰り返しにすぎないのだとは簡単に受け入れられなかった。逃れたと思っていた運命に突然襟首を捕まえられた、そんな感じだった。（……）自分では止められない。どんなに頑張っても抵抗できない。何をしてもどうにもならないのだ。（……）

ポグロムが終わった時、街は廃墟と化していた。仲間が実際に見ていなければ、信じがたい残虐行為が起きていた。九〇人以上が森で銃殺された。近所の屠殺場に連れて行かれたユダヤ人もいた。家畜の屠殺と同じ仕打ちに遭い、頭のない死体が「カシュルート肉［ユダヤ教の食物清浄規定に則った肉］」のラベルを貼られ、吊るされていた。（……）

ポグロムに一度でも遭遇すると神経を根こそぎ持っていかれる。正常な存在への信頼が完全に破壊される。身体との繋がりさえわからなくなる。戦争や暴力に関する知識を頭の中で巡らせても何にもならない。殺戮の暴力を前に肉体が痙攣する。意識を離れて身体が勝手に動く。

同年夏にベッサラビアとブコヴィナで一〇万人近くのユダヤ人が無惨に殺され、秋には一五万人がトランスリストリアに強制連行された。キシナウに起きたポグロムにより、わずか数日でユダヤ人一万人が命を失った。銃殺された者もいれば、生きたまま焼き殺された者もいる。カフールでは数時間でユダヤ人千人が虐殺された。

――モスコヴィッシの出発点

モスコヴィッシは一九四七年、ルーマニアを去り、フランスに密入国する。その後五八年まで一〇年以上、無国籍の政治亡命者としてパリで過ごした。洋服屋や靴屋で朝から晩まで荷役の仕事をして飢えをしのぎ、狭いアパートで寒さに耐えた。親方に罵倒される毎日だった。ホロコーストのトラウマから逃れ、食うだけで精一杯だった。

授業に出席する余裕もままならなかったが、ソルボンヌ大学に創設されたばかりの心理学部に登録し、なんとか卒業する。その後、同大学で教鞭をとる精神分析学者ダニエル・ラガシュの指導下で博士主論文を準備する。同時にパリ高等研究実習院（École Pratique des Hautes Études）でロシア出身の科学哲学者アレクサンドル・コイレの薫陶を受け、科学認識論の博士副論文を書いた。一九六一年、前者は『精神分析、そのイメージと公衆』[5]、後者は『運動の実験　ジャン＝バティスト・バリアニ、ガリレイの弟子と批判者』[6]として出版された。

『精神分析、そのイメージと公衆』は、精神分析学が社会に普及する際に生じる歪曲プロセスを分析した。社会表象論を提唱した金字塔であり、後に言及するので簡単に紹介しておく。

当時のフランス人が精神分析学に抱いたイメージを、意識と無意識の間の葛藤が抑圧される結果、コンプレックスが生み出される過程として析出した。無意識／前意識／意識からなる前期の理論にこの構図は似ている。しかし後にフロイトは『自我とエス』（一九二三年。仏訳も同年）で変更を加え、エス／自我／超自我で構成される第二局所論を採用した。モスコヴィッシの調査時期が一九五〇年代前半だから、第二局所論が発表されてから三〇年経過している。それにもかかわらず、精神分析のイメージが古い枠組みのまま変化していない。後の理論発展を反映していないのは何故か。

エスや超自我という耳慣れない表現に比べて無意識と意識の組み合わせはわかりやすい。左右・上下・前後・縦横などと同様に、人間の心や行動は外／内、表／裏、公／私、明示／黙示、表層／深層、建前／本音などの二項対立を通して理解される。精神／肉体、意識／無意識という図式は受け入れやすい。それに比べてエス／自我／超自我という三部構成は異様であり、難解だ。常識の枠組みに沿う情報が受け入れられる一方、そうでない情報は常識の抵抗に遭い、退けられる。

ところで二項対立で捉えられた無意識はフロイト理論を誤解している。意識に上らない状態を認知心理学は無意識と呼び、意識と無意識を意識度の差で理解する。他方、精神分析は三つの異質な領域を区別する。無意識は単なる意識の欠如を意味しない。だからこそフロイトは意識欠如の前意識と、狭義の無意識を峻別し、前意識を意識の側に位置づけた。精神分析学にとって無意識は意識と質的に異なる能、動的契機をなす。

エス（Es）は「それ」を意味するドイツ語の代名詞にちなむ。なぜ曖昧な命名がなされたのか。互盛央『エスの系譜』の説明を引こう。

フロイトの言う「エス」とは何か。第二局所論を初めて公にした『自我とエス』（一九二三年）では、「エスとの関係における自我は、馬の圧倒的な力を手綱を引いて止めねばならない騎手と同じである」（……）と言われている。自我を衝き動かし、自我に行動させて、みずからの意志を実現する心的なエネルギーとしてのエス。行動がなされたあと、人はこう言うことになる――「なぜか分からないがそうしてしまった」、「まるで自分ではない何かにやらされているようだった」（……）

みずからの行動の原動力だったことは明らかなのに、それが何なのかは明言できないもの。その得体の知れない力を示すために着目されたのが、ドイツ語の代名詞「es（エス）」だった。英語の「it」に相当するこの語は、他の名詞を受ける代名詞として用いられるほか、「雨が降る（ドイツ語：es regnet／英語：it rains）」あるいは「一時だ（ドイツ語：es ist ein Uhr/英語：it is one o'clock）のように、天候や時間を示す表現の主語としても使われる。明示できない何か、「それ」と呼ぶほかない何かを示すこの語は、他の事物のようには存在しておらず、それゆえ言語では表せないものの名称である。（……）そんな特異な語であるからこそ、フロイトは暴れ馬のように自我をふりまわす無意識的なものの名称として、この代名詞から造語された普通名詞「エス（Es）」を採ったのだ。[7]

フロイトにとって無意識やエスは我々を操る内なる他者である。寄生虫かエイリアンのような異物が我々の主人として君臨する。

当時のフランス人が理解した無意識はフロイトの前意識にすぎない。こうして常識的意味にすり替えてしまえば、無意識は既成の世界観を脅かす危険な存在でなくなる。慣れたイメージに変換された後に既存の世界観や記憶に取り入れられるのである。

さらには精神分析学の最も重要な概念リビドー（性衝動）が欠落している点にも注意しよう。精神分析とは何かと質問した際、リビドーに言及した者は一％にすぎなかった。性欲を理論の中心に据えてタブーに挑戦したがために精神分析学は性倒錯者の妄言と決めつけられ、拒絶の嵐を巻き起こした。社会の倫理観に抵触する見解の排除という代償を払って初めてフロイト理論は解毒・馴致され、常識に編入された。

精神分析に対する共産党員とカトリック教徒の反応を比較し、既存世界観との摩擦を通して異物としての精神分析が変容するプロセスを分析した。一九四九年から五三年の期間に発行されたフランス共産党機関誌の記事の多くは、階級社会の矛盾を個人的問題にすり替えようと謀るブルジョワ階級およびアメリカ帝国主義の陰謀として精神分析学を位置づけた。現代社会に生きる人間が抱える諸問題は資本主義の内在的矛盾によって引き起こされる。その事実を精神分析は無視し、個人の私的心理にすり替える、社会問題を生み出す真の原因を隠蔽し、階級闘争からプロレタリアートの眼をそらす目的で精神分析学が捏造されたのだと非難した。共産党機関誌に掲載された精神分析に関する記事の七〇％において、精神分析はアメリカ合州国と資本主義に結びつけられた。

カトリック教会が発行する機関誌は、子どもの教育における精神分析の有効性を認めるなど柔軟な姿勢を見せる。フロイト理論が性衝動を重視する点は批判しながらも、精神分析の治療を告解の世俗形態として捉え、告解の習慣のないプロテスタント諸国において精神分析が安らぎを人々に与えていると評価する。既存の習慣との比喩を通して理解されたおかげで、精神分析の異質性が和らげられ、カトリック教徒が抱く世界観・記憶に統合されたのである。

言いまちがえや聞き違えを単なる失敗や不注意の結果と捉えないで、背景に隠れた力動プロセスをフロイトが見いだした。しくじり行為自体はフロイトの登場を待つまでもなく、広く知られていた。だが、それを単なる誤りやバイアスと考えている限り、意識と違う論理に従う無意識の存在に気づかない。[8]

同様に、科学理論が社会に伝播する時に生ずる誤解は人々の能力欠如や注意不足が原因ではない。歪曲には理由があり、既存の世界観がそこに透かし彫りのように顔を出す。常識の磁場が作用する。モスコヴィッシはこうして常識の構造と機能に光を当てた。

——真理の源泉

社会心理学は今日、心理学の一分野になっている。そこがそもそもおかしい。心理学を社会学から切り離す趨勢をモスコヴィッシは激しく批判した。

社会認知主義（social cognition）と社会表象学派（social representation）が対立する。前者は個人心理のアプローチであり、現在、社会心理学の主流をなす。後者は少数派ながら、社会学と心理学の分裂を止揚して真の人間学を目指す。

科学者や哲学者の論文と違い、我々の日常生活の認識にはバイアスがかかり、判断を誤る。[9] ところでバイアスと言う以上、バイアスのかからない判断が存在しなければならない。哲学や科学の理解、コンピュータのアウトプットなど正しい答えに対する、素人や子どもの誤った判断という構図である。社会認知主義にとって集団性は誤謬の原因をなす。

社会心理学は当初から異常心理の学問として発達した。一九〇六年に精神科医モートン・プリンスがJournal of Abnormal Psychologyを発刊する。異常心理学がテーマだ。二一年になると社会心理学者フロイド・オールポートを編集陣に加えて、Journal of Abnormal Psychology and Social Psychologyと改名する（二五年にJournal of Abnormal and Social Psychologyと短縮）。そして六五年にJournal of Abnormal PsychologyとJournal of Personality and Social Psychologyに分裂し、その状態が続いている。後者は現在、世界で最も権威のある社会心理学誌になった。このように社会心理学は異常心理と密接な関係にあると考えられてきた。個人の合理的判断を社会や集団が誤らせるのだと。

このアプローチに社会表象学派が反論する。社会が歴史的に作り上げる認識枠を通さずに人間の思考はありえない。宗教・イデオロギー・常識・迷信は科学に劣る誤った知識ではない。科学同様、固有の社会機能を持ち、異なる規則に従って生み出され、独自のメカニズムを通して維持される生産物であると説く[10]。

個人と社会の相互作用が社会心理学のテーマだと教科書が解説する。ところが実際に分析されるのは社会状況に置かれた個人の心理ばかりだ。クルト・レヴィンなどが二〇世紀前半に築いたこの学問は字義通り、集団と個人の関係を考察するために提唱された。社会状況が生む個人心理のバイアス研究などではなかった。だが今や心理学の一分野として社会心理学が位置づけられている。社会・文化・歴史から独立する普遍的な心理プロセスがあり、それを社会状況がどう歪めるのかと問うようになった。

一九世紀末から二〇世紀初頭にかけては社会学と心理学の間にそれほど明瞭な区別がなかった。社会が人間の集まりである以上、人間心理の理解抜きに社会の仕組みを把握できるはずがない。同時に、社会性を離れて人間はありえない。だから社会の構造や機能を考慮しなければ心理現象は理解できない。

だが、その後、社会心理学は内部分裂する。個人主義化に抵抗する学者が周辺に追いやられるとともに、「心理学的社会心理学（psychological social psychology）」に対する「社会学的社会心理学（sociological social psychology)」などいう不可解な表現まで現れた[11]。

社会心理学の教科書を開くと小さな実験がたくさん羅列されているだけで、社会学・文化人類学・言語学・経済学・精神分析などに見られるような本格的な理論は見つからない。各実験の仮説と結果、そしてそれらに関する短い解説が載っているだけだ。様々なテーマの研究と多様なアプローチが紹介されるが、人間とは何か、社会はどう機能するのかという社会心理学本来の問いは不在である。

一九五〇年代までに出版された社会心理学の教科書を見ると、今日の教科書との質の違いが歴然とする。例えばアッシュが五二年に出版した『社会心理学』は六五〇頁の分厚い教科書だが、「人間の理論(doctrine of Man)」という導入部から理論的考察が最後まで続き、実証研究はほんの少ししか出てこない[12]。五八年刊のフリッツ・ハイダー『対人関係の心理学』も同様である[13]。

社会心理学の教科書が実験の羅列になった理由はいくつか考えられる。臨床心理学と発達心理学にはフロイトとピアジェという巨人が君臨するが、社会心理学にはそのような礎《いしずえ》となる思想がない。また近年になって学問の裾野が広がり、実証研究の数が増え、扱われるテーマも多様化した。したがって膨大な知識を俯瞰するために各研究分野の記述が浅くなるのは仕方ないかも知れない。

だが、原因はそれだけでない。六〇年代頃まで社会心理学者にもまだ思弁的な傾向が残っており、当時の心理学者は哲学の素養を身につけていた。研究対象と方法の個人主義化が進行すると同時に、社会心理学は社会科学から切り離され、理科系の学問としての性格を強める。また、それに伴ってマルクス・デュルケム・ヴェーバーなど社会学に見られる大きな射程を持つ理論が放棄され、細切れの小理論ばかりが提唱されるようになる。これも教科書が総花的になる原因の一つである。

このような細分化のために社会心理学はますます辺境に追いやられた。米国の重鎮ジェローム・ブルーナーの嘆きを聞こう。これは一九九〇年に発表された著書の「まえがき」からの引用だが、今日の状況は当時よりもさらに悪化している。

心理学が今ほど細分化された時代はない。（……）心理学を構成する各分野の間に交流があってこそ分業が意味を持つというのに、心理学は重心を失い、一貫性もなくなろうとしている。それぞれの分野ごとに固有の組織が生まれ、その内部だけでしか通用しない理論枠に縛られている。研究発表も内輪でしか行われない。専門分野がそれぞれ孤立し、外部に輸出できる研究の数はますます減少した。（……）精神や人間の条件を理解しようと試みる他の学問領域から心理学はますます隔離された。（……）広義の知識人共同体は我々の研究に興味を持たなくなった。「外部」の知識人にとって、我々の研究は射程が狭いだけでなく、歴史と社会の条件から遊離したものでしかなくなった。（……）「射程は貧弱でも厳密さを求めよ」という心理学の根強い習慣や、ゴードン・オールポートが方法論崇拝症［methodolatry］と揶揄した状況は依然として変わらない。[14]

モスコヴィッシの自伝から引こう。

今考えると、「社会心理学とは何なのか」と自問したきっかけはダニエル・ラガシュとの出会いだったと思う。（……）一九五〇年ごろ、この問いに答えられる本や教員はほとんどなかった。一番広まっていたのは個人から出発して社会を説明するアプローチだ。感情や記憶など心理学でよく知られた現象が、他の人と一緒だと変化するのかしないのかという問いだった。集団についても、一人で作業する方が効率良いのか、数人で一緒にする方が良いのかという問題を扱っていた。認識論研究の若い学徒として、また集団の暴力を体験で知る者にとって、社会心理を要素に分解する（……）アプローチには不満があった。

時代と社会から切り離された個人心理を調べても人間は理解できない。子どもの考え方や未開社会の習慣は大人や現代人の思考とずれている。だが、それは前者の認知・判断能力が劣るからではない。異なる世界に生き、異なる経験を積み、異なる集合記憶が沈殿するから異なる思考や行動が現れるのである[15]。モスコヴィッシはこの着想をフランスの文化人類学者リュシアン・レヴィ＝ブリュルから学んだと言う[16]。

科学や哲学が断罪する迷信・宗教・呪術はどの社会にも蔓延する。高い金を払って戒名をもらう。位牌を仏壇に飾り、墓石を建てる。四十九日や一周忌の法事をする、神社で賽銭を投げ、破魔矢やお守りを買う。家やビルを建てる前に地鎮祭を執り行う。十字架の前で頭を垂れ、祈りを捧げる。占いや御神《おみ》籤《くじ》に頼る。未開社会とどこが違うのか。紅茶キノコ・尿療法・アルカリ性食品・マイナスイオン・ゲルマニウムの効能・鍼灸・整体・気功・ホメオパシーなどの代替医療……、どれも迷信である（『社会心理学講義』第一講「科学の考え方」参照）。モスコヴィッシが問う。

> 正しいか間違っているか、どちらにせよ、このような信仰や想念をなぜ社会は生み出すのか。なぜ受け入れられ、世代を超えて伝わるのか[17]。

理解は空箱に新しいものを投入するようなことではない。箱はすでに溢れんばかりに詰まっている。様々な要素群が整理され、ぎっしりとひしめく箱の中にさらに新しい要素を追加する。そのままでは隙間がないから既存の要素を並べ替えたり、知識の一部を捨てなければ新要素が入らない。世界にはいつも意味が充満している。

第三世界の国々に新技術を導入する試みがしばしば失敗に終わるのは、低開発国住民に知識が足りないからではない。導入される異文化要素と互換性を持たない知識が足枷になる。情報欠如でなく、逆に知識の過剰が邪魔をする。集団の価値観を離れて合理性は判断できない。人間が社会的かつ歴史的な存在とは、そういう意味である。

集団性こそが根拠の源泉であり、真理の定義をなす。anthropology（人類学／人間学）はanthropos（人間）のlogos（論理）を意味する造語だ。だが、文化人類学と呼ばれる学問は未開社会の分析ばかりで、現代世界をほとんど研究しない。そこでモスコヴィッシは「現代社会の人間学」が社会心理学の使命だと考えた。[18] モスコヴィッシが常識に関心を持った理由は、世界を根底で支える力をそこに看取したからだ。自伝から引く。

社会を動かす力を観念が持つ条件は何だろうか。大衆の思考方法に根を張り、信仰に変容しなければ、絶対に成功しないと私は答えよう。観念を伝統に接木し、それに抵抗できなくなるまで、つまり無意識の存在にまで高める必要がある。（……）常識を過小評価してはならない。ヒトラーやアントネスク元帥［ルーマニアの軍人］の社会・心理効果を考えれば一目瞭然だ。

国民大多数の精神構造と調和しなければ、彼らのイデオロギーや政策は実現しなかった。共有された社会表象がこれら犯罪的イデオロギーを伝播する媒体として機能する。（……）一九八九年の共産主義崩壊をみれば、この考えの正しさが逆の形で確認できる。東側の政治が崩れ落ちた理由は、ナチズムのように大衆の言葉や感覚にマルクス主義が浸透しなかったからだ。誰も信じなければ、遅かれ早かれ綻び、ついには消え去る。

――自らの問い

社会心理学を専攻する今日の大学院生は研究テーマと方法論を学界の分業体制に管理されている。研究パラダイムがすでに決まっている。課題のカタログがあり、そこから選択する。少しは自分で加工するが基本の枠組みは既製品だ。博士論文を自分一人で書けず、大部分を指導教授が代筆する場合も珍しくない。教授のアシスタントになって実験を行い、一緒に論文を発表する。教員も論文数が増えるし、手伝ってもらえる学生も助かる。共存共栄である。独習者モスコヴィッシは違った。学問の縦割り構造を無視し、自らの問いを追うためだけに研究した。

高校教師にでもなろうかと大学のプログラムに従う気はなかった。他の学生は不自由で無意味な生活を受け身で送っているようにみえた。学生のほとんどは齢を重ねるのをただ待つか、資格を取るか、親の人脈を使って公務員や役人になろうとしていた。

彼らと同じように就職したいとは思わなかった。その方向には魂の上昇を感じなかった。戦後の雰囲気のせいだろうか、ファシズムに魂を売り渡した教員たちのせいだろうか。いや、私の憧れる生活とかけ離れていたからだろう。私はジャーナリストになろうとした。「学者（homme d'études）」、つまり過去の革命家や作家がそうだったからだ。

ここでモスコヴィッシの念頭にあったのはオランダの哲学者スピノザ（1632–1677）、思想家マルクス（1818–1883）、物理学者アインシュタイン（1879–1955）だった。スピノザは神を自然と同一視し、ユダヤ教の聖典を批判した咎で破門された。マルクスは経済学・社会学・哲学を横断する大きな仕事をなし、ヨーロッパで亡命生活を送りながら支配と闘った。アインシュタインもスイス・ベルンの特許局の閑職に就きながら、世界を震撼させる理論を打ち立てた。周囲に媚びず、自ら信ずる道を貫いた三人のユダヤ人だ。

私がなろうとした「学者」はスピノザ・マルクス・アインシュタインを混ぜたような存在だった。彼らにとって研究は神聖な行為であり、祈りや救済を意味した。（強調小坂井）

homme d'études という表現は字義通り学者を意味する。学者というと大学教員を頭に浮かべるが、モスコヴィッシがなろうとした学者は対極の存在だった。社会学・心理学・人類学・哲学……、そんなブランドはどうでも良い。自分は何を知りたいのか。大切なのはそれだけだ。

心理学の一領域あるいは二流分野として社会心理学を位置づける制度が私は気に入らなかった。こういう専門化は必ず科学を技術に貶め、つまらないものにしてしまう。独習者としての私の経験が博士論文のテーマを決めた。心理学や社会学など「純粋」な科学単独では把握も記述もできない現象の謎を解く野心からも、私にとって社会心理学は「混血」であり、雑種でなければならなかった。つまり集団と個人の相互作用から生まれる信仰のような現象を社会心理学は研究すべきであり、個人や集団の「純粋」なメカニズムに還元してはならないと考えていた。この信念は今も変わらない。私はつねに学問の放浪を志した。実験を繰り返すだけで結局何も生み出さない毎日、あるいは逆に理論のための理論づくりに埋没する習慣と同様、人文・社会科学の区分を不毛だと信じてきた。

（……）ルーマニア人として不運な時代を生きた経験から、戦中も戦後も危険を孕むイデオロギー現象を研究課題に選んだ。社会が要請する問いという意味で私にとって社会心理学は政治行為の一環だった。この点に関して私は一度もぶれたことがない。（強調小坂井）

モスコヴィッシは心理学者でない、社会表象論は社会学理論であり、心理学ではないと拒絶する同僚がいた。パリ第五大学のポストに私が応募した時、モスコヴィッシの指導の下で博士号を取ったと履歴書にあるが、心理学はいつどこで勉強したのかねと面接で審査員に尋ねられた。

既存の縦割り構造を拒み、自分の都合に合わせて研究対象を決め、必要な方法論を探す。

異質な問いを投げかけ、学問の世界には異様に映る概念の組み合わせが、異端者であり独習者だった我々の変革力を生んだ。知識（intelligence）の語源はラテン語inter-legereだ。世界を理解するために物事を繋げるという意味を忘れてはならない。

「哲学と科学は違う。実証データに支えられない説明は意味がない」とフランスの社会心理学者はよく学生に言う。だが、哲学と科学は分離できない。物理学・化学・生物学・経済学・社会学・心理学・言語学……どの学問も、かつてはすべて哲学の一部門だった。近代になり、専門化して哲学から独立していったのである。あまりに多くの領域が暖簾分けしたので、母屋の哲学はほとんど空き家になった。

哲学が闘ってきた問いの多くは今でも答えが見つかっていない。生命とは、物質とは、時間とは、精神とは、存在とは何か、社会はどうして可能なのかなど、これからも問われ続けるにちがいない。だが、これら難題は哲学だけでなく、生物学・化学・物理学・心理学・経済学・社会学などが別のアプローチで担当するようになった。哲学と科学を分ける発想自体がまちがっている。もし区別するならば、哲学に支えられた深淵で美しい真の科学と、哲学の欠落した浅薄で貧困なくせに技術的詳細にはうるさい似非科学とがあるだけだ。

過去の遺産は宝の山だ。もっと本を読めと心理学部の学生に言うと、また宿題かと嫌な顔をする。自分の頭で考えることは大切だが、無からアイデアは生まれない。ローマン・ヤコブソンの言語学をヒントにレヴィ＝ストロースが構造主義人類学を打ち立て、クルト・レヴィンが物理学を基に位相心理学を提唱し、デュルケムの集団表象概念を批判的に継承したモスコヴィッシが社会表象理論を考えだしたように、他の学者のアイデアを借用して新しい理論を生み出す例はたくさんある。目の前に埋もれる金の鉱脈を活用しない手はない。

酒井邦嘉『科学者という仕事』にこうある。

研究者をめざす多くの人は、「何を研究するか」(what) が一番大切だと思うかもしれないが、その前に「どのように研究するか」(how) という問題意識の方がより重要だと私は考える。

科学的な発想や思考、問題を見つけるセンスから始まって、理論的な手法や実験的な手技に見られる基本的な勘所は、すべての分野に共通している。その意味で、「どのように研究するか」という考え方や方法論をしっかり身につけておけば、どんな分野の研究でもできることになる。

逆に、「何を研究するか」のみを重視すると、ある分野の知識を蓄えたあとで研究分野を変えた時に、一からやり直しになるかのような気がしてしまいがちである。その結果、同じ分野に安住することになり、新しい発想や異分野からの知見を取り入れることに、二の足を踏むことになりかねない。[19]

これは職業研究者を目指す若者への助言だ。モスコヴィッシはこの意味での研究者ではなかった。スピノザもマルクスもアインシュタインも違った。パスカルもウィトゲンシュタインもそうでなかった。中島義道『哲学の教科書』から引用する。

（……）少なく見積もってその九割が、他人の哲学の解説ないし解釈です。カントの○○○について、フッサールの○○○について、という「ついて論文」がほとんどです。（……）諸見解を手際よくまとめ、論争点を明らかにし「本稿ではこういう問題を指摘した、終わり」という論文が多いのです。私はこういう研究を無意味だと言いたいわけではない。こうした「ついて論文」は厳密な意味では「哲学」ではなく「哲学研究」だと言いたいのです。

これは呼び方だけの問題ではありません。私の考えによると、かなり根本的な区別なのです。例えば、モーツァルトの創作活動とモーツァルト研究は天と地ほど異なる。ピカソが産み出した作品とピカソ研究とは、はっきり別物です。（……）そして、文学ですら、創作と文学研究とは画然と異なるものとみなされております。（……）西行研究者があふれているのに、そのうちで出家した学者をついぞ耳にしない。ランボーに憧れるのなら、地道なランボー研究家にだけはなってはならない。ランボー自身の生きざまとパリ大学の世界的ランボー学者の生きざまとは、共通点のまったくないものです。

（……）デカルト研究・カント研究・フッサール研究という名の書があまた刊行されておりますが、これらのほとんどが「哲学研究書」であって「哲学書」ではない。（……）あなたが日本哲学会の大会に出席して、任意の参加者に「自我とは？」「時間とは？」と問うてごらんなさい。待っていましたとばかり答える人はほとんどいないでしょう。しかし、「カントの時間論とは？」とか「フィヒテの自我論って何？」と問えば、たちまち洪水のような答えが返ってくるのです。たしかに、例えば時間について自分固有の解答などサッと出るものではない。ですが、二十年やそこら本当に真剣にこういう問いと格闘していれば、おのずと自分固有の見方が生ずるはずだと思うのですが、猛烈にカントやベルクソンやハイデガーと格闘はしていても時間という事柄とは格闘していない人がじつに多いのです。[20]

科学においても哲学においても大切なのは疑問を提示し、それに何らかの答えを与えることだ。生命とは何かという問いを生物学が立て、物質に究極的な単位はあり得るのかと物理学が自問し、共同体の絆はどこから生まれてくるのかという問いと社会学が格闘するように。

　デカルトやヘーゲルに向かって「先生は誰の専門家ですか」と尋ねるだろうか。カントの主体概念、ハイデガーの時間概念、レヴィナスの責任概念など二の次だ。自分にとって主体とは、時間とは、責任とは何なのか。これらの問いに対して自分はどうアプローチして、どのような答えを出すのか。本当に大切なのはそれだけだ。文献考証や評論が無駄だと言うのではない。だが、それはプロの仕事である。圧倒的多数の人間はアマチュアとして自分の問いに集中すればよい。フランスの哲学者が言う。

哲学史の研究は大切な学問分野ではあっても、創造的価値のないものとして扱われてきた。哲学史に従事する者は哲学教師の位置に貶められ、また往々にして彼ら自身が卑下した態度を取ってきた。その対岸には思想家として崇められる哲学者がいると考えられてきた。[21]

そして、そのように哲学者と哲学者とを分ける誤りを説く。確かに評論は意味のある行為であり、芸術作品を生み出せない人が苦し紛れにする仕事ではない。思想家と学者を簡単に分けることもできない。だが、このような弁明が必要になる事実自体、裏を返せば、「学者は本物の思想家でない」という思いが大学人の間に広まっている証拠である。

自然科学では新発見が次々と生まれる。大自然のパズルを解く醍醐味を知った者にとって、新現象や未知の物質を見つけたり、それまで謎だった問いへの答えが閃いた時の喜びは格別に違いない。だが、人文・社会科学では新しい発見など世界中を見回しても一世紀にいくつと数えられるほどしかない。「西洋の哲学はどれもプラトンの脚注にすぎない」と言ったのはイギリスの哲学者アルフレッド・ホワイトヘッドだ。独創的な思想を提示した日本人はここ一〇〇年間でおそらく一人もいない。

文科系の学問は己を知るための手段である。自然科学と同じ意味で学問の役割を評価するならば、人文学は何の役にも立たない。自分を取り巻く社会の仕組みを読み解き、自分がどのように生きているのかを探る行為だ。時間が許す限り、力のある限り、自らの疑問につき合ってゆけばよい。師の背中を見て学んだことである。

「及ばずながら心理学の発展に貢献したい」と宣う若者がいる。そんな余裕は私になかった。自分の疑問に答えるだけで精一杯。私の問いを解く上で社会心理学を利用する。だが、社会心理学のために働くなどとは考えたこともない。

私がぶつかった問題には先達がすでに答えを出していた。私が無知だっただけで、私の問いの答えを人間はすでに知っていた。だが、それでよいではないか。プラトンが、仏教がすでに答えていたと、人生を終える時に気づいたってよい。それで自分の問いに答えが見つかるならば、本望だ。

ところで本当に新しいアイデアは自然科学でも稀だ。フランスの作家ポール・ヴァレリーがアインシュタインに尋ねたエピソードがある。一九二二年四月六日、フランス哲学学会での講演後、アイデアを手帳に書き留める癖で知られるヴァレリーが聞いた。「博士は手帳をお持ちでないようですが、アイデアをどうやって覚えておくのですか」。アインシュタインが答える。「いや、アイデアなんて稀にしか見つかりません。私が見つけたアイデアは生涯でたったの二つですよ」。

――科学に人間はわからない

一九四〇年代、モスコヴィッシは非合法の共産党地下組織に入った（ルーマニアでは一九二一年以来、共産党禁止）が党員と議論し、理論では絶対に捉えられない経験があると悟る。精神が同意しても肉体が抵抗する。理性が説得されても感情が拒む。ユダヤ人として迫害に苦しんだ絶望の声だ。

一般法則しか理解できない人間に個人的経験の意味をわからせることがどんなに難しいか、ブカレストにいた一九四五‐四六年の時期［二〇歳］すでに私は悟った。筋金入りの共産主義者に戦後なった友人と話していて、ユダヤ人として個人的に受けた被害を単なる例として理解された時、どんなに疎外感を抱くか、感情を傷つけられるか、よくわかった。（……）説明はそれ自体が拒否であり、無関心を意味する。ホロコーストの解釈を共産主義は完全に誤った。生身の人間が学説に拾い上げられても、そこからは観念しか出てこない。憤慨すべき殺人も男や女、子どもへの罪ではなく、論理的結果として受け入れるべき事実にすぎないのだ、と。（強調モスコヴィッシ）

この指摘を読んで私はハッとした。同じ過ちを私も犯してきたからだ。『責任という虚構』の「あとがき」にこう書いた。

言うまでもなく、本書のアプローチで責任現象が十全に把握できるわけではない。一人の不幸や死がもたらす悲哀と、統計データや人文・社会科学が提示する分析との間には絶対に超えられない溝が横たわる。マクロ経済学の分析が描く経済構造再編成の動きと、そのうねりに翻弄され、転落する一家の苦しみはそれぞれ別の次元に属する現象だ。犯罪の全貌が解明されても、他ならぬこの人が死ななければならなかった意味は誰にもわからない。しかしそのような重い問いに学問が答えをくれるとは信じられない。第一、私のような未熟者の手に負える問題ではない。また私に与えられた任務でもないと思う。

これではただの言い訳だ。博士課程の学生を指導するための資格認定（Habilitation à Diriger des Recherches。要は教授ポスト応募資格）の口頭試問を思い出す。審査員は六人、モスコヴィッシはその一人だった。深い洞察を期待し、審査員になってくれと私が頼んだ。だが、誰にでも言える平坦なコメントに私は拍子抜けした。準備を怠ったわけでない。モスコヴィッシはびっしりとメモを取って会場に来た。私の論文や発表の出来が悪かったわけでもない。口頭試問後、恒例のパーティにモスコヴィッシが出ずに帰宅すると知った時、落胆した私は挨拶もしなかった。そしてこれがモスコヴィッシの顔を見る最後の機会となった。

博士論文指導資格認定の論文（研究業績総括）は集団同一性・異文化受容・道徳責任をめぐる三つの部分で成っていた。「君はユダヤ人についてたくさん書く。ユダヤ人を代表して私見を述べさせてもらう」と語り始めた言葉に聴衆が緊張した。モスコヴィッシの気まぐれは誰もが知っていた。ちょっとしたことに過剰反応し、急に機嫌が悪くなる。他の学生の博士論文審査では「今日私は気持ちよく家を出た。だが、君の応答を聞いて気分が変わった」と脅し文句で批評を始め、学生の指導教授が顔色を失った。モスコヴィッシは一九〇センチを超える大男。ギョロ目で睨まれると誰もが恐れた。セミナーに出ていた弟子たちはいつもビクビクしていたものだ。

モスコヴィッシは別段怒ったわけでなかった。だが、ユダヤ人を代表して私見を述べるという口調には強く咎める響きがあった。お前などにわかるものかという反感が伝わってきた。このエピソードから一〇年以上経ち、死後に出た二冊目の自伝を読んで真相が判明した。お前もやはり駄目だとモスコヴィッシは匙を投げたのだろう。分析が正しいとか誤りだとか、そんなことを言いたいのではない。ユダヤ人の苦しみを知らないお前が客観性の衣を着て高みから分析すること自体が許せないのだ、と。

「プルーストを読みなさい。彼こそ最高の心理学者だ」。モスコヴィッシが審査で言った。「マルクスが望遠鏡で見た社会とプルーストが顕微鏡を通して描いた社会との齟齬に悩まされた」と伝記にもある。巨視的記述と微視的理解の対比かと最初は思ったが、そうではなかった。社会科学と文学の可能性をめぐる問いかけだった。

高橋和巳『悲の器』にこんな一節がある。モスコヴィッシの反発と同じだと思う。主人公・正木天膳は刑法学者であり、最高検察庁検事を経て東京の国立大学教授を務める法曹界の権威だ。検事時代の勉強会での会話を引く。

「われわれの研究に崇高性の片鱗でもあっただろうか？　ある一個の存在が、膨大な、圧倒的な権威の前にさらされ、裸の、二本の足と二本の手と、破れやすい皮膚と体をまもりきれぬ髪だけの存在に還元させられ、最低の、生きてゆく権利を守るために絶叫する。それは絶叫であって、その声の悲しさだけが真実であり、その内容がAであろうとBであろうと、それは、〈生は生を欲する〉という一つの基本的原理を証明しているだけだ。（……）それを予審訊問の調書や裁判記録や、感想録や手紙から、この転向は家庭愛によっておこり、あれは拘禁中の反省、あれは性格、これは民族的自覚などと分類し、その確信犯の確信内容はかくかく、この国事犯の動機はかくかくと、そんなことを統計してみていったい何の意味があろうか。（……）正木検事、（……）答えてもらいたい。（……）あなたの情熱とはいったい何なのだ。いったい何を知りたいと思っておられるのか」

「……人間の歴史です」と私は暗闇の中でいった。ふいに向かってきた戈先に、狼狽した私の表情は、しかし暗闇が保護してくれた。

「君にとって、この現実も単なる歴史なのか」

「そうです」と私は小声で答えた。「おそらくはすべてが歴史です。そして、わたしの関心事は、人間には、その歴史を覆い、さらにそれを超える理論があるのかないのかということです」

「あればどうするつもりなんだ。なければどうするつもりなんだ」

「おそらくは、ないでしょう」

病床に伏せる妻の代わりに身の回りの世話をする家政婦を正木は雇い、いつか二人は内縁関係に入る。妻の死から七年が経った時、年若い令嬢との再婚を発表した正木に対し、「肉体をふみにじり、女ひとりの運命をもてあそんだ」と家政婦が告訴する。正木には神父の弟がおり、家政婦が告訴した際、弾劾文を書いた。宗教者が兄の本質を言い当てる。

あなたは何人の介入をも許さぬ審判者となり、憐れみつつ人に慈悲をたれる絶対者になった。いや、ならねばならなかった。あなたは、神のごとく薄笑いしながら、いままで何人の心貧しき人々を、何人の使徒を、何人の異教徒を〈試し〉たか。（……）あなたはつね日ごろ、矮小なものは嫌いだと言っておられた。あなたにとって矮小なものとはなんだったか。あなたがおっしゃらねば、わたしが代って言ってあげる。そこまであばくべきではないと思ったゆえに、弾劾文にもそれは書かなかった。だがいま、言ってあげます。あなたにとって矮小なもの、それは……人間だった。（強調小坂井）

「責任をめぐる考察は結局、私には理解できなかった」と最後にモスコヴィッシが言った。がっかりすると同時に、難癖をつけられなくて助かったと私は安堵した。会場に小さな笑いが起きたのを覚えている。モスコヴィッシの言い方が冗談めかしていたからではない。緊張を和らげるために投げかけた言葉だと受け取ったのだろうか。この言葉の真意も自伝を読むまでわかっていなかった。哲学を熟知するモスコヴィッシに私論を理解できないはずがない。お前のアプローチでは人間の実存を絶対に摑めない。こう教えてくれたのだと思う。

彼の家で議論していた時、どんな文脈だったかは忘れたが、「世界のすべてを解明できるだろうか」、問いかけとも独り言とも取れる言葉をモスコヴィッシが発した。その深い意味を私は理解できなかった。今思うと社会科学の限界について言っていたのだろうか。モスコヴィッシから投げかけられた最も重い問いである。「愛は謎であり、科学の問いになりえない。だから愛を性に翻訳して科学は解明しようとする」ともセミナーで言っていた。たいていの学者は自分の命と研究が結びついていない。だから、この言葉の背景に潜む絶望に気づきさえしないだろう。

――怨念

モスコヴィッシのセミナーに私は学生として一〇年間出席し、ベルギーとの国境近くにあるリール大学の教員になってからもずっと顔を出した。三年ほどしたらモスコヴィッシが退職し、セミナーは終了したが、勉強の後に師を囲んで弟子数人が一緒に夕食を取ったり、バー巡りした、あの時のおしゃべりは楽しかった。モンパルナスの有名なバーを梯子しながら、若い頃の様子をモスコヴィッシが語ってくれた。おそらくセミナーの出席率は私が一番良かったはずだ。アルジェリアに滞在した一年間を除けば、欠席したのは一度か二度しかない。

ノルマンディ地方に住んでいた時、下宿からパリの学校まで片道三時間以上かかった。モスコヴィッシはニューヨーク・マンハッタンの社会科学新研究院（New School for Social Research）で九月から一二月まで教えており、パリでのセミナーは二月から六月までの木曜夜六時から八時だった。終わるとすぐにサン・ラザール駅に直行する。八時三〇分出発の列車に乗り遅れると、零時に出る最終の鈍行しか残っておらず、地元のカーン駅に着くのが夜中の三時すぎになる。そこから下宿まで歩くと、もう夜明け近かった。それでもモスコヴィッシの講義を聴くのが楽しみだった。雨の日などは行くのが億劫だったが、眼から鱗が落ちる感覚に満たされて帰宅電車に駆け込んだものだ。他の弟子には摑めないものを私は師の教えに見つけたと自負している。

だが、ユダヤ人として受けた迫害にこれほど苦しんでいたとは知らなかった。うつけ者は私だけでない。彼の人生を分かち合った親しい友人を除いて、おそらく誰も気づいていなかったに違いない。私と一緒に学んだ世代の弟子たちは自伝を読んで皆驚いた。先生、こんなこと考えていたのか。私たちにはまったく話さず、こんな苦悩を抱えていたのか、と。

『神々を作る機械　社会学と心理学』[22]がヨーロッパ・アマルフィ賞を受け、パリの社会科学高等研究院で受賞パーティがあった。この賞はヨーロッパで出版された社会科学最高の本に贈られ、ノルベルト・エリアス、ジグムント・バウマン、ルイ・デュモン、ニクラス・ルーマンなどが受けている。挨拶のメモを読みながらラガシュの想い出を話し始めた時、モスコヴィッシが泣き出した。三〇秒ほどだったか、目頭を押さえて声の出ない大男に誰もが息を呑んだ。二〇〇人ぐらいはいたと思う。大勢が出席する祝いの場で大のおとなが涙を見せる姿に私は驚いた。だが、それも自伝を読んで納得した。子どものいなかったラガシュはモスコヴィッシを実の子のように庇護した。学問の枠を無視し、精神分析学者の怒りを買うに違いない博士論文を指導し、社会心理学の金字塔を打ち立てる手助けをした。彼との出会いがなければ、その後の自分はなかったと言うモスコヴィッシの言葉に偽りはない。苦悶の軌跡を自伝から拾おう。遺稿を編集したレニエル＝ラヴァスティンヌが序文で述べる。

モスコヴィッシは一九八四年の論文に書いた。人種差別と反ユダヤ主義の「中核にある、触れることのできない要素が抵抗する。周囲を回り続けながらも電子は原子核に侵入できない。そんな感じだ。死と同じように不動で不変の核だ」。これを「ルサンチマン（ressentiment　怨念）」と呼ぶ。憎しみに奪われた青春時代を逃げ続けた学者の激しい言葉に驚く。国立行政学院を修めた長男のピエールは現在、欧州委員［日本の大臣に相当し、ＥＣ機関の中で欧州委員会は唯一法案を提出する権限を持つ］。リオネル・ジョスパン首相、その後はフランソワ・オランド大統領の下で大臣を務めた。エコール・サントラル出身の次男ドゥニも同化に完璧に成功した模範だ。それでも自分自身はフランス社会に同化したとは感じられないとセルジュ・モスコヴィッシが告白する。

第一次世界大戦に勝利した英仏および中立を保った国々は、ロシアから割譲したベッサラビア、オーストリアから分離したブコヴィナ、ハンガリーから奪い取ったトランシルヴァニアをルーマニアに加えた。この併合により多くの外国出身者がルーマニア人になり、ハンガリー人・ウクライナ人・トルコ人などの少数民族を抱えるようになった。忌み嫌われるユダヤ人もその中に五〇万人以上含まれていた。併合によりルーマニアのユダヤ人は合計七五万人に達し、ヨーロッパで三番目にユダヤ人の多い国となった。ヴェルサイユ和平条約を結んだ戦勝国は、ユダヤ人に国籍を与えるようルーマニア政府に強要した。ところが、これによりユダヤ人への嫌悪と排斥がますます強くなる。社会問題の原因がすべてユダヤ人にあると政治家や学者が喧伝した。

反ユダヤ主義者エミール・シオランとミルチャ・エリアーデなどのイデオローグは精神病に罹っているのかと思ったほどだ。そうでなければ、我々への強迫神経症的な固定観念や、ユダヤ人がどこにでも隠れているという思い込みをどう説明するのか。特に若者に人気があり、影響力の強いこの思想家二人は、致命的なウィルスのようにユダヤ人が「ルーマニアの存在」を汚染し、脅かすという妄想に囚われていた。

前者はニヒリスト作家、後者は宗教学者として日本でもよく知られている。民族主義を標榜する極右政治組織「鉄衛団」に加わって反ユダヤ主義イデオローグの先鋒をなした。

ベッサラビアのカフールでは人口の三分の一をユダヤ人が占めていた。だが非ユダヤ人と交わることはほとんどなかった。非ユダヤ人は別の学校に通い、私たちはヘブライ語学校で学んだ。この現実は変えようがなかった。（……）見えない境界が二つの世界を隔てていた。

七歳になった頃、ユダヤ人として仲間はずれになっていく様子をモスコヴィッシが綴る。一冊目の自伝『失われた年月の日記』から引く。

外の世界には境界があり、私は反対側に放置されていると自覚した。いかなる機会にも皆が警戒し、私を指差し、避けるのに驚いた。大人の侮蔑と陰にこもった横柄さ。私を道で見つけた時の少女のおしゃべりや嘲笑。私を肴に楽しむ彼女たちの言いがかり。私は泣いたり歯嚙みしたりせず、我慢した。何が悪いのかわからなかったからだ。ただ、激しい怒りに震えていた。（……）この見えない境界からは逃れられないのだと、やがて悟った。（……）成長するにつれて境界の存在を感じ取り、私にできること、なれることの限界を理解した。もっと広い世界がある。だが、その悪意の世界に私は入れず、何から何まで違う狭い世界に閉じ込められて生きるしかないのだと受け入れていった。

（……）この侮辱の感覚はユダヤ人にしかわからない。体験から学ぶ知識などではない。世代を超えてずっと伝えられてきた直感だ。

遺稿にも出てくる。

「ユダヤ人」。不名誉な刻印を押されて高校から追放された時、それまで何とか支えてきた希望がすべて空中楼閣のように崩れ去った。恥の感覚に似ていた。それまで自分に描いていた希望の喪失。この気持ちは今でも完全には消えていない。

フランスに移住してからもユダヤ人として苦しみ続ける。

外国ではいつもフランス人として扱われる。だが、フランスでは常に異邦人だと感じてきた。

日本社会の解説を求めてフランスのマスメディアから私に依頼がよく来た時期があった。オウム真理教事件の時など酷かった。宗教の専門家でないから解説は無理だとテレビ出演を断ったら、「いえ、宗教に関しては何某先生を呼んであります。あなたには日本人としての感想を述べていただければよろしい」との失礼な返事。何故、日本人であれば日本の現象を分析できると考えるのか。フランス革命について質問するならば、フランス人数学者に訊ねるのでなく、セネガル人だろうがノルウェー人だろうが歴史家に教えを請うのが筋だろう。そんな愚痴をモスコヴィッシにこぼしたら、お前は自分の顔を鏡で見たことがないのかと笑われた。「ユダヤ人」と焼き印を押され、逃れようとしても逃れられない運命を背負った男の言葉だ。その重い意味に当時はまったく気づかなかった。

――虐げられた者の感受性

師を交えて四、五人で雑談していた時、フランス社会の開放性が話題に上った。もう三〇年以上前の想い出だ。日本に比べてフランス社会はずっと外に開かれていると言う私をじっと見つめながら、「いつまでたっても余所者《よそもの》は余所者だ、それはフランスでもかわらない」とモスコヴィッシが一言ポツリ。自伝を読んで、その意味がわかった。

本当のことを言おう。異邦人としての私を保護したフランスを非難するのではない。異邦人として処遇しなかったからこそ私はフランスを恨んだ。迎え入れながら私を犬のように扱ったからだ。（強調モスコヴィッシ）

戦後のパリ、異邦人は潜在的に怪しい容疑者だった。私はパリを選んだ。だが、パリは私を選ばなかった。六〇〇万人の死者を負債に背負わされたユダヤ人難民のことなど誰も気にとめてくれなかった。

外国人は一世代だけ「ユダヤ人」のように扱われる。少しのチャンスに恵まれ、熱心に努力すれば、子どもたちは本当のフランス人になれる。だが、ユダヤ人は違う。過去のすべての世代からずっとユダヤ人のままであり、他人の目に常にそう映る。そして子も同じ運命にさらされる。だから、ユダヤ人であり続ける意味があるのか、ユダヤ性をすべて捨て去るべきなのかと苦悩する。同化しつつある知識人に起こる、よく知られた「ユダヤ人の自己嫌悪」がこうして生まれる。（……）

ユダヤ人にとって完全同化の夢は、もう一つ他の大きな理由から虚しい。ユダヤ人を必要とするのは多数派であり、ユダヤ人の消滅を許さない。どれだけ強く同化を望んでも、断固とした決意があっても、個人の熱意では絶対に何も変わらない、敵意は鎮まらない。ユダヤ人への敵意は多数派自身の問題に起因するからだ。ユダヤ人少数派に帰される「問題」は実は常に社会の深い障害や病理が原因だからだ。

この意味で、反ユダヤ主義とそのぶりかえしはヨーロッパの長い歴史において社会変化の指標をなす。憎悪が世界に広がる時、まずユダヤ人が狙われる。他の人々が標的になるのはその後だ。（……）個人の問題ではない。ユダヤ人自身がどう行動しようが救いはない。「ユダヤ問題」は存在しない。

いわゆるユダヤ問題は常に他の人間の問題なのだ。（強調モスコヴィッシ）

モスコヴィッシのセミナーでスウェーデン人学生が発表した。国民戦線（Front national）という極右政党がフランスにある（今はRassemblement national国民連合と名称が変わった）。党首が父から娘へと引き継がれて穏健化したが、当時の党首ジャン＝マリ・ルペンは反移民・反ユダヤ・反イスラム・反有色人種を謳う過激なイデオローグだった。スウェーデン人は党に潜入し、党員や賛同者の思想を調査した。移民への偏見を列挙した時、コンゴ人学生が声を上げた。「君の研究は客観性に欠ける。黒人は知能が低いとか、文化が遅れていると言うが、そんなことは嘘だ」。彼の剣幕に押されてか、スウェーデン人が自己防衛の言い訳を始めた。そこにモスコヴィッシが割り込む。「イメージが事実と相違するのは当然じゃないか。嘘に決まっている。だが、嘘でも信じられれば、現実の力を帯びる。その実態を分析しなければならないのだよ」。コンゴ人の発言は勘違いだったし、スウェーデン人の分析に問題はなかった。だが、実存の傷痕に触れる時、強い感情的反応が起こり、こんな誤解も生まれる。さすがモスコヴィッシ、上手に宥めるものだなという印象しかなかった。だが、彼の遺稿を読んだ後では、この何気ない発言の背後にも重い実体験があったのだと思い知らされた。憂いを湛えた目で微笑みながら静かに呟いた言葉を思い出し、モスコヴィッシの懐の深さが今更ながら身に染みる。

デュルケム生誕一五〇年を記念して社会科学高等研究院でシンポジウムが開かれた。モスコヴィッシの社会表象論はデュルケムの集団表象論を発展させた研究だ。そのためデュルケムが頻繁に参照される。若い実験研究者が人種差別をテーマに報告した時、会場の奥にいたモスコヴィッシがマイクを握り、話し始めた。隣に座っていた私は集中する。「君の言うことを聞いていると、まるで集団が単なる言葉にすぎないように感じる。集団は頭の中で想像するだけの存在じゃない。現実に動き、反応し、時には恐ろしい暴力を振るう。君の発想の根に人種差別に通じる何かがある」。発表者は狼狽えた。自分は左翼のつもりで人種差別を非難してきた。ところが、モスコヴィッシという大家から、そしてこのシンポジウムの主役から、まさかの告発を受けた。狼狽するなと言う方が無理だ。モスコヴィッシが何を言いたいのか、私にはよく理解できなかった。何かがモスコヴィッシの想い出を刺激し、虎の尾を踏んだのだろうと思っていた。

本書を執筆して気づいた。集団間に利害対立がなくとも「我々」と「彼ら」の区別ができるだけで自らの集団を優遇し、他集団を差別する傾向をイギリスの社会心理学者アンリ・タージュフェルが明らかにした[23]。発表者はこの研究に依拠して人種差別を分析した。例えば硬貨を投げて裏か表かで被験者を二つのグループに分け、半数を紅組、残りを白組と呼ぶだけで差別が現れる。絵の出来を評価させると、作者が自分の組のメンバーだと高い点を付け、同じ作品でも他の組のメンバーが描いたことにすると低い点数しか与えない。この認知メカニズムで差別を説明した。

だが、この研究は後に批判され、二つの組の点数の合計がいつも一〇〇点になるように評価させるから差別が現れる事実が明らかになった。ゼロサム設定が生み出すバイアスのかかった現象だった。合計点を一定にせず、各組の作品を独立に評価させると、このような差別行動は現れない。つまり相手の組の優遇が同時に自分の組の不利につながる枠組み自体が差別の原因だった[24]。博士論文の実験でこの二つの状況を比較した時、モスコヴィッシに言われたことを思い出す。これら実験設定の違いは単なる方法論の問題ではない、異なる二つの思考枠のシミュレーションなのだ、と。他の学者が技術論に振り回されていた時、違う次元の問いをモスコヴィッシは読み取っていた。

人種差別は優越感が生むのではない、逆に劣等感が起こす防衛反応だとモスコヴィッシがしばしば言っていた。他集団が不当に優遇されるせいで自分が不幸だと感じる。つまり嫉妬が差別の底にある。ユダヤ人が何故あれほど差別され、迫害されてきたのか。多くの分野でユダヤ人の優秀さは明白だ。だが、それを認めると自分の劣等性を受け入れなければならない。だからユダヤ人は狡いとか、インチキしているに違いないと思い込んで劣等感をごまかす。アパルトヘイトの南アフリカで最も黒人を差別していたのはプアー・ホワイトと呼ばれる貧困層の白人だった。没落貴族がブルジョアを見下す理由も同じだ。タージュフェルの方法論そのものが人種差別のシミュレーションだと喝破したのである。シンポジウムが休憩に入った時、モスコヴィッシのもとに飛んできた発表者が跪くような姿勢で説明を受けていた。その場面が今も瞼に焼き付いている。

モスコヴィッシに会いに行った時、私の前に韓国人学生が面会の順番を待っていた。研究室に入った直後、「韓国の学生ですね」と私は何気なく言った。それをモスコヴィッシは覚えていて、かなり日が経ってから、「言葉を交わすこともなく、韓国人だとどうしてわかったのか。韓国人が日本人よりも劣っていると思っているからだ」と責められた。なぜそんなことを言われなければならないのか、その時は納得できなかった。人種差別反対集会に頻繁に参加し、左翼を自任する私にとって心外な非難だった。今思うと、ユダヤ人としての辛い経験が言わせた言葉だったのかも知れない。「どことは言えないが、ユダヤ人は何となくわかる」。こう言われ続け、ユダヤ人は辟易しているのだ。

――ユダヤ人のアイデンティティ

子どもをユダヤ人として育てるべきか、ジレンマがあった。

息子二人が生まれた時、明日はどうなるだろうかと何度も考えた。一九三〇年代に我々が晒された出来事や戦争が再び起きたら、どうしようか、と。不合理な不安が私を苛んだ。私たちは幸せすぎないか、身分不相応な生活をしていないか、と。貧困に苦しむ恐怖が常にあった。この生活が続かなければ、子どもたちに窮乏と節約をどう教えるべきか。彼らが自分で稼げるように、しっかりと勉強せよと幼い頃から教育しなければならないだろうか。この点に関して私たち［妻のマリとモスコヴィッシ］は恵まれた。息子の一人は国立行政学院を修め、もう一人はエコール・サントラルに通った。ふたりともグランゼコールで学んだ。私には閉ざされていた道だ。彼らは常に私の誇りだった。子どもたちは同化し、本当のフランス人になった。だが、私は本当のフランス人でない。息子たちを介してしか私は本当のフランス人になれなかった。

私につきまとったジレンマがもう一つあった。これも迫害が原因だ。息子たちに割礼を施すべきか。ルーマニアにいた時、私はユダヤ人っぽくなかった。ロマ人に間違えられるほどだった。だからブカレストでポグロムが起きている時でさえ、叔母のアンナは私に買い物に行かせた。だが、割礼を調べられたらユダヤ人だと即座にばれる危険があった。息子たちに割礼を施さないと、過度の用心から私たちは決めた。脅威が再来するかもしれなかったからだ。戦争のせいである。だが、後ほど私はひどく後悔した。そして当然ながら息子二人も私たちを責めた。

フランスの大学制度を説明しないと、この述懐の意味が十分伝わらないだろう。フランスの高等教育は二重構造をなす。高校を卒業してバカロレア（高等教育入学資格。以前は難しかったが、最近は受験生の九〇％以上が合格するようになった）取得後に無試験で入れる一般の大学（université）と、バカロレア取得後、秀でた者だけに門戸を開く二年間の予科を経た後、さらに難関な試験に合格して入るグランゼコル（grande école、高等専門学校）とに分かれる。長男ピエールが修めた国立行政学院（École Nationale d'Administration）はその中でも最難関の官僚養成エリート校だ。日本の司法試験と国家公務員一種の両方に受かるようなものだが、合格者は毎年八〇名ほどにすぎない。日本の司法試験にも国家公務員一種にもそれぞれ一五〇〇人ほど合格する。フランスの少数精鋭主義がわかるだろう。次男ドゥニが学んだエコル・サントラルは国立理工科学校・国立土木学校・国立高等鉱業学校と並ぶ、トップクラスのエンジニアを養成する学校である。

日本ではよく勘違いされるが、有名なソルボンヌ（パリ第四大学）は無試験で入れる普通の大学である。一般大学への入学は定員を超える希望者があると以前は抽選で数を制限していたが、現在では小中高校同様、主に居住地による学区制で振り分けている。

学校制度は階級構造と密接な関係を持つ。著名知識人を輩出するパリ高等師範学校（École Normale Supérieure）ユルム校を例に取ろう。上級管理職あるいは知識人家庭の出身が合格者の五八％を占める。ブルーカラー層出身者は二％しかいない。[25] 合格者は理科系と文科系それぞれ一〇〇名ほど。歴史・経済・哲学・社会学、あるいは数学・物理学・生物学などすべてを合計しての数字である。医学と薬学は両方合計で四名しか採らない。少人数制ながらノーベル賞とフィールズ賞の受賞者をそれぞれ一四人輩出している。

東京大学の文科一類合格者（教養課程二年間の後、八割以上が法学部に入る）が四〇〇名（文科系全体の学生数は一二〇〇名）、医学部に進学する理科三類合格者が一〇〇名（理科系全体では一七〇〇名）である。その他に推薦入学枠で一〇〇人募集される。合計すると三〇〇〇人になる。これらの数字と比べると、グランゼコルの難度がわかるだろう。

エリート養成校は官僚・警察・軍隊・土木・建築・研究・教育・医療・政治経済・法律・農業・工業・航空・宇宙工学・ジャーナリズム・経営・ITなどすべての分野を網羅する。彼らの間で重要ポストがたらい回しされる。大臣を辞めた後、ルノーやエールフランスなど大企業の社長に就任したり国鉄総裁などに任命される。大学教授や高級官僚になって次の機会を狙う場合も多い。天下りの連続だ。そのためグランゼコル出身者をマフィアと揶揄する人もいる。

大統領や大臣の多くは行政学院の卒業生である。一九七四年から八一年まで大統領を務めたヴァレリ・ジスカールデスタンは国立理工科学校（École polytechnique）の後に国立行政学院、つまり理系と文系双方の最難関を修めた。ジャック・シラク元大統領（在任一九九五年–二〇〇七年）はパリ政治学院（Institut d' Études Politiques de Paris）と行政学院の卒業生、フランソワ・オランド前大統領（在任二〇一二年–一七年）はパリ第二大学で法学を学んだ後、HEC経営大学院とパリ政治学院を修め、さらに行政学院で学んだ。ミッテラン大統領の下、三七歳の若さで首相に就任したローラン・ファビウス、シラクの右腕アラン・ジュペ元首相、ブリュノ・ル・メール現経済・財務大臣の三人は高等師範学校を出た後、パリ政治学院を経て行政学院を修めた秀才であり、文学のアグレガシオン（高校教員資格）取得者でもある。シラク大統領時代に首相を務めたドミニク・ド・ヴィルパンはサン・シール陸軍士官学校・理工科学校・HEC経営大学院・行政学院を修めた強者だ。一度も選挙に出ず、大統領府事務総長の職にあった時、外務大臣に任命された後、内務大臣を経て首相に抜擢された。

現大統領のエマニュエル・マクロンは三九歳という若さで選ばれた。父親はアミアン大学医学部教授、生みの母も医師。両親が離婚した後、父の再婚相手も大学病院に勤める精神科医、マクロンの弟は放射線科医、妹は腎臓科医。医者一家である。マクロンはナンテール大学（パリ第十大学）で哲学修士号を準備しながら同時にパリ政治学院を卒業した後、最難関の国立行政学院を修了して経済・財務省の財政監査官に任命された。当時フランスではまだ徴兵制が布かれており、他の若者が兵舎でしごかれている時期もマクロンは学業を理由に免除されている。高級官僚をしばらく務めた後、ロスチャイルド銀行に引き抜かれる。三一歳で名門投資銀行の重役である。それから官僚の世界に再び呼び戻され、大統領府の副事務総長になる。この時まだ三五歳。そして二年後には経済・産業・デジタル大臣に抜擢され、政府の重要な位置を占める。エリート街道をまっしぐらに歩んできた人物だ。勝利した大統領選がマクロン初めての選挙であった。

イギリスは生まれによる強固な階級社会だが、フランスも学歴による強烈な資格社会である。知識人の世界も同じで、高等師範学校を出ずに成功した思想家は少ない。ベルクソン・デュルケム・アラン・ジャンケレヴィッチ・サルトル・ヴェイユ・アルチュセール・フーコー・メルロー＝ポンティ・デリダ・ブルデュー・カイヨワ・ランシエール・バリバール・ピケティなど世界的に名を知られる知識人は皆この学校の出身者である。モスコヴィッシにはこの世界への門が閉ざされていた。しかし長男は最高峰の学校を修め、大臣にまで上りつめた。

実業界の大立者も多くがグランゼコル出身者である。日本でも有名な例を挙げれば、富豪世界一位のLVMH（モエ・ヘネシー・ルイヴィトン）CEOベルナール・アルノーは理工科学校、日産CEOだったカルロス・ゴーンは理工科学校と高等鉱業学校、元ルノー会長ルイ・シュヴェツェールは行政学院、シトロエン創業者アンドレ・シトロエンは理工科学校、プジョー創業者アルマン・プジョーとエッフェル塔を設計したギュスターヴ・エッフェルはエコル・サントラルを出ている。

モスコヴィッシはレジオンドヌール勲章を受けた。勲章や賞が嫌いな私は、こんなものを二回ももらったモスコヴィッシを軽蔑していたが、彼には大切な意味があったのだろう。フランスに認められるシンボルが必要だったにちがいない。


一九八〇年代にレジオンドヌール勲章をもらった際、私は二つの教訓を得た。一つ目は何かを成し遂げようと望むなら、まず社会での認知が不可欠だということ。二つ目はすでに手にした権力と出世に侵入する者への嫉妬心の激しさを学んだことだ。彼らの地位を脅かすわけでもないのに敵意丸出しだ。（……）同僚があれほど熱心に学会の委員になったり、論文審査員になったり、政府機関の委員になりたがる理由が、この時よくわかった。

一二〇冊の本を著し、複雑性の考察で知られるフランスの社会学者エドガール・モランとモスコヴィッシは仲が良かった。モランはかつて共産党員であり、戦争中はレジスタンスとしてナチスと闘ったユダヤ人である。ルモンド紙のインタビューで、なぜ大学のポストに就かなかったのかという問いにモランが語る。

一九六〇年代に入るとフランス中で大学のポストがたくさん生まれ、希望すれば私も応募できた。だが、地方教員になれば、パリ大学教授を目指す欲にかられ、悪循環に巻き込まれる。名誉を求めるなら、周囲におもねり、同僚の退官や死を願うようになる。吐き気を催す野心の渦に巻き込まれる。私の野心は私にとって意味のある思想を生み出すことだった。自由を選んで良かった。[26]

ある日、背広にネクタイ姿でモスコヴィッシがセミナーに現れた。いつもと違う雰囲気を見て、どこかに行ってきたのかなと思っていたら、「今日は友人の集まりに顔を出してきた。シモーヌ・ド・ボーヴォワールが中心の会だった」と言う。そんなサロンにも先生は出入りしているのかと三〇人ほどの学生が驚きと称賛の眼差しで師を見つめたのを覚えている。ボーヴォワールと言えば、サルトル亡き後、当時のフランス知識人界トップ・スターの一人だった。私が入学したのが八四年秋で、ボーヴォワールが死ぬのが八六年四月だから、その少し前だったろう。「ふん、くだらない。有名人の知り合いのどこが自慢になるか」と私は嗤ったが、そういう弱さがモスコヴィッシにはあった。だが、これも仕方なかったのだと今ではわかる。

日本の文化勲章を辞退する人は少ない。政治家・細川護熙、作家・大江健三郎、女優・杉村春子は例外である。対するにレジオンドヌール勲章を拒否する人はかなりある。有名な例を挙げると作家のジョルジュ・サンド、モーパッサン、アルベール・カミュ（大江健三郎同様、ノーベル賞はもらった）、経済学者トマ・ピケティ、作曲家モーリス・ラヴェルとベルリオーズ、化学者ピエールとマリ・キュリー夫妻（ノーベル賞は拒否せず）、画家のクロード・モネ、哲学者ルイ・アラゴン、ジャン・ポール・サルトル、シモーヌ・ド・ボーヴォワール、ジャック・ブーヴレス、女優のカトリーヌ・ドヌーヴやブリジット・バルドー、詩人ジャック・プレヴェール（「枯れ葉」など）、歌手ジョルジュ・ブラッサンスとレオ・フェレ、弁護士エリック・デュポン＝モレティ（現法務大臣）、政治家フィリップ・セガンなどが辞退している。サルトルはノーベル文学賞も拒んだ。

ノーベル賞を取るとマスコミが騒ぐ。だが、素晴らしい新発見なのかどうかジャーナリストにも大衆にも理解できない。それでも凄いと思うのは、自分の頭を使わずに他人の評判を鵜呑みにするからだ。芸術作品も自ら鑑賞して評価すべきだろう。評価する能力が自分にあるかどうかは問題でない。駄作だと感じれば、権威が何を言おうと自分にとっては駄作である。ショパン・コンクールやチャイコフスキー・コンクールに入賞すると、自分で聴きもしないで称賛する。おかしい。学歴も同様だ。賞や学歴は自己判断を麻痺させ、ヒエラルキーを安定させるために動員される社会装置である。

――自責の念

モスコヴィッシは罪の意識にも苦しんだ。

同胞が死んで自分だけが生き残る。消し難い罪の意識に耐えながら生き続けざるをえない。だから生存者は常に内側から脅威にさらされる。（……）罪悪感、未知への恐怖、新しい人生を開始したいという焦燥の間で揺れる若者に何ができると言うのか。

阪神・淡路大震災で母を亡くしたパリの知人から聞いた。地震直後に帰国し、実家に着いたら近所の人が「すみません」と繰り返す。最初は意味がわからなかった。母親は瓦礫の中で死んでいたが、近所の家も崩壊し、他人を助ける余裕など誰にもなかった。それでも「私たちだけ生き残って、お母さんを助けられなかった。申し訳ない」と自分を責め、謝罪する。

モスコヴィッシの自責の念もその延長で理解できるだろうか。惨い仕打ちを受け、死んでいった数え切れない同胞。終戦後、ユダヤ難民の援助活動に参加し、ホロコーストの実態を知る。彼らは殺されたのに私は生き残った。運が良かったという安堵とともに怒りと罪悪感が生まれ、トラウマが肉体と精神を蝕む。

この罪悪感は責任と無関係だ。兄弟姉妹に美醜や身体能力の優劣があるとしよう。あるいは芸術の才能が違うとする。自分には素質があり、優秀な成績を修めた。恵まれた体格のおかげでプロのスポーツ選手として活躍できた。だが、弟や妹は身体に障害を持って生まれてきた。彼らの不幸の責任が私にあるわけではない。だが、そのような運命を恨み、罪悪感を抱く。辛い運命がなぜ私に与えられず、弟や妹が苦しまねばならなかったのか、と。

生き残った人数よりも殺された数の方がずっと多かったと知った。他の無国籍者と違い、アシュケナジムの亡命者は窮乏だけに苦しんだのでない。ヨーロッパに残った最後のユダヤ人が自分たちなのだと自覚した。破壊されつくし、もう二度と元に戻せない世界の残滓、それが私たちだった。ユダヤ民族は消え去ったのだ。

アンリ・タージュフェル（1919–1982）はポーランドに生まれたユダヤ人だった。若い頃パリに移住し、研究生活を始めた。一九三九年、フランス軍に徴兵されるが翌年ドイツ軍に囚われ、終戦まで捕虜収容所に閉じ込められた。その間、ポーランド生まれのユダヤ人である事実を隠し、フランス系ユダヤ人だと主張したという。そうでなければ、ガス室に送られて殺されるからだ［ヴィシー傀儡政権はユダヤ系外国人をドイツに引き渡した」。両親と家族、親戚全員が殺害された事実を終戦後に知る。フランスで数年を過ごした後、ロンドンに居を移し、社会心理学を修めた。彼の研究テーマはどれもホロコーストや人種差別に連なっている。有名な「アイヒマン実験」を構想した米国のユダヤ人学者スタンレー・ミルグラム（1933–1984）もモスコヴィッシと親交を持った。彼が社会心理学を専攻した理由は、ホロコーストで殺人に加担した人間の心理が知りたかったからだった。

モスコヴィッシ宅でおしゃべりしていた時、「トシ、俺にはタージュフェルやミルグラムへの負い目がある。ヨーロッパの社会心理学を組織するとは、そういう意味だ。俺だけが放棄するわけにはいかないのだよ」と言われた。何気ないこの言葉の意味をその時、私はわかっていなかった。

学者は自らの実存に関連するテーマを選びやすい。黒人なら人種偏見、女性なら性差別を研究するというように。私の最初のテーマが名誉白人だったのも同じだ。モスコヴィッシも出発点はホロコーストだった。偏見の執拗さを嫌というほど知ったからこそ社会表象論を提唱し、常識の正体を突き止めようとした。『群衆の時代』[27]の出版や集団極化理論[28]を通して、社会の渦に人間が巻き込まれる現象を研究した。そして常識に風穴を穿ち、社会を変革する手段を少数派影響論[29]によって模索した。

ホロコーストの体験を一般的な問題に昇華してモスコヴィッシは人間と社会に対峙する一方、差別や偏見に直接関連する研究はほとんどしなかった。人種差別からは十分な距離が取れないから書かないと言っていた。トラウマがあまりにも強かったからだろう。自分の満足いく理論は到底見つけられない、理論に搦め捕る試み、つまり一般化はそもそも不可能だと感じていたに違いない。

――劣等感

パリに逃れてからも貧困と孤独に苦しみ、差別・無理解・劣等感に苛まれた。ユダヤ人としてルーマニアからやってきた、フランス語もままならない無教養の田舎者。貧乏ゆえ服も満足に買えない自分を恥じ、劣等感を吐露する。

ボロボロの服が恥ずかしかった。古くなって擦り切れた襟、穴の空いた靴下が恥ずかしかった。パリ・ランビュット通りのショッピングウィンドウはきらめいていた。だが、他人に見せられる服が私には一着もなかった。下手なフランス語も恥ずかしかった。病的なまでの臆病も恥ずかしかった。特に女の子は変な人間としてしか私を見なかった。

大学に私が入学するなどとは、禁じられた土地に不法侵入するような気持ちだった。一方には自分の決断があった。だが他方には一八歳の若者ばかりの間に年とった独習者が混じって、偽の仮面がいつ剝ぎ取られるかと恐れていた。

一九四九年に学部を卒業した。(……) だが、passable［優良可の可］の成績だった。自分の凡庸さを思い知った。

これが最後の授業だと思いながら毎日通っていた。研究所でも稀にしか発言しなかった。他の人に迷惑を掛けると恐れたからだ。社会的に認められてからも人前に立つ恐怖がぶりかえした。年齢を重ねてからでさえ、講演から逃げるために仮病を使ったりした。このことは誰にも話していない。言っても信じてもらえなかったに違いない。

そんな事情があったのか。『答えのない世界を生きる』に書いた。

天才と何とかは紙一重という。モスコヴィッシは指導に優れ、私はどれだけ感謝してもしきれない。だが、時刻を間違えたり、事務手続きを怠ったりは頻繁だった。こんなこともあった。友人の学位審査がスイスのローザンヌ大学で行われ、審査員としてモスコヴィッシも呼ばれた。ところが約束の待ち合わせ時間になっても駅に着かない。やきもきしていると二時間ほど遅れてやってきた。師曰く、「列車をまちがえてドイツの方角に行っちゃった。いやあ、ややこしいねえ」。

あるいは、南仏で開催された学会で基調講演に招待されているのに、予定時刻になってもモスコヴィッシが現れない。私は学会に参加せず、パリの研究所で通信映像を待っていた。司会者はおろおろするばかり。「事故に遭ったのか、もう年だからどこかで倒れたのか」。私達は心配したが、次の日に真相がわかった。何のことはない。ホテルで寝込んで目が覚めなかっただけだ。

研究に優れるモスコヴィッシも社会生活には無頓着だと言おうとして私はこのエピソードを挙げた。彼の魅力を紹介するつもりだった。アインシュタインが見かけや外部の評価を気にかけず、研究に没頭したように。司馬遼太郎の描く坂本龍馬が世間の習慣や行儀に無頓着だったように。だが、もしかすると、この講演欠席も準備不足に焦っていたのかも知れない。講演直前、論理の綻びに気づき、ホテルの部屋で震えていたのだろうか。セミナーでモスコヴィッシはいつも原稿を読んでいた。雄弁家でないから原稿が要るのだろうと私は軽く考えていた。モスコヴィッシはセミナーの準備にとても気を使い、前日は家にこもって原稿を書くと聞いた。私たちが知らない深い理由があったのだろうか。こんなこともあった。これも『答えのない世界を生きる』に書いた。

電話で怒鳴られた想い出もある。夏休み前、研究経過を報告し、その後の指針を仰ごうとした。二週間ほど前に論文草稿を送っておいて、会ってもらう日時を決めるために電話したら、開口一番、怒号が飛んできた。「お前のために指導しているのに、俺の批判ばかりして、どういうことだ。それも一度や二度ならば、書き損じということもある。しかし七回、八回と繰り返されると、悪意があるとしか思えない。ふざけるな」。

驚いた私は、電話が切れるとすぐに草稿を読み直した。だが、どこにも問題は見あたらない。どうしたらそんな反応が返ってくるのか、訳がわからない。どうやら先生、斜め読みして誤解したらしい。私が批判したのはモスコヴィッシではなく、対立学派の見解だった。それを自分が批判されたと勘違いしたにちがいない。こういう時は何を言っても仕方ないので、そのまま放っておく。教授は夏休みになるとパリを離れる。ニューヨークから戻ってくるのは年末だ。年が明けて久しぶりに会うと、そんなことは完全に忘れて、いつものように温かく迎えてくれた。内心心配していた私は安堵した。

斜め読みが原因で誤解したと私は思ったが、本当はもっと深刻な理由が隠れていたのか。モスコヴィッシは精神を病んでいた。だが、そんなことは弟子の誰も知らなかった。

あらゆる種類の恐怖症に私は悩まされた。マリ［妻］と一緒になった直後、電話帳には自宅の番号を載せないと告げた。以前に付き合っていた女性に見つかると困るのだろうとマリは勘ぐったが、真相はまったく違った。イスラエルに住む私の家族、特に妹に消息を知られたくなかったからだ。ルーマニアの政治警察が私を監視し、妻や子どもたちに襲いかかると恐れたからだ。他にも禁止したことがある。例えば父と母のことを聞くな、と。

戦争の暴力に加え、ブカレストで遭遇したポグロムの記憶の抑圧［自我防衛のために危険な想念を無意識に追いやるメカニズム］が生んだ恐怖症の一つだろう。マリは刃物を直視できなかった。マリは刃物をすべて隠した。休暇で別荘を借りた時も、まず家の中を調べ、刃物がどこにもないと確認しなければならなかった。他にも恐怖の対象があった。海に入ることができなかった。波が怖くて真っ青になった。車の運転は想像するだけでスピードに恐怖した。

メトロのホームで一緒に電車を待ちながら、「先生も運転できないのですか。私もです。銀行の運転手をしていた叔父から、敏晶は運転免許など取らず、運転手を雇える人になれと言われました。そんな人間にはなれませんでしたが、車の運転ができないのだけはその通りになりました」と軽口を叩いたことがある。モスコヴィッシは微笑んだだけだった。こんな事情を私はまったく知らなかったのだから無理もないが、間抜けな会話をしたものだと胸が痛む。

マリ・モスコヴィッシ（1932–2015）はラカン派の精神分析学者だった。ユダヤ人の両親がポーランドからパリに移住してすぐに生まれた。モスコヴィッシの主著『精神分析、そのイメージと公衆』のテーマを選んだ陰に彼女の影響があったのか。精神の病がきっかけでマリと親しくなったのだろうか。その答えは自伝に書いてない。

そして、ついに自殺も視野に入る。

［自殺については長年考えてきたが］一九四九年、死のうとついに決めた。私の存在は原理的なまちがいが原因で生じた。世界は私と折り合わないし、私も世界と折り合わない。生まれてはいけなかった人間だ。（……）「息子よ、生きよ、自己実現せよ、妻を娶って子どもを作れ」と誰も言ってくれなかった。私に与えられた命、というよりも無理やり私に押し付けられた命、欲しくなかった命を私は還さねばならなかった。これ以上永らえる理由はまったくない。「私が生まれた日よ、消えてなくなれ」とヨブのように叫びたかった。

後に文化人類学者として成功するイザック・キーヴァと天才詩人パウル・ツェランという、ルーマニア出身ユダヤ人の友との会話が自殺から逃れる唯一の救いだった。モスコヴィッシは自殺をとどまった。他方、ツェランは後にセーヌ川に身を投げて命を絶った。

モスコヴィッシを誘惑しようと奮闘していたイラン人学生がいた。とても美しい娘だった。数人で一緒に夕食を取った時、「自殺だけが唯一の自由だ」と主張する彼女に、「そんなことないよ。自殺と自由は無関係だ」とモスコヴィッシが答えていた。その一言の背後にも語りえない深い想いがあったわけだ。

学者になると若い頃に決めたとモスコヴィッシは言う。だが、「さて何をテーマに博士論文を書こうか、まだあまり手のつけられていない、発展性のある分野は何か」などと大学院生が思案するのとはわけが違う。日本の予備校で話をした際に「海外の研究者生活に憧れているのですが、どうしたらなれますか」と尋ねられた。質問の出発点がそもそもおかしい。自分で解かずにいられない問いがあるから自然と研究生活に入るのでないか。モスコヴィッシは社会表象論・集団極化理論、そして『群衆の時代』を通して世間の常識の頑固さを分析すると同時に、世界を変革する願いが、常識の暴力に風穴を開ける方策を模索し、少数派影響論につながった。その背景にユダヤ人として迫害を受けた記憶とトラウマがある。

後で考えると、シオニズムと共産主義の集団経験を自分の研究に持ち込んだと思う。前者は少数派への注目、後者は多数派への関心だ。『群衆の時代』［一九八一］を書く際に共産主義がヒントになったし、『積極的少数派の心理学』［一九七九］執筆にはシオニズム運動が指針になった。結局、過去が常に仕事の背後で秘密裏に作用し続けた。

一流の学者や思想家は創造性など気にも留めない。すでに見た天文学者や心理学者以外にもチャールズ・ダーウィン、カール・マルクス、ジークムント・フロイト、ルートヴィヒ・ウィトゲンシュタイン、マハトマ・ガンディ、マーティン・ルーサー・キング……、他人と違う理論を見つけようなどという矮小な想いはそこにない。今の状況をどう打破するか、どうしたら自らを救えるか、苦しむ人々の助けになれるか。それだけだ。新しい理論作りなどと、お遊びの余裕はない。

知識人とは何か。一九世紀後半から二〇世紀初頭にかけて台頭したロシアのインテリゲンツィアとは何だったか。幕末から明治にかけて活躍した指導者たちは何を目指したのか。単に専門知識に長けた技術者ではない。良識と呼ばれる最も執拗な偏見を打破するために闘う。なるほどと感心する考えや、学ぶ点だと納得される長所は簡単に受け入れられる。だが、自分に大切な価値観、例えば正義や平等の観念あるいは性タブーを再考し、明らかにまちがいだと思われる信念・習慣にどこまで虚心に、そして真摯にぶつかれるか。自己のアイデンティティが崩壊する恐怖に抗して、信ずる世界観をどこまで相対化できるか。これが本当の知識人の姿だ。大学人のほとんどはこの対極にいる。

学問の背景には人生がある。技術的詳細に囚われる現在の社会心理学に心と社会の論理はわからない。忘れてはいけない。我々は人間を理解したいのだ。思索は頭だけで紡げない。腸《はらわた》を切り刻む闘いだ。その意味で本は常に自伝である。

――モスコヴィッシの想い出

ときどき対立しながらも、モスコヴィッシの弟子の中で私はよく面倒を見てもらった方だと思う。彼の人生について私はしばしば突っ込んで問いかけた。私の実存にも関わることだったからだ。真摯に答えてくれたこともあるし、「それはプライベートなことだから」と返事を避けられたこともある。あんな質問をしてモスコヴィッシがよく怒らないな、あれじゃあまるで尋問だと他の学生が不思議がっていた。少数派影響論を反動思想だと詰め寄った時も、「政治活動家として何をするのも君の自由だ。だけどセミナーは博士論文を準備するための場だよ」とやんわり諭されたこともある。名誉白人をテーマに研究しようと最初に会いに行った時、「世界第三位の経済大国にもそんな現象があるのか。日本人が西洋人に劣等感を持つなんて」と驚き、私の研究に強い関心を寄せた。一九九一年に出した処女作に序文を書いてくれたし、[30] 数年後に出した続編[31]も褒めてくれた。ユダヤ人の歴史と比べての感慨があったに違いない。

博士課程に入ってまもなく、モスコヴィッシから共同研究を持ちかけられた。少数派影響の実験で感情の効果を調べるのが目的だった。ナチスのハーケンクロイツが描かれた青色スライドを見せて感情を煽ると情報処理能力が削がれ、スライドに集中できない。そのため、サクラにつられてスライドを緑と判断する。だが、サクラの言葉を盲信して自らの判断を放棄すると、実験室の電気を消した時に現れる残像は青の補色のまま変わらない。つまり表層の影響は生じても無意識にまで達しない。こういう仮説だった。

私は気乗りしなかった。面倒な仕事を押し付けやがって、自分の研究に学生を使うな、俺はお前の駒ではない。そんな気持ちだった。結局、明確な結果が出ず、研究は立ち消えた。他の日本人留学生に話したら、「実は僕はその誘いを羨ましく思ってたんだ。素晴らしいソフトをプレゼントされたんだよ」と教えてくれた。

青色スライド実験のアイデアをモスコヴィッシからもらって共同執筆した論文が評判になり、出世した弟子がいた。頻繁に引用され、国立科学センターの主任研究員になった。だが、それが彼のしたかったことなのか。モスコヴィッシには実存に関わる重要な実験だ。他方、弟子にとっては研究者としての成功にすぎない。学界で評価されれば、満足なのか。

尿療法の共同研究を提案されたこともある。尿を飲むと病気が治るという民間医療が一九九〇年代の日本で流行っていた。この迷信は世界中にある。だが、近代科学が進んだ日本で信者が急激に増える現象は社会表象論にとって興味深い。二〇〇万人の日本人が毎日、自分の尿を飲んでいると日本経済新聞が報じた。モスコヴィッシが研究した精神分析学のイメージのように、尿療法の背景にある世界観を探る試みだった。この研究が成功すれば、博士論文どころか、かなり注目されただろう。本にしようとモスコヴィッシも乗り気だった。だが、共同研究と言っても実行部隊は私だけである。日本に帰って数十人の面接をしなければならない。渡航費用も手間賃も出ない。それに、これは私の仕事でない。私は学者になりたいのではない。自分の問いを追うだけだ。自分自身とけじめをつけるためだけに読み、考え、書く。だから断った。

研究助手への誘いもあったが、それも辞退した。給料が安かったからだ。食っていけない。当時、私は通訳で生活費を稼いでいた。それにモスコヴィッシや他の弟子の研究を優先しなければならなくなる。そんな役割はごめんである。私の生き方は不器用だろうか。だが、損をしたとは思わない。私はプロでない。アマチュアとして自分の問題だけ扱えばよい。他人の評価に惑わされてはつまらない。

日本人社会学者が英語で本を出版し、書評をモスコヴィッシから依頼された。一読し駄作だと判断した私は執筆を断った。「自分が頼まれたのだろう。そんな仕事を弟子に回すな」と私は嫌だった。「そうか。では書かなくていい」とだけモスコヴィッシは言ったが、今考えると、あれは書評を書く練習だったのか。プロの仕事を教えてくれようとしたのだろうか。「お前の将来のためだから嫌でもやりなさい」と普通の教授ならはっきり言っただろう。だが、そんな言い方をすれば、よけいに反発するにちがいないと、私の性格を知るモスコヴィッシは思ったのかもしれない。

モスコヴィッシは雲の上の存在だった。毎週火曜日、教授は研究所のメンバーと一緒に昼飯を取る。私たち学生からすると羨ましい集まりで、選ばれた上級者の仲間に加わりたいと皆が思っていた。モスコヴィッシお気に入りの日本人学生の手引きで、いつしか私も一緒に食事するようになる。偉くなったと錯覚し始めた、そんな頃である。論文指導の際、微笑みながら教授が言った。「仲良くするのはいい。誰もが対等だから。先生も先輩もない。しかし、いくら仲良くなっても、お前の研究が良くなるわけではないよ」。

能力には個人差があり、どんな研究をするかは結局、当人の問題だ。その時、強く自覚した。学生を呼び捨てにし、親分と子分のようにつきあう教員が日本にいる。教員は学生の面倒を親身に見る。親分肌の先生に憧れ、疑似親子関係を好む学生は少なくない。だが、そこに甘えが潜む。

日本のようにゼミ合宿をしたり、学生と一緒に酒を飲むしきたりがフランスの大学にはない。距離を取った関係が保たれる。指導教授が就職を世話する習慣もない。ちなみに入学式も卒業式もない。小学校から大学まで式の類は何もない。最近は英米の大学に対抗して資格の市場価値を高めるために卒業式をする大学も少しずつ現れたが、私が学生だった頃、卒業証書や博士号の証明書は事務所に取りに行くか、郵送されてくるだけだった。「俺は学界で認められる研究をした。思想界で評価される本を書いてきた。お前はどうなんだ。俺と友達になっても、お前の研究は進まないぞ」。この方がずっと厳しい警告である。

教員になってしばらくした頃、拙宅に来てくれて一緒に夕食を取った。社会心理学と臨床心理学の友人、モスコヴィッシ、そして当時の妻と私の五人だった。手品を披露したら「何か仕掛けがあるに違いない」と言うモスコヴィッシに「当たり前じゃないですか」と笑ったことを思い出す。食前酒にウィスキーを選んだモスコヴィッシのコップに半分ほど注いだら、「こんなに飲めるものか。俺はフェスティンガーのような大酒飲みじゃない」と言う。懐かしい想い出だ。

すでに書いたように博士指導資格認定の口頭試問がモスコヴィッシと話した最後の機会になった。二〇〇七年一一月だったから、彼が死んだ一四年一一月まで七年間も余裕があった。会いに行けば、また温かく迎えてくれただろう。だが、葬儀の知らせを聞いても私は行かなかった。当人はもういない。家族や弟子たちに会っても仕方ない。今さら後悔しても遅い。モスコヴィッシとの出会いがなければ、今の私はない。恩師という常套語は嫌いだが、モスコヴィッシから学んだことがこれほど大きかったのか。本書を綴り、改めて思いを強くした。

ごく普通の庶民の家庭に育った私にとって当時、外国に住むどころか、観光旅行でも海外に出かけるなど夢だった。父は高等小学校卒の郵便局員、幼少で両親を亡くした母は小学校も出ていない。少年院に世話になった母方従兄弟もいたし、入れ墨した暴力団員の父方従兄弟もいた。父の兄も投獄経験のある前科者だ。親戚中で大学に進学したのは私が初めてだった。

そんな私がフランスに移住してすでに四〇年を超えた。フランス語の下手な私は大学に入学しても必要単位が取れず、フランスを追い出されるところだった。その後、運良く社会科学高等研究院に拾ってもらったが、そうでなければ、帰国して違う職業に就いていたことだろう。モスコヴィッシとの邂逅がなければ、研究を続け、大学に就職することもなかった。著作は一冊も陽の目を見なかったにちがいない。普通の大学と異なり、授業のない学校で学んだ私にとって、薫陶を受けた師は一〇年間の学生生活を通してモスコヴィッシ一人だけだ。教員になってからも彼だけが私の相談相手だった。

第五章

躊躇と覚醒

知の巨人のアプローチを第一章で分析し、矛盾を解く型を第二章で抽出した。先人に学んだ私の思索の軌跡を第三章で辿った後、モスコヴィッシの実存との闘いを第四章で見た。私のちっぽけな人生や仕事など比較にならないが、学問への姿勢とテーマの選び方は師と似ている。すでにわかっているはずの結論を感情が邪魔して躊躇してきた。拙著成立の裏事情を以下で明らかにしよう。

――自分の問題だけを追う

「理性には絶対にわからない心だけの理由《わけ》がある（Le cœur a ses raisons que la raison ne connaît point.）」。パスカルの有名な言葉だ。[1] raison（英語のreason）の二つの意味が掛けられ、日本語に訳すのは難しい。頭が出した結論を心が拒む。論理には捉えられない真理がある。拙著はどれもそんな経緯を経てできあがった。

『異文化受容のパラドックス』も『民族という虚構』も途中にどんでん返しがあった。最初から目の前にあった結論が受け入れられず、視野からずっと隠されていた。『社会心理学講義』は構想してから何年も書き始められなかった。その事情を「あとがき」に記した。

本書を綴り始めた頃、『社会心理学の敗北』というタイトルを考えていました。（……）こんなつまらない学問について本を出しても誰も読むものかという思いが何度も私を躓かせ、本書の執筆を妨げてきました。最初に企画してから、すでに一〇年以上の月日が経ちます。書くのをもう止めようと何度も諦めかけました。それでも最後まで書き上げたのは自分自身にけじめをつけたかったからです。社会心理学という学問に対して私は愛情と憎悪を同時に抱きながら接してきました。

人間の不合理と社会の不条理への怒りが常に執筆の底にある。神がいるなら天から引きずり下ろして殴り倒したい。論理だけでなく、書く動機が感情の次元で支えられないと魂の入った分析はできない。『民族という虚構』も『責任という虚構』も良いアイデアが見つかったから書いたのではない。私はプロでない。矛盾に悩み、格闘するうちに答えが見つかった。そうでなければ、問題設定自体が浮ついてインテリのお遊びになってしまう。『社会心理学講義』を書き始めた時、編集者に送ったメールを挙げよう。

変化について良いアイデアが見つかったので、それを中心に書くつもりでした。ですが、こういう研究者的発想が躓きの元でした。研究書や解説書はプロが書けばよい。社会心理学の参考書なら他の人にも書けるし、私よりも有能な人が多くいます。アマチュアが引き受ける任務ではありません。死ぬまでに書ける本の数は知れている。だから無駄なことはできません。読者のために私は書くのではない。これはアマチュアの特権です。私でなければ、できない仕事があるはずです。それを見つけようと試行錯誤しています。

「プロを目指せ」「プロの自覚を持て」と世間がやかましい。アマチュアは駄目でプロが本物だという考えは本当だろうか。天職は英語やフランス語でvocationという。「呼びかけ」を意味するラテン語vocareから派生した。神に導かれて宗教生活に入る。これが原意である。宗教改革以降、神に与えられた使命として職業に就く意味に変わった。プロの生き方と天職の思想は違う。「この道より、われを生かす道なし。この道を歩く」。作家・武者小路実篤の言葉だ。

米国奇術師の解説ビデオを見ていたら、プロ志望者向けの助言が最後に出てきた。曰く、「一番大切なのは演技ではない。例えばバーで働くならば、マジックに夢中になって客が飲み物を注文しなくなったら本末転倒だ。それではすぐにクビになる。どうしたら店の売り上げが増えるかを考えよ。それがプロだ」。

『ドラゴン桜』『砂の栄冠』などの人気漫画家・三田紀房がプロ意識を説明する（段落を減らした）。

「マンガの基礎をどこで学んだんですか？」そう聞かれると僕は、いつも同じ言葉で答える。「商売から学んだんですよ。」記者さんは怪訝そうな表情のまま、目をパチクリさせている。やむなく僕は、もう少し詳しい説明をする。

「マンガって個人商店なんです。マンガ家は店主で、作品はお店です。自分のお店でどんな商品が売れていて、どんな商品が足りないのか。入り口は入りやすくできているか。陳列は見やすくできているか。世間ではどんなモノが流行っていて、消費者はどんな商品を求めているのか。そうやって考えていけば、商売で培った経験やルールは、すべてマンガに応用できるんですよ。」

マンガ家としての僕になんらかの強みがあるとすれば、まさにこの「商売を知っている」の一点に尽きる。僕にとってのマンガとは、徹頭徹尾ビジネスだ。表現欲を満たすためでもなければ、趣味の延長でもない。そしてビジネスだからこそ、どこまでも厳しく考えるし、真剣に取り組んでいる。[2]

消費者の要望を優先する。解説ビデオの手品師と同じだ、確かにプロは金を稼がなければ始まらない。だが、それが天職の姿か。パスカル・マルクス・ガンディ……、偉大な思想家は多くがアマチュアだ。第一章で引用したアインシュタインの理想を思い出そう。灯台守として生活費を稼ぎ、研究に勤しむ。アマチュア精神の鑑だ。ボクサーは日本チャンピオンになっても食えない。世界ランカーになるまで、以前なら蕎麦屋の出前などをして食いつないだ。今はコンビニの店員だろうか。そこまでして殴り合いに命をかける。すごい人生だ。プロ・ボクサーと言うが、実は彼らこそ本当のアマチュアではないか。

何かのきっかけで、ある時、結論が明確な像を結ぶ。ふと気づくと自分が違う人間に変わっていた。

常識から距離をどう取るか。研究対象だけ見ていても、慣れ親しんだ思考枠から逃れられない。世界観や生き方が変わらないと真の問いに気づかない。

社会心理学の道に私が進んだのは偶然だった。二〇二二年秋、私は大学を退官したが、最初から最後まで心理学にも社会学にも関心を持てなかった。自らの実存的問いばかり追ってきた。人生も思想もスケールは比較にならないが、同じやり方を私もしてきたのだとモスコヴィッシの自伝を読んで再確認した。

日本を離れ、アルジェリアを経てフランスに移住した経緯は『答えのない世界を生きる』に綴った。社会科学高等研究院に入る際、私は計画書を三つ用意した。核になる視点は共通するものの、制度の上では異なる専門に属す。一つ目は、第三世界諸国で失業が生じ、移民が先進国に流れるプロセスの検討。エジプト出身の経済学者サミール・アミンなどがマルクス主義の立場から理論展開していた。制度上の分類としては経済学か社会学である。二つ目は、フランス社会で移民が生きる姿を経済面だけでなく、社会関係や心理の動きも含め、多角的に探る研究だ。鎌田慧『自動車絶望工場　ある季節工の日記』に倣って移民の単純労働者として働こうと計画した。このようなアプローチの学部は存在しないが、どの側面を強調するかで社会学・社会心理学・精神病理学か、あるいはいっそのこと文学として扱うだろう。残る三つ目は、『名誉白人』　西洋人に対する日本人の劣等感」と題して、欧米を手本に明治以降、日本が近代化を目指す過程で生まれた、西洋への憧れと劣等感の考察だった。

どのテーマにも興味があったが、最終的に第三のテーマに照準が定まる。あとの二つについては、「他の学者から借りた言葉で語るだけで、お前はどこにいるのだ。そんな魂の入らない研究には価値がない」「差別を研究するならば、フランスの問題よりも何故お前は日本での朝鮮人差別にぶつからないのか」と友人たちに指摘された。批判はもっともだ。三番目の計画書だけが私自身の言葉で綴られていた。前期課程（八四年から八八年）の卒業論文を書き直して九一年にフランス語で上梓し、[3] さらに五年後、日本語版『異文化受容のパラドックス』（一九九六年）が出た。

――学校が人間を潰す

社会科学高等研究院には必修授業が一切ない。各教員は自由にテーマを選んでセミナーを行うので、気に入ったものに出席する。しかし義務ではない。どのセミナーにいくつ参加しても、まったく出なくてもよい。試験もなければ、レポート提出もない。好きなやり方で勉強し、数年かけて論文を書き、審査に合格すれば前期課程（学部）が修了する。後期課程（大学院）の仕組みも同じだ。日本の大学を中退した私は高卒の資格しかないので前期課程からやり直す必要があった。入学試験はなく、小学校を出ていなくても前期には入学できる。

形の上では専門に分かれているが、ほとんど名前だけの区分にすぎない。例えば歴史学教授の後任に哲学・心理学・経済学・社会学・文化人類学など他の分野からも選ばれる。専門領域を限らずに募集し、最も優秀だと評価された候補者がポストを得る方式である。狭い世界に閉じこもる学者の性向を戒め、自由を重んじる姿勢は、縦割り構造に縛られる既存の大学制度への批判・反発から、この学校が設立された歴史事情に負う。

社会科学高等研究院は「特別高等教育機関（Grands établissements）」の一つで、大学ともグランゼコルとも違う。コレージュ・ド・フランスや高等師範学校と並んで、ここの教授陣にはフランス最高峰の思想家・研究者が集う。レヴィ＝ストロース、ジャック・デリダ、ピエール・ブルデューもここで教えたし、『二十一世紀の資本論』で一躍脚光を浴びた経済学者トマ・ピケティも教鞭を執る。

しかし学生になるのは簡単だ。研究計画書を書いて指導教官を見つけさえすればよい。教授陣の質と学生の優劣は関係ない。だが、勘違いして誇りに思う無邪気な学生もいる。ここの教授は高等師範学校出身者が多い。デリダもブルデューもピケティもそうだ。社会科学高等研究院で学生時代を過ごしたのではない事実が忘れられている。

社会科学高等研究院以外にも、学生の自由裁量に任せる学校として、フランスの著名知識人を輩出する高等師範学校や、デリダらが設立した国際哲学コレージュ（Collège international de philosophie）がある。粕倉康夫『エリートのつくり方』から引く。

エコール・ノルマル［高等師範学校］では文科系、理科系を問わず、従うべきカリキュラムや出席しなければならない必須科目はいっさいない。もちろん学校が学生のために準備する授業も充実していて、学生は自由にこれに出席できるが、それだけではなく、彼らは他の大学の講義や研究機関に自由に出入りすることができる。現に一階の廊下にある掲示板には、他の大学を含む各専門の講義の情報が貼り出されている。なにかを学ぼうとすればその機会は最大限にあたえられているのである。

（……）

エコール・ノルマルには他のグランド・ゼコールや大学と違って、卒業試験というものがない。そのかわりに学生はあたえられた特権をフルに活用して、上級教員資格［アグレガシオン。高校教員免許］を得るための国家試験に向けて準備をするのである。

（……）ここにいられるのは四年間で、学生はこの間に自分でカリキュラムをつくって勉強する。[4]

師範学校と称されるぐらいだから教員を養成する学校だ。それでも必修単位がない。

コンピュータ・プログラムのデベロッパーを育てる「４２」という学校がパリにある。そこには教員もいなければ、授業もない。学生どうしで相談しながらプロジェクトを立ちあげ、試行錯誤を通して学ぶ。バカロレアを持っていれば、未成年でも入学できる。一八歳以上なら小学校を出ていなくても良い。この制限はフランスの教育制度が課す足かせであり、最近ルーマニアに開かれた分校では一三歳から入学できる。年齢の上限もなし。

コンピュータの知識は前もってまったく必要ない。富裕層も貧困層も交じり、弁護士・ファッションデザイナー・管理職・仕立て職人・学校のドロップアウト・数学教師・ビジネススクール卒業生・株式投資家・ヨットのインストラクターなど多様な背景の人びとが集まる。理科系の知識ゼロでも問題ない。授業料は完全無料。貧困者は返還不要の奨学金を国から受けられる。学生の能力に応じて二年から五年で卒業認定に至る。ただし大学卒業のような国家資格ではない。レベル一から二一まであり、最終段階を修了したという認定だけだ。

入学選抜は二段階方式。まずインターネットサイトで論理的思考力や記憶力などの基礎能力テストを行い、希望者五万人以上の中から三千人ほどに絞る。その後、学校に缶詰状態で一ヶ月続くpiscine（プールの意味）と呼ばれる試験期間が始まり、C言語によるプログラミングを学習する。最終的に入学を許されるのは約八五〇名である。コンピュータをまったく知らない状態から、教則本も指導者もなしにプログラムを書かねばならない。関連の知識を持つ人がどこにいるかを見つけるのも自分で工夫する。休日なしで四週間、毎日一四時間から一八時間の試行錯誤を強いる。毎日の演習と毎週一回四時間の試験にそなえ、問題解決の訓練や他の人との相談、そして休息や睡眠に充てる時間の配分と管理も自分でしなければならない。

何をすべきかわからない不安定な環境に置かれた時、自分を変化させられるか、刻々と変わる不慣れな環境への適応力があるか、わからなくても努力し続ける素質があるかが合否を分ける。現時点での実力よりも将来への潜在能力が重視される。試験結果は教員でなく、同じレベルの学生が採点する。書かれたプログラムが機能するかどうかだけが判断基準である。先生と生徒という上下関係、そしてそこから必然的に生ずる感情的しがらみを学習プロセスから排除し、結果だけを評価する。完全に機能するプログラム以外はすべて〇点。ほぼできた製品などは無意味であり、完璧な結果のみが評価対象になる。

このような学校を作った理由は、フランスの業界が人材不足に苦しみ、従来からの教育制度が駄目だと判断したからである。デベロッパーの優劣と出身校の相関関係が低く、優秀な者の背景を調べると、以前ハムスターの売り子をしていたり、学校をドロップアウトした若者だったりする。ＩＴの世界は物理学などと違い、古典理論に価値はない。現在の最新知識が明日には時代遅れになる。知識は役立たないだけでなく、危険であり、人間を愚鈍にする。一度学んだ知識は忘れられない。つまり間違った知識がいつまでも残ってしまう。現状を変えるのは新しい計画を始めるよりずっと難しい。既存知識と組織が変革に抵抗するからだ。街灯の光の喩えを思い出そう。

必要なのは知識でなく、常に刷新される環境に適応し、違う発想のできる能力の養成である。それには教師が知識やノウハウを伝える従来の制度はもう要らない。学校が人材を潰す。それでは経済効率が低く、国家の大きな損失だという考えである。七〇年代にイヴァン・イリイチが広めた構想にもつながるだろう。[5]

「４２」は二〇一三年に創立され、一〇年間の予算を組んで開始した（建物やコンピュータなどインフラ設備費に二千万ユーロ、人件費を含むランニングコストが七千万ユーロ。日本円にして一三〇億円。創立者グザヴィエ・ニエルが全額を寄付)。優秀なデベロッパーを合計一万人養成し、巨大ＩＴ企業を五社生み出す。そして毎年スタートアップを一五〇社創出するのが目標だ。もうすぐ、その期限が切れる。どのような総括がなされるか、楽しみである。

――独学の勧め

前期課程に入った時、最初の半年で私は社会心理学の教科書を二〇冊以上読んだ。その後、統計の参考書を三〇冊ぐらい紐解いた。基礎知識を学ぶ授業がないから独習するしかない。一冊でわからなければ、同じ本を繰り返して読むよりも、他の本を新たに読む。それでも理解できなければ、もう一冊読む。そうしているうちに自然にわかる。違う角度からの説明ならば、そして異なる例を通してならば納得するからである。

統計の苦手な学生が心理学部に多いが、それは知識を使う機会がないのに教えられるからだ。それに心理学部に来る学生の大半は心理カウンセラー志望であり、数式を学ばなければならないなどとは入学前、想像だにしない。私には解決しなければならない問題がはっきりしていたし、解析を待つデータもあった。だから必要な本や論文を読み、統計技術を覚え、適切なコンピュータ・アプリを探した。使えそうな分析手法があると知ると南仏マルセイユの研究所やスイス・ジュネーブ大学まで出かけて教えを乞うた。本当に欲しなければ、何も身につかない。

リーディング・アサインメントと呼ばれる読書の宿題が英米の大学ではたくさん出る。しかしフランスの大学生は受け身で授業に来る。それが当たり前だと思っている。本を読め、それが学ぶための唯一の道だと、どんなに言っても読まない。心理学部の学生の多くは読むことも書くことも考えることもできない。その根本的原因は読む習慣を身につけていないからである。授業開始にあたって私は学生に諭す。

アインシュタインは言った。「学生は知識を詰め込むための容器ではない。火を灯してやる松明だ」。テレビの前に座れば、何の努力をしなくても情報が流れて来る。同じように、授業に出席すれば知識が増えると思うな。講義の目的は知識の提供ではない。君たちの世界観を揺さぶり、破壊するのが私の役割だ。答えは君たち自身が見つけよ。私は触媒だ。答えを教えてもらおうと思うなら、授業に来るな。

グランゼコルのエリート学生は週に一〇冊ぐらい余裕でこなす。どこが違うのか。教育には二つのアプローチがある。一つは学問分野の基礎知識を伝える教科書的アプローチ。もう一つは問いの立て方、解き方の例示を通して考え方を教えるやり方。基礎知識は教科書を読めばすむ。日本と同様、フランスの一般大学でも授業が主で読書は補助だ。これでは授業内容を消化するのに精一杯で、自分から文献に当たる習慣が身につかない。教育が商品として提供されればされるほど、そして無能な教員が多いほど、前者のやり方が支配的になる。「自分で勉強しなさい」では売り物にならないからだ。

本を読む学生を増やす確実な方法がある。授業と試験をすべて廃止すればよい。これが社会科学高等研究院・高等師範学校・国際哲学コレージュ・「42」のアプローチである。必須科目がなくても勉強すると言うのではない。授業を押し付けないからこそ勉強するのである。加藤秀俊『独学のすすめ』が言う。

（……）学校というものは、「独学」では勉強することのできない人たちを収容する場所なのだ、といえないこともあるまい。一般的には、学校に行けないから、やむをえず独学で勉強するのだ、というふうにかんがえられているが、わたしのみるところでは、話はしばしば逆なのである。すなわち、独学できっちりと学問のできない人間が、やむをえず、学校に行って教育をうけているのだ。学校は、いわば脱落者救済施設のようなもので、独学で立ってゆけるだけのつよい精神をもっている人間は、ほんとうは学校に行かなくたって、ちゃんとやってゆけるものなのである。[6]

本や論文を自分で読めず、教師に内容を噛み砕いて説明してもらわなければ勉強できない学生が大学にいるのが、そもそもおかしい。教師は移動式の教科書反芻器ではない。「日本の教育は画一的で個性を育まない。欧米では自らの頭で考える習慣を大切にする」と繰り返し言われてきた。西洋を美化してはいけない。他国の事情は知らないが、大学教育が大衆化したフランスでは大勢の学生を抱え、小論文方式でなく選択問題や○×式で試験する教員が増えた。講義のメモを取って暗記することが勉強だと学生の多くが勘違いしている。このような受け身の態度は中学・高校時代の洗脳が原因である。

私の授業は常識を覆す連続だから、論理展開について来られない学生が文句を言う。「まとまりがない。話があちこちに飛ぶ」「心理学の講義なのに、どうして物理や哲学が出てくるのか」と。問いではなく、答えを期待するから、こういう不平が出る。そういう学生に私はいつも答える。

私は答えを教えない。問いだけを突きつける。常識を破壊するための授業だ。役に立つノウハウが目的なら、職業訓練学校に行け。社会心理学に、そんなものはない。

フランスの一般大学には入学試験がないし、授業料もほとんどかからない（年間三万円）ので、勉強しない学生が多い。私語する学生がいつもいる。出ていけと怒鳴っても、うつむいているだけ。そして嵐が過ぎ去ると、おしゃべりが再開する。まったくの子どもだ。私は出欠を取らなかった。講義の最初に説明する。

授業中に食事をしても良い。新聞や小説あるいは漫画を読んでもパソコンでビデオゲームをするのも自由だ。スマートフォンでメッセージを送っても良い。寝るのも勝手だ。イヤフォンでなら音楽を聴いたり、映画を観ても良い。静かであれば、好きにせよ。しかし、おしゃべりは他の学生と私への迷惑になる。だから、私語は許さない。

大学は義務教育でない。高校までと違い、大学では勉強を強制しない。君たちには落第したり退学する権利がある。人生に失敗するのも各自の自由だ。だが、他の学生の勉強を邪魔する権利はない。疑問や異議があれば、いつでも手を挙げて発言せよ。みんなで議論しよう。私語がしたければ、いったん教室を出て、おしゃべりが終わったら戻れ。欠席しても罰しない。出欠は調べない。遅刻も早退も自由だ。興味がなければ、初めから授業に来るな。

だが、何度言っても来てしまう。訳がわからない。高校の癖が抜けないのか。あるいは家に居ると親に叱られるから暇つぶしに大学に来るのか。二年生の後期になると、こういう連中はほとんどいなくなる。だが、一年生は手に負えない。

学校を教育システムとだけ捉えると見誤る。大学は学生のためだけにあるのでない。教員と事務員を養うために存続する。だから短大を四年制にしたり、大学院を創設したり、世間受けのする学部を設けたり、外国人留学生を呼び込むのである。私大だけでなく、公立もやり方はかわらない。組織とはそういうものだ。光学フィルムがなくなったら制作会社は解散するのが筋なのに、他の分野に進出して生き延びようとする。社員を食わせるためだ。企業の一番大切なことは利益を出すことであり、武器を作るかオムツを売るかは二の次である。

そして実はもっと本質的な機能が学校にはある。近代が必死に隠してきた、学校の本当の目的だ。この秘密が隠蔽できなければ、学校制度は成立しない。『格差という虚構』（特に第一章「学校制度の隠された機能」）で分析したように、学校は人間を格付けし、ヒエラルキー維持のために振り分ける道具であり、階級闘争の社会装置をなす。その事実を自覚せず、授業カリキュラムだけを議論しても的外れである。

――名誉白人の葛藤

外国人と生きながら人種差別・民族紛争・移民問題・異文化受容について考えてきた。名誉白人症候群を研究課題に選んだ背景にはフランスで異邦人として生きる私自身の悩みがあった。日本人としての私と西洋および第三世界との関係を理解したい。私は日本人なのか、日本人とは何を意味するのか。「西洋人が世界を歪めた。お前たちの支配のせいでアフリカの貧困が続くのだ」。フランスの友人歴史家にこう食ってかかったものだ。モスコヴィッシのセミナーではなかったが、グループ発表をさせられ、西洋植民地主義に蝕まれた人々が白人に抱く劣等感を私は取り上げた。政治集会での糾弾のようだった。二〇分ほどの短い発表だったが、聴講生の数が次第に減ってゆき、私の話が終わった時には半分ほどに減っていた。教室に残った学生から非難がわき起こる。立ち上がって否定するセネガル人がいた。「アフリカ人がフランス人になぜ劣等感を持たねばならないのだ。俺はそんなこと絶対に認めないぞ」。アメリカ人が怒鳴った。「そんなマルクス主義的解釈は無意味だ」。主催した先生からセミナーの終わりに投げられた「君には失望した」という一言が西洋世界全体から突きつけられた離縁状のように耳を離れず、その後一週間ほとんど眠れなかった。

『異文化受容のパラドックス』では問題設定の一般性を伝えようとして、私自身をできるだけ切り離して客観的記述に努めた。だが、私自身も名誉白人の一人である事実は否めない。大学受験に失敗し、二年間の浪人時代、英語が話せるようになりたくて英会話の学校に通ったり、ラジオでＦＥＮ（現在はAmerican Forces Network-Japan）を聴いていた。予備校で先生や友人と英語で話した。早稲田大学に入ってからもイギリス人教師の主管するSouth Seas Societyというサークルで外国人と英語で話す機会を持った。英字新聞Japan Timesも購読していた。

西洋かぶれの人間には反発するものの、西洋への憧れがなければ、こんなことをするはずがない。アルジェリアに行く時、日本の経済侵略の片棒を担ぐだけではないかと悩み、思想家・小田実に会いに行って質問をぶつけたり、アジア・アフリカ語学院でアラビア語の先生に「アルジェリアでフランス語の通訳をしてもいいですか」と尋ねた。「君が行かなくても他の日本人が行くだろう。それなら君が行く方がまだましだし、違う世界を見ていらっしゃい」と小田に背中を押された。アラビア語の先生からは「アルジェリア人はアラビア語をわかりませんよ。私が行った時はほとんどのアルジェリア人とフランス語で話しました」と言われ、納得した。正則アラビア語（フスハー）は学校で学ぶ文語であり、アルジェリア人の言葉とは違う。

だが、これはアルジェリアに行こうとすでに決めたあとで罪悪感をごまかすための手続きにすぎなかった。本音はすでに決まっていたのに建前が邪魔していた。そのためのお墨付きを権威に求めただけだった。アテネ・フランセでフランス語を習っていた頃も「アルジェリア行きを目指すのであり、フランスに関心はない」と強弁し、フランス人の先生にからかわれたものだ。これも同じ防衛反応である。

アルジェリアに合計で二年半も滞在したのに、私はアラビア語が話せない。いくつかの日常表現は覚えたが、アラビア語を積極的に学ぼうとはしなかった。第三世界に関心を抱く振りをしても、心の底では西洋に憧れ、英語とフランス語さえできれば、僻地にある二流国の言葉など知る必要はないという驕りが当時の私にあったからだ。アルジェリア滞在中、フランス語の勉強に熱心な一方、正則アラビア語は学ばなかった。通訳が下手でクビになりそうだからフランス語だけで精一杯だったとか、正則アラビア語を覚えても一般のアルジェリア人には通じないという言い訳もある。しかし本心を問えば、やはり西洋に目が向いていたからだ。

「社会が閉じるからこそ文化が開く」「西洋の植民地にならなかったからこそ西洋化が進んだ」という

解決が見つかるまでの道は平坦でなかった。日本の西洋化をテーマとする本はどれも、西洋に恫喝され、支配されたから西洋化したと説く。私もそう考えていた。ところがフランスに住み、フランス人や他国の人々と話すうちに、この解釈に疑問を抱く。日本のテレビ広告に白人がたくさん登場するとか、ファッション雑誌のモデルの多くが白人か、白人とのハーフだとか、日常会話の中で夥しい数の西洋語が使われると言うとフランス人は驚く。植民地に一度もならなかった日本がどうして西洋化するのか、と。

多くの国が西洋に支配され、タイと日本だけが独立を保った。植民地にならなかったどころか、日本による支配は中国や朝鮮をはじめ数カ国に及んだ。こんなことのできた国は非西洋圏では他にない。言語を奪われ、経済・政治・文化すべてにおいて虐げられたマグレブ人（モロッコ・アルジェリア・チュニジア）・朝鮮人・アイヌ・アメリカ先住民・アフリカ黒人と、逆に帝国主義勢力として植民地を持った日本は同列に扱えない。

日本の国語は英語なのかフランス語なのかと東アフリカ・ルワンダの留学生に尋ねられた。すぐには意味がわからなかった。日本人は日本語を話していると答えると、日常会話でなくて大学教育の言葉が知りたいと言う。それでやっと気づいた。アフリカの高等教育はほとんどがイギリス・フランス・ポルトガルなど旧宗主国の言語で行われている。アラブ化を強力に推進するアルジェリアでさえ、私が滞在した八〇年代は授業の多くがフランス語だった。高等教育も日本語でまかなうと知り、ルワンダの女学生は驚いていた。自らの言葉で生きる可能性が白人以外にあるとは思いも寄らなかったからだ。外国語を話さなくても生活できる背景には植民地にされなかった僥倖がある。

そんなことを考えるうちに、異文化受容の原因を支配に求める通説に疑問を持つようになった。だが、頭で理解するだけでは何にもならない。フランスに住みだして五年ぐらい経った頃だった。名誉白人として扱われ、またそうあろうとする自分に苛立って人種差別反対集会に参加していた。だが同時に第三世界に同一化する私の偽善にも気づいていた。

アフリカ人学生に交じって南北問題を討論した想い出がある。熱気を帯びた議論の後、マリの友人がポツリと言った。「お前はいいなあ。俺も金持ちの国に生まれたかった」。この一言は強烈に効いた。一発でダウンを奪うテンプルへの豪快なヒットというより、時間が経つにつれて効果を増す重いボディブローだった。南北問題が深刻化する中で先進国に属す罪悪感、西洋への憧れと同時に反発する心理とが複雑に絡み合っていた。

教職に就く以前、私は通訳で糊口を凌いだ。フランス語を話せるからではない。日本語を話す日本人だからだ。はるかにフランス語の上手なベトナム人やモロッコ人に同じ幸運は与えられない。私がスーツを着て高給を稼ぐかたわら、彼らはレストランの皿洗いやスーパーマーケットの会計係で最低賃金を得ていた。好むと好まざるとにかかわらず、私の生存は日本人として規定されている。

少数派の力を説くモスコヴィッシに向かって、支配の現状を隠蔽する反動理論でないかと的外れな難癖をつけたことはすでに述べた。新植民地主義の研究を志そうとアルジェ大学やセネガルのダカール大学への入学を計画したのもこの頃だ。植民地主義支配の傷痕が今でも残る社会で生活し、質の違う発想に触れるべきだと思ったからである。

通訳として滞在した合計二年半にわたるアルジェリアでの生活が私の見方を変えた。搾取される国の住民も実は自由や平等を求めているのでない。被支配側にいるのが嫌なだけで、第三世界内部で権力者は同じ事を繰り返している。それが人間だ。そんな現実を目の当たりにするうちに冷静な目で研究対象に接近できるようになった。罪悪感が和らいだのだろう。気づいた時には同じデータがまったく違う意味を持って迫ってきた。

ささやかながら文章を書き、自己精神分析のような作業を通してアイデンティティの悩みが少しずつ解けたのだと思う。すると今度は日本人としての私と西洋や第三世界との関係でなく、単に私と他者との関係という、より一般的な問いに関心が移っていった。それは『民族という虚構』を上梓した頃だ。集団に翻弄されつつも集団から離れたら存在自体が危うくなる人間の姿を描きながら、人の絆の不思議にいまさらながら驚いたのだろう。その後、『責任という虚構』『人が人を裁くということ』『神の亡霊』『格差という虚構』につながっていった。

――腑に落ちぬ結論

『格差という虚構』執筆の舞台裏に戻ろう。『民族という虚構』（二〇〇二年）に続き、『責任という虚構』（二〇〇八年）を上梓した時、虚構論はもう終わりにするつもりだった。主体の問いへの答えが見つかり、満足したからだ。

主体を定立する道筋は二つしかない。誕生の際にすでに主体が存在しているか、あるいは生誕前には存在しない主体が後に生成されるかだ。前者を採るならば、遺伝・環境・偶然という外因以外の内因を見つける必要がある。つまり脳と独立する霊魂の存在を証明しなければならない。後者の方向を選ぶならば、外因から出発しながらも、その後、それらの相互作用から主体が創発的に発達すると考える他ない。初めになかったものが時間を経た後には存在しているのだから。すでに述べたように部分の総和に還元不可能な新しい性質が生まれる創発性自体は自然界で広範に見られる現象である。それでも外生的プロセスにより生まれる以上、あくまでも外因の生成物であり、その原因が私でない以上、私の性格や意志の責任は私に帰属できない。行為は私のした選択の結果でなく、私の発生とともに外部から押し付けられる性質である。私の誕生前に私はいないのだから、それは当然だ。主体は実在せず、社会が機能するために要請される虚像である。こう理解した。

だが、処罰の虚偽同様、格差も同じ欺瞞にまみれていると後に気づいた。応報正義も分配正義も同じ嘘の論理に貫かれている。この社会問題に何らかの答えを出さない限り、私の使命は終わっていない、自分の問いに最後まで答えていない。その想いに突き動かされ、執筆準備を始めた。かなり前のことである。

処罰も分配も問題の根は同じだ。不都合の原因を誰かに押しつけて収拾を図るための虚構、これが主体であり、その正体はイデオロギーである。自由に選んだ行為だから責任を負うのでない。処罰する必要があるから人間は自由だと社会が宣言し、責任を誰かに押し付ける。同様に、能力が違うから格差が生まれるのでない。格差を正当化するために能力の差という虚構を持ち出す。意志と能力は責任や格差の原因でなく、処罰を可能にし、格差を受け入れさせるための政治装置だ。こう論じた。

だが、格差が責任と同じ論理構造だと気づくまでに時間がかかった。両者が同じ型である事実を私の目から何が隠していたのか。何故もっと早くわからなかったのか、後で考えると不思議だ。意志も能力も遺伝・環境・偶然という外因の相互作用から生まれる。意志と同様、能力も外因の沈殿物である。自由意志という虚構が責任を正当化する仕組みを見れば、能力という虚構が格差を正当化する理屈と同じなのは明白だ。それでも常識に邪魔され、背後に隠れる論理が見えなかった。自由意志を能力に、責任を格差に置き換えるだけの簡単なことなのに、それができなかった。

なぜ、この明らかな同型性に気づかなかったのか。この段階に来てまだわからないということは理性の次元の問題でない。常識はしぶとい。中でも最も執拗なのが感情を揺さぶる倫理観だ。実存の大切な部分に抵触するから、眼の前にぶら下がる結論でさえ視界に入らない。

　米国の政治哲学者ジョン・ロールズはメリトクラシーの欺瞞をよく知っていた。二〇世紀の倫理学において最も重要な書と評判の高い『正義論』の骨子はこうだ。出生時に親から受けた先天的性質に加え、家庭教育および社会環境という外因から能力が生ずる。したがって格差の責任は当人にない。そこで、すべての生産物をいったん没収して社会の共同所有とし、その後に共有財産を適切な方法で再分配する論法を採る。実際に没収するのではない。だが、論理は同じだ。遺伝と家庭環境という偶然に起因する能力は自己に属さない。ゆえに生産物への権利は誰にも主張できず、社会全体の財産として共有しなければならない。

　ところが富を全員に均等分配すると、高い能力を持つ者の労働意欲をそぎ、生産性が下がる。そこで能力に見合った労働を引き出す誘因を与え、社会全体の富を増やす。そして累進課税を通して富を適切に再分配すれば結果として、能力が低い者もより良い生活を享受できる。累進性が急激すぎると富者の生産性が下がり、結果として貧者の生活が悪化する。したがって社会の底辺に位置する者の生活が最も向上する累進率を採用しなければならない。

　質と量に優れた労働をなすから多くの富を得る権利が高能力者にあるのでない。各人の能力は外因の沈殿物だから生産物への請求権は誰にもない。下層者の生活を向上させる手段としてのみ格差が正当化される。これがロールズの論法である。[7]

ならば犯罪行為も同様に外因群が相互作用する結果だと認めなければならない。したがって処罰はくじ引きの結果であり、正当化できないはずだ。ところが犯罪を起こした犯人を罰するべきだとロールズは常識を踏襲する。つまり富の分配において能力の外因説を説きながら、処罰に関しては意志が外因の産物である事実を受け入れない。これでは整合性に欠ける。[8]

　ロールズの立場は我々の素朴な感覚に近い。能力がどう決まるかと尋ねられれば、本人の努力以外にも天賦、幸運の賜物、遺伝の結果、教育の成果などと答えるだろう。つまり外因の産物だと認めるに吝《やぶさ》かでない。身体あるいは脳という道具の性質として能力が理解されるからだ。ところが意志は魂のごとく自分の存在そのものと感じられるゆえに外因由来の事実が受け入れられない。主体を立てるカントとルソーから出発したロールズが、能力の外因説を認めながらも最後まで主体を手放さなかったのは当然である。この発想も身体の能力と精神の意志という心身二元論の虚構に由来する。

『責任という虚構』を経た私にとってロールズの誤りは明白だった。だが、私も最後のところで感情が邪魔して、論理的に当然導かれる結論の一歩手前で躊躇していた。

　数学の証明なら、必要かつ十分な要素だけで組み立てられる。だが、人間や社会のあり方に関しては必要十分条件だけ提示しても人は納得しない。戦争責任や慰安婦問題の討論を考えよう。相手の主張を最後まで虚心に聞く人はまれだ。論者は左翼なのか右翼なのか、味方か敵か、信用に値するのか政府の御用学者か。無意識に分類される。予め用意された思考枠を通して解釈され、共感あるいは怒りや抗弁が浮かぶ。つまり科学的考察の進行方向とは反対に、既存の価値観に沿った結論が最初に決定される。そして結論に応じて、検討すべき情報領域が絞られる。客観的な吟味の後に帰結が導き出されるのでなく逆に、先取りされた結論の正当化が後から起こる。[9]

政治演説には繰り返しが多い。マーティン・ルーサー・キングの名演説I have a dreamはその典型だ。最初の方でOne hundred years later（一〇〇年を経た今日）という句、次にNow is the time（今こそ、その時だ）がそれぞれ続けて四回繰り返される。後半の佳境に入るとI have a dream（私には夢がある）という句が八回、そして演説の終結部に達するとLet freedom ring（自由の鐘を鳴り響かせよう）と一〇回も繰り返される。演説を一〇分の一に縮めても趣旨は通じる。だが、それでは人の心は動かない。宗教の改宗や悟りと同じだ。

知識と確信の間には大きな溝が横たわる。英国の脳学者オリバー・サックス『妻を帽子と取り違えた男』に出てくる、脳に損傷を受けた患者の様子を挙げよう。[10] 患者の視覚機能は正常だが、見たモノが何であるかわからない。ある日、サックスは真紅のバラを一輪買い求め、患者に差し出した。すると不思議な標本を見つめる植物学者のような顔つきで「一五センチぐらいの物体だ」と言う。そして「赤い色をした渦巻状のものに緑色の直線的繫索が付着している」と分析し始める。「そうですね。何だと思いますか」と促されると、困惑の表情をしながら患者は「うーん、難しい問題ですね。多面体のような単なる左右対称性は欠落しているし……。もしかすると花の可能性もある」と答える。では香りを嗅いでみたらとサックスが勧める。多面体の匂いを嗅げと言われた患者は再び怪訝な顔をしながらも、言われたとおりにバラに顔を近づけた。その瞬間、バラの歌を突然口ずさみ出す。「ああ、なんて美しい。咲きかけたばかりのバラだ。素晴らしい崇高な香りだ」と顔色を明るくしたという。

患者は嗅覚を基に合理的分析をして、手にした物体がバラの花だと突き止めたのではない。香りを嗅いだ時、バラの世界に突然引き込まれ、美しさと意味を瞬時に摑んだのだ。単なるデータの集積と合理的判断を超える何か、宗教体験に通じる飛躍がそこにある。創発性が起こす奇跡だ。芸術や文学にも当てはまる何かである。

「不条理ゆえに我信ず（credo quia absurdum）」。二世紀頃、カルタゴに生まれたキリスト教神学者テルトゥリアヌスが発したとされる言葉だ。データなど正しさを保証する証拠があれば、信じる必要などない。検証結果に従うだけのことだ。信じるという行為は原理的に不合理な営みである。だが、それなしに納得も感動も悟りもありえない。対岸にうまく到達できるかどうかわからない。それでも大丈夫だと信じて跳ぶ。契約によって守られ、警察の実力行使を背景に義務が履行される保証があれば、信頼は要らない。

この頃、伴侶の帰りが遅い。浮気を疑う。興信所に調査を依頼しても得られるのは浮気の証拠、あるいは浮気の事実は見つからなかったという報告だけだ。浮気をしていない保証は原理的にありえない。もしかすると裏切られるかもしれない。その可能性を知りながら、それでも判断を放棄して信じる。どこかで思考を停止して信じるから愛が生まれ、信頼の絆が結ばれる。疑いを相手にぶつければ、信用してくれないのかと失望し、それがきっかけになって二人の関係に亀裂が入る。信頼は不合理な宗教である。

正義とは何か、真理とは何か、自由や平等は何を意味するのか。人はなぜ他者と絆を紡ぐのか、差別や犯罪はどうして起きるのか、集団はどう機能するのか……。これらの問題を考え、曲がりなりにも答えが見つかるまでは格差の問いが私の脳裏で焦点を結ばなかった。

平等の問いには解が存在しない。四辺を持つ三角形を描こうと頭を悩ますように、平等は論理的な袋小路である。それなのに何故いつまでも論争が続くのか。平等という地平線はなぜ消えないのか。格差を理解するためには近代の本質に切り込まねばならない。

神を喪失した近代は自由・普遍・権利という張り子の大伽藍を築き、社会契約論や正義論という空言を編み出した。個人と社会の間に陣取る矛盾は絶対に解消できない。主体にしがみつく政治哲学や法学の様々な試みはどれも、神の臨終によって瓦解する砂上の楼閣を押し留めるための虚しい抵抗だ。正義論の正体は神学であり、自由と平等は近代の十戒である。その化けの皮を剝ぐのが『格差という虚構』の仕事だった。

ロールズは格差の分析で能力外因説を説きながら、犯罪をめぐっては自由意志外因説を認めなかった。私は逆に自由意志の虚構性を認めながらも、能力くじ引き論の前で躊躇していた。何故なのか。

―――わだかまり

躊躇の理由は何だったのか。責任と格差は何が異なるのか。まず考えたのは、テーマの具体性の違いだ。『格差という虚構』の「あとがき」に書いた。

『責任という虚構』も本書も骨子は共通する。内因は存在しない。人間は外因の沈殿物であり、主体は虚構だ。したがって処罰も格差も正当化できない。これが核をなす主張である。ところが今回はこの結論に困惑した。以前［『責任という虚構』執筆時］は難なく受け入れられたのに、なぜ今度は戸惑ったのだろうか。前著が扱った具体的材料ホロコースト・死刑・冤罪は、どこか他人事だったのかもしれない。私自身が犯罪をなすとは思わないし、犯罪に巻き込まれたり冤罪の犠牲になる可能性にも現実感がない。主体の不在がまだ抽象的な次元にとどまり、切実な問題でなかったのだろうか。

格差は身近なテーマだ。新書という媒体を選んだのも多くの読者にメッセージを届けたかったからだ。と同時に、その具体性が私を躊躇させた。私の人生は挫折の連続だった。才能の無さに悔しい思いを何度もしてきた。望みに手が届かなかった原因が私にないのなら怒りを何にぶつければよいのか。成し遂げた小さな成果も私の手柄ではない。パリ大学の教員になり、いささかながら本も出してきた。精一杯の精神の闘いや努力も私の功ではない……。論理的考察が導いたこの結論に私の実存が抵抗した。俄には受け入れられなかった。この答えで良いのかと何度も自問した。だが、他の結論は見つからなかった。思考は実存と切り離せない。困った。本当に、困った。

次に責任と格差の意味が私にとって違う。どちらも集団生活が生み出し、社会が機能するために必要な虚構であるのはかわりない。だが、それらに対する私の態度が異なる。責任はでっちあげであり、処罰はすべて冤罪だ。責任を課され、処罰される者はいかなる場合でもくじ引きの結果であり、スケープゴートである（後述）。だが、それでも処罰はなくせない。虚構であっても責任を解体したいとは思わない。必要悪として責任を認めている。他方、格差には怒りを覚える。絶対に格差はなくならないと承知しても、だから格差を放置すべきだとは思わない。必要悪としても認めたくない。私の気持ちが責任と格差で反対方向に向いている。これも「あとがき」に書いた。

本書を綴った最初の動機は不平等に対するやり場のない怒りだった。株を売り買いしたり情報を集めるだけで巨万の富を稼ぐ企業がある一方で、貧困に苦しむ多くの人がいる。貧乏な家庭に生まれたというだけで将来へのチャンスを奪われる若者がいる。近所の子と同じように誕生日を愛児に祝ってやれない母子家庭がある。極貧の中で孤独死する老人が後をたたない。どうして世界はこれほど不公平なのか。なぜ貧しい国と富める国があるのか。

今から二十年ほど前、中学の同窓会があり、懐かしい顔と再会した。女性はほとんどが主婦になっていた。私よりも成績の良かった才女が大学卒業後、結婚し子を産み、仕事を辞めていた。パートタイマーとして安い賃金で働く主婦もいた。性別が違うだけなのに、見えない圧力を行使して社会は人間の道を押し曲げる。周知の事実に今更ながら気付かされ、陰鬱な気分になった。

だが、それならば、格差の正体は躊躇なく暴き、責任の分析に当惑するはずだ。ところが私の反応は逆である。ここには二つのベクトルが作用している。一つは能力の自己責任であり、成功者も不幸な人生を送る人もくじ引きの結果にすぎない。こう認めることは私にとって吝《やぶさ》かでない。それどころかメリトクラシーの欺瞞を積極的に告発すればよい。貧乏な人や辛い生活を送る人に、それはあなたのせいでないと言いたい。

私を躊躇させたのはもう一つのベクトル、自らの人生を制御する可能性の否定だった。遺伝も環境も過去に生じた偶然である。それはいい。だが、偶然は未来にも働き続ける。未来への希望を私論が砕く。あなたに未来はなく、すべて外因が決めると引導を渡す。これまでの成り行きを決めてきたのが私自身でないと認めてもそれほどの衝撃はない。だが、私とは無関係の要素が今後の道も決めていくと考えるには抵抗がある。過去はもういい。だが、未来の手綱は自分が取ると思いたい。その可能性を私論が拒絶する。私が躊躇した理由はこれだと思う。

他の多くのアメリカ人同様、ロールズはプロテスタント家庭で育った。第二次世界大戦の惨状を目の当たりにして棄教し、無神論者になったと言われている。ところが、プリンストン大学時代に書いた宗教をめぐる卒業論文、そして晩年にしたためられた「私の宗教について」という未発表草稿が死後に発見され、『正義論』へのキリスト教の強い影響の跡が明らかになった。[11] すでに書いたように能力の外因説を採ったロールズが犯罪行為に関しては外因説を退けた。自由意志を行使する主体を中心に据える近代イデオロギーを捨てられなかったからである。棄教の後も神の代用品としての自由意志、デウス・エクス・マキナとは手を切れなかったのだ。

ロールズを批判するロバート・ノージック、ロナルド・ドウォーキン、マイケル・サンデルにもこの姿勢は共通する。ノージックはジョン・ロックの私的所有権論を踏襲し、自らの精神および身体の所有者として人間を捉える。したがって各自の能力に応じて貧富の差が生じるのは当然だ。他者の自由を侵害しない限り、獲得した富はすべて自らの労働の成果であり、その所有も消費も正当である。累進課税による所得再分配は富の収奪であり、不当な強制労働に相当する。[12] ドウォーキンは家庭環境や遺伝など偶然の所与と当人の意志決定とを峻別し、自己制御の利かない前者から生ずる格差を不当とする一方、責任を負うべき後者から派生する格差は正当と認める。[13] メリトクラシーの欺瞞を暴くサンデルも結局、自由意志は放棄しない。[14] 三人ともユダヤ人であり、一神教の家庭環境で成長したのはロールズと同じである。

私はどうか。なぜ、ロールズとは逆に、自由意志の外因説を採りながら能力の外因説には抵抗したのか。『責任という虚構』や『神の亡霊』を著した時、私は本当には主体を手放していなかったのかもしれない。頭の中だけで組み立てた論理にすぎなかったのか。そのため、『格差という虚構』の具体的文脈に自己決定不可能の結論が置かれた時、拒否反応が出たのだろうか。

この反応は私自身のより深い矛盾に連なっている。一貫して私は主体を否認する。だが、同時に個性を大切にし、自らの問いだけを追えと説く。明らかな矛盾だ。二枚舌でないか。「小坂井さんほどの個人主義者を私は知らない。それなのになぜ執拗に主体を否定したがるのか」と知人が不思議がった。第二章で示したように学習に主体は必要ないし、多様性の称揚も主体の不在と矛盾しない。個性の維持は主体が存在しなくとも可能だ。動植物や食品の多様性と主体が無関係なのと同じである。

それに客観的事実として主体を否認する存在論と、社会と歴史が作り出す私の実存が個人主義にしがみつく姿は矛盾でない。どのレベルで観察するかにより異なる現象が出現する。温度変化に応じて個体・液体・気体と劇的に相を変える水を電子顕微鏡で観察しても分子間の距離と運動速度が変わるだけだ。氷・水・蒸気という巨視的レベルに現れる質的変化は捉えられない。現象の原因を探る科学のアプローチと我々人間の感覚に映る意味の間に隔たりがあるのは当然だ。世界は虚構が構成すると主張する私がいまさら何を言っているのかとさえ思う。だが、そのような分析では不十分だ。両者は単に並列に置かれているのではない。主体否定と個性主張の間に相補性があるゆえに両者を同時に、そして執拗に説くのである。かといって、この矛盾を説明する術が今のところ見つからない。解くべき問題なのかさえもわからない。とにかく能力の虚構構造が私の目に隠された理由はこの辺りにあるはずだ。

自ら出した結論を受け入れる上で、納得しなければならないことがまだあった。この書は三つの部分で構成した。「序章」で格差論の盲点を指摘した後、最初の三章で能力の正体を明らかにした。次に四章にわたって長い補助線を引き、格差がなくならない理由を説いた。そして偶然の意義を明らかにする終章で袋小路の打開を図り、締めくくった。序章「格差の何が問題なのか」から引く。

さて、終章「偶然が運ぶ希望」で大きく方向転換する。ここまでの悲観的分析を受け入れた上で未来に繋がる道をどう見つけるか。正義論は偶然による不幸を中和し、補償する制度を模索する。否定的意味しか偶然に認めない。（……）偶然の積極的意義に気づけば違う世界が現れる。偽の希望を捨てることで本当の解決につながる逆転の発想を示したい。

だが、偶然がどうして救いになるのか。遺伝・環境・偶然という外因の相互作用が能力を育む。このテーゼの正否は何度も確かめた。どんなに考えても否定できなかった。事実を知ってしまった以上、元には戻れない。誰にもチャンスはまだある。そう信じてごまかしたのだろうか。あるいは仏教の諦念のような意味で納得したのだろうか。この問いも今後の宿題として残る。

平等概念を再考する補助線の部分だけで全体の四割を占める。情報をつまみ食いしようと斜め読みしたり、全体の筋道を俯瞰する序章を読み飛ばすと補助線の役割が理解できない。格差に関係のない話だと誤解し、散漫な印象を持つ。だが、私にはこの考察なしに、格差が経済問題でないという結論が受け入れられなかった。虚構の意味、偶然の機能、普遍の正体をめぐる思索が私の躊躇を少しずつ解いていった。順に振り返ろう。

――悟りの感覚

『責任という虚構』執筆時、自由と科学の矛盾を解くにあたってフォーコネに助けられたと書いた。ところが頭では完全に同意しながらも違和感が心のどこかに残っていた。その後、シンボルが想像以上に日常生活を縛る事実に気づいた時、フォーコネの解釈が自然と腑に落ちた。こういう感覚や経験が決定的役割を果たす。まずフォーコネの責任論を要約しよう。[15]

犯罪は共同体への侮辱であり反逆だ。秩序が破られると社会の感情的反応が現れる。したがって人々の怒りや悲しみを鎮めるために犯罪を消し去らねばならない。ところが、すでに起きてしまった犯罪は無に帰せない。そこで犯罪を象徴する対象が選ばれ、破壊される儀式を通して秩序が回復される。このシンボルが犯人＝責任者の正体である。

犯罪の結果を―感情の波及効果を―破棄する必要がある。駆りたてられた激情が尽きて鎮まらなければならない。（……）法に反するものを取り除き、以前の秩序を回復するだけではすまない。処罰を通して再び新風を吹き込み、傷ついた感情を癒さねばならない。（……）犯罪が生んだ動揺を鎮め、侵された戒律を回復するために社会が見つけた唯一の手段は、社会が受けた冒瀆のシンボルに感情を爆発させ、このシンボルを想像の上で破壊することだった。この破壊の怒りが処罰の源泉をなす。処罰が完了するのは、犯罪が取り除かれたと社会が信ずるに至った時であり、その前ではありえない。

（……）

犯罪の代替物として適切だと判断され、罰を引き受ける存在が責任者として認められる。（強調フォーコネ）

秩序への反逆に対する見せしめとして刑罰が執行される。造反事実が人々に告げられるとともに社会の掟や禁止が想起され、規範が再確認される。禁忌に触れると恐ろしい処罰が待つと威嚇する。

処罰される責任者は常にスケープゴートだ。この言葉は普通、真犯人の代わりに無実の人が犠牲になる場合に使う。だが、フォーコネ説においてスケープゴートは犯罪自体の代替物であり、犯罪行為者の代替物ではない。けじめをつけるためのシンボルである。ゆえにスケープゴートとして選ばれたシンボルがまさしく真犯人であり、責任者にほかならない。

生贄のスケープゴートを選び、秩序を維持するメカニズムについてはフランスの思想家ルネ・ジラールの考察がよく知られている。[16]だが、ジラールとフォーコネの説は肝心な点で異なるとフランスの社会学者フィリップ・コンベシが述べる。

> 「裁判制度が発達すると生贄の慣習は終焉を迎える」「生贄の存在理由がなくなる」とジラールは書く。だが、実は生贄の機能が（少なくとも部分的には）恒久化したと考えるほうが正しいのではないか。（……）裁判制度、特に刑事裁判を通して生贄の機能が制度化されたと言うべきだろう。[17]（強調コンベシ）

つまり処罰の本質は生贄であり、スケープゴートのメカニズムは永遠に続く。[18]誤解なきよう念を押しておこう。このように処罰せよとフォーコネが言うのではない。規範論でなく、社会学の記述だ。過去から現在そして未来までずっと原理は変わらない、人間社会はこう機能するという意味である。責任現象の客観的分析として誤りだとフォーコネ説に反論することは可能だ。だが、正義に悖ると非難するのは的外れである。

事件のシンボルとして何が選ばれるかは時代および文化により異なる。見せしめの対象は必ずしも犯罪行為者とは限らない。見せしめの刑は犯罪事件のシンボルに科せられるのであり、社会が共有する世界観にとって犯罪の代替物になりさえすれば十分だ。犯罪行為者が責任者として選定され罰を受ける場合は確かに多いが、責任や罰が因果関係に依拠するからではない。犯罪事件が把握される過程において行為者が一番目立つからにすぎない。

> 本質的なのは行為者が担う役割の重要性である。犯罪場面が心に浮かぶ。この劇場で主役を演ずる登場人物つまり犯人〔auteur〕がいる。しかし実は役者（acteur）という言葉の方が状況をより正確に表現するだろう。（……）罰の受動者（patient）として犯人が最も頻繁に選ばれるのは、犯人のイメージが犯罪と特に密接に結びつくからだ。犯罪により生じた動揺が一番最初に波及し、特に強く結合するのが犯人のイメージだからだ。あるいは犯罪事件から生まれる不安を前にして犯人のイメージだけが喚起されるからである。[19]（強調フォーコネ）

一九九五年八月、執行直前に自殺を試みた米国オクラホマ州の死刑囚が手当を受け、意識を取り戻す。そして予定通りの時刻に殺された。九九年一二月、テキサス州の受刑囚が薬物自殺を図った。囚人は病院まで飛行機で運ばれ蘇生する。そして翌日、処刑された。二〇〇二年一一月に心臓手術を二度受けた後、翌月に処刑されたイリノイ州の囚人もいる。[20]何故こんな手の込んだことをするのか。

「犯人を極刑にして下さい」。被害者遺族が法廷で叫ぶ。いまさら何をしても故人は帰らない。それでも厳罰を望むのは処罰の本質が復讐だからである。冤罪の可能性があっても「あいつが犯人に決まっている」と譲らない。無実の者を誤って罰すれば、真犯人を逃してしまう。したがって冤罪疑惑が持ち上がった時、本来ならば遺族が真っ先に再審を要求し、慎重な捜査と厳密な審理を望むのが筋だ。ところが反対に容疑者を憎み、冤罪の可能性を否認する。ここにあるのは合理的判断でない。心理現象である。

悪の元凶を破壊し、反逆の物語に終止符を打つ。過去が修復され、秩序が再構成される。悪のシンボルを消し去り、次に起こりうる禍から目を背ける。カジノでサイコロに息を吹きかける。神社で賽銭を投げ、破魔矢を買う。仏壇の前で呪文を唱える。死刑は、それと同じ制御幻想である。

ここまでは『責任という虚構』に書いた。だが、まだ完全には納得していなかった。『格差という虚構』を執筆しながらシンボルの意味を考えていた時、違和感が氷解した。シンボルは日常生活のあらゆる場面に顔を出す。踏み絵を強要されてキリストの姿を踏みにじるぐらいなら死を選ぶ。ムハンマドの風刺画に怒り、作者を暗殺する。国旗を掲げ、国歌を斉唱する。あるいは国旗を燃やして抗議する。墓・仏壇・神棚などの社会装置、冠婚葬祭の儀式。挨拶に握手し、頭を垂れる。

西洋では親指を立てて称賛を示す。だが、拳を握って中指を上に立てれば、殴られるかもしれない。指の違いでこれほど反応が変わる。東京からパリに戻る飛行機の中で映画『ヒノマルソウル〜舞台裏の英雄たち～』を観た。右腕の肘内側に左手をあて右腕を直角に挙げるシーンが出てくる。「やったぞ！ざまあみろ」という気持ちを表現したつもりだろう。だが、これは西洋でよく知られる、とても下品な仕草だ。上に突き出された腕は勃起した男性器を表す。こんなポーズをオリンピックで披露したら、出場停止どころの騒ぎでないだろう。

遺骨を保管する、とくに喉仏を重宝する。親の形見を大切に守ったり、愛する人の写真に語りかける。そもそも遺体がシンボルである。肉親の臨終直後、遺体の頭を医師が蹴飛ばす場面を想像しよう。遺族は怒り、悲しむ。何故なのか。まだ生きている病人を殴れば痛がる。対して死体はもう何も感じない。それなのに生きている人間を殴る以上に死体の冒瀆に我々は憤る。墓や位牌はただの石であり、木片だ。それでも粗末に扱うと心を痛める。

女の下着に男が興味を持つのは何故か。その下に性器が隠れているからだ。下着は性器のシンボルである。では性器になぜ関心を持つのか。モノを何時間見つめても理由はわからない。性器の内部を覗いても性欲の原因は見つからない。こうして性欲の源が雲散霧消する。性の魔力はそのようなモノでなく、性器の「占有」が象徴する他者との関係から溢れ出る。そもそも性器がシンボルであり、人間関係の代替物である。

これらはそれぞれ個別のメカニズムが生み出す現象だろう。性のフェティシズムと死体の畏怖は原因が異なるに違いない。だが、その個別性を捨象してシンボルの共通性に光を当てたおかげで虚構の理解が深まった。対象とシンボルは言語の意味（シニフィエ）と表現（シニフィアン）の関係に似ている。ワンと吠える愛玩動物は前者であり、「犬」という記号が後者だ。同じ対象を日本語で犬と呼び、英語でdog、フランス語でchienと表すように記号と内容の結びつきに根拠はない。シンボルも同様に当該文化にとっては必然だが、その思考枠を離れれば、意味さえ理解できない。イギリスの文化人類学者エドマンド・リーチが述べる。

カチン族の女性が結婚前に短髪の頭を隠さないのに、結婚すると途端にターバンをこれ見よがしに巻く理由は分からない。自らの身分に変化が生じたと公に示すためにイギリス女性が特定の指に指輪をはめる理由も分からない。だが、私が知りたいのは次のことだけだ。カチン族の女性がターバンを巻く現象には何らかの象徴的意味があること、ターバンの存在が女性の身分に関する何かを我々に伝えるということである。[21]

シンボルをどんなに凝視しても、それが重要な理由はわからない。キリスト像・お守り・国旗・貨幣・寺社・教会・神殿・仏壇・神棚・位牌・墓・遺体・遺骨・性器、どれもそうだ。社会関係がシンボルを生み出し、意味づける。踏み絵を拒否して殺される隠れキリシタンは無神論者にとって愚かな意地にすぎない。福沢諭吉の顔が印刷された紙切れを受け取って喜ぶ者の気持ちなど、異星人には理解不能だ。他文化からみれば宗教儀式は奇妙な仮装と呪文、無意味な踊りである。服喪や墓を知らない社会はないが、それでも不合理な因襲だと斥ける人はいる。死体は単なる生ゴミだとする思想があってもおかしくない。仏教思想の根本に戻れば、死体への執着は断念すべき妄想だ。女は骨・筋肉・内臓・脂肪・皮の塊であり、糞袋にすぎない。こう説いて性欲を断つ宗派もある。

禁忌とシンボルは根拠なき結びつきである。それでも、それらが機能する文化内においては合理性も必然性も疑われない。シンボルの力に改めて驚くとともに、恣意と必然の相補性に気づいた。そのおかげでフォーコネ理論が腑に落ちた。ある時代・社会の論理内部では普遍的と感じられる価値も、社会や時代の思考枠の外に出た途端、無根拠が露呈する。

――偶然と必然の密約

偶然の積極的意義に気づけば違う世界が現れると書いた。偶然に身を委ねれば未来が開かれると、どうして言えるのか。自らの人生を制御できない世界で人間は生きられるのか、幸せを感じられるのか。

こんな解決がやってきた。偶然が必然の対義語だという先入観がそもそもまちがっていた[22]。宝くじ売り場の前を通りかかり、何気なく一枚買ったら一億円が当たった。思いがけない偶然に驚く。次の例はどうか。事業に失敗し、あとは夜逃げか自殺しかないと途方に暮れる人がいる。宝くじ売り場の前を横切った時、ビルの広告をふと見上げたら、「人生は賭けだ」という映画のセリフが目に飛び込んできた。藁をも掴む気持ちで一枚買ってみる。それが一億円の当たりくじだった。この場合、偶然よりも運命を読み取る人の方が多いだろう。

世界が根拠なく偶然に生成されても人間は必然と真理を見いだす。思考実験しよう。黒玉と白玉が一つずつ箱に入っている。中を見ないで玉を一つ取り出した後、同じ色の玉を一つ加えて箱に戻す。黒玉を引いたなら箱の中は黒玉二つと白玉一つになる。この作業を繰り返す。最初は玉が二つしかないから黒玉を一つ加えると割合が半分から三分の二へと大きく変化する。ところが千個入った箱に玉を一つ追加しても状況はほとんど変わらない。ハンガリー出身の数学者ジョージ・ポリアが考えた「ポリアの壺」と呼ばれる問題だ。試行が進むにつれ、付け加えられる新情報の相対的重みが次第に小さくなる。単純化されているが、人間や社会に蓄積される記憶のモデルである。

作業を繰り返すうちに、ある一定の値に黒玉の割合が収束する。その数値を書き留めてから再び初期状態に戻して試行を繰り返し、新たな収束値を記録する。試行を無限回繰り返せば、当然ながら黒玉と白玉の割合の平均値は二分の一だ。ところが各回の収束値は〇から一の間で無作為に揺れる。[23] 実験の場面を想像しよう。玉の割合が一定の値に収束してゆく。まるで世界秩序が最初から定まっており、真理に向かって箱の世界が進展するかに見える。だが、白玉と黒玉一個の状態に戻してやり直すと今度は先ほどと違う値に落ち着く。定点に収束してシステムが安定するのは同じだ。しかし箱の世界に現れる真理は異なる。

この思考実験を単なる比喩だと考えてはならない。偶然と真理は矛盾しない。ダーウィン進化論と同じ論理構造である。我々の世界を律する真理は一つでも、歴史を初期状態に戻して再び展開すれば、異なる世界と真理が出現する。歴史はやり直しが利かない。そのおかげで我々は真理を手に入れる。真理・偶然・必然・恣意・普遍・運命・一回性・不可逆性・超越・意味・進歩、実は同じことだ。

言語・市場・宗教・道徳などの社会制度が成立した歴史は検証可能かも知れない。だが、そこに法則は見つからない。無根拠から出発しながら偶然にシステムが成立し、後追いの形で根拠が仮現する。

時間が経ち、システムがある状態に至る。現在から過去に時間を遡れば、システムが変遷した道程がわかる。したがって最初から現在の状態が決定されていたかに見える。だが、その道筋を法則に還元できなければ、到着点に至る情報量を縮小できない。数列を考えよう。繰り返しがあれば、kずつ加算する、加速度αをかけるなどの規則で表現できる。ところがランダムな羅列は繰り返しを含まない。したがって数列を示すためには全体をそのまま書き出すしかない。世界の進行を律する法則は存在しない。未来に生じる事象を知る一番速い方法は、実際にシステムがその時点に至るまで待つことに他ならない。

ダーウィン進化論は未来予測不可能な開放系をなす。進化と聞くと種が変遷する法則が存在する気がするが、それは錯覚だ。生物が進化する方向は偶然決まる。歴史には目的もなければ根拠も存在しない。この点を明らかにしたのがダーウィン進化論最大の功績である。竹内啓『偶然とは何か──その積極的意義』から引く（改行を減らした）。

ダーウィンの進化論は、キリスト教神学と決別するものであったのみならず、それまでのニュートン力学的宇宙観にも亀裂を生じさせるものであったことに留意しなければならない。すなわちそれは、ニュートンの不変の宇宙とは違い、宇宙の中に新しいものが生まれる、本質的な変化が生じることを主張したからである。

ダーウィンは、生物の進化は突然変異と自然選択によって起こるということを、膨大な事例を集めて立証した。そこで主張されていることは、突然変異という偶然が、自然選択というふるいにかけられながら累積していくことによって、新しい種を生み出すという創造がなされるということである。そこでは、偶然は無知に基づく予測不可能性でも、あるいは、必然性からの単なる逸脱でもない、積極的な役割を果たしている。これは、ニュートン物理学の機械的な宇宙観にはまったくない考えである。

この考えはきわめて革命的であって、進化論を事実としては受け入れた人々にもなかなか理解されなかったところであった。ダーウィンは生物が進化し、古い種から新しい種が生まれることを「必然的」と考えたが、それはニュートン力学の想定する「必然性」とは本質的に異なる。ある時点で、これからどのような方向に進化が起こるか、それによってどのような新しい種が生まれるかを予測することは不可能なのである。[24]（強調小坂井）

歴史が実際に展開されるまで、どのような世界が現れるか誰にもわからない。それでも「真理」が発露する。

未知数として時間ｔが物理学の運動方程式に含まれる。だが、これは空間座標の変数とかわらない。ｔに数値が代入されるやいなや世界の状態が完全に決定される。未来は誰にもわからないという意味での時間とは違う。未来と過去が現在に還元される。

ある数学定理が証明される瞬間は歴史上の一時点だ。ピタゴラスの定理は紀元前五世紀に発見された。だが、論理的な意味で定理は最初から公理に含まれる。そうでなければ演繹できない。演繹とは必然的に至る道筋の明示である。物理学や数学と同じ論理構造に歴史が従うならば、世界は原初から決定されている。

だが、我々の了解する歴史は違う。法則を破る出来事、因果律に楔を打ち込んで方向を変える契機の積み重ねが歴史であり、真の変化だ。歴史が初期条件の自動展開でなく、断絶が生まれるのはどうしてか。ここで人間の自由が持ち出される。だが、第三章で見たように、この常識的解決は採れない。出来事にはそれを起こす原因となる他の出来事が必ずある。そして、その原因たる出来事も他の原因によって生じる。主体が歴史を変えられなければ、因果関係の連鎖が無限に続くはずである。

ところが一九世紀フランスの哲学者アントワーヌ・オーギュスタン・クールノーが決定論に則りながらも偶然を積極的に定立した。独立する二つの力学系を考えよう。各系が内部の因果律によって完全に決定されても、二つの系が出会う場面では偶然が生ずる。雨の日、屋根から瓦が落ちて、散歩する人の頭を直撃する。その時その場所の瓦落下は因果律に完全に搦め捕られる事象だ。他方、散歩する人がその時その場所を通ったのも決定論的出来事だ。だが、屋根の傷み具合と通行人の散歩は無関係である。瓦の落下と通行人の位置は独立の事象をなすから、瓦落下による怪我は偶然の事故だ。原因不明であるゆえに偶然と錯覚されるのでない。偶然は実在する。[25]

ピュグマリオン（Pygmalion）という名のキプロス王がギリシア神話に登場する。理想の女性ガラテアを彫り、人間になるよう願ったところ、女神アプロディテが彫像に生命を吹き込んだ。この神話にちなんで社会心理学はピグマリオン効果と呼び、最初は先入観や偏見にすぎなくとも正のフィードバックによる増幅を通して、対応する現実が次第に出来上がるプロセスを研究する。

生徒の潜在能力に教師が先入観を持つと、各生徒に同じく接しているつもりでも実際は無意識に異なる対応をする。その結果、客観的な学力差が現れる。[26] 授業で褒められた子は先生が好きになり、科目に好奇心を示す。面白いから勉強がはかどる。知らず知らずのうちに成績が上がり、得意科目になる。先生や他の生徒から認められ自信がつき、さらにまた勉強が進む。スポーツ・芸術・医療そして市場経済でも同じ心理が働く。

偶然の出来事が循環プロセスを開始し、現実を作り出す。素敵な人に出会い、二人とも何となく相手が気になる。男性は意を決して、また会いたいと手紙を出す。ところが郵便局が手紙を紛失してしま

う。いつまで待っても返事を得ない男性は嫌われたと思いこみ、再び出会っても女性を避けるようにな
る。初めに会ったその日から男性に恋心を覚えていた彼女は相手の冷たい素振りにがっかりする。それ
以降、自尊心を傷つけられた彼女は男性を憎み、諍いが始まる。こうして一つの恋が失われる。偶然の
小さな揺らぎが未来を大きく左右する。

第六章

社会は制御可能か

虚構と偶然を考察した。虚構がなければ、人間生活は営めない。虚構のおかげで世界が安定し、意味が付与される。秩序に根拠はなく、偶然の所産にすぎない。だが、偶然が生み出す虚構が機能し、必然や運命が仮現し、人間は納得する。こう議論した。

残る問いは、近代が理想として掲げる普遍をどう捉えるかだ。この問いは人間の限界につながっている。普遍が存在すれば、それに向かって邁進すれば良い。正しさが定められるならば、それを目標に努力すれば良い。だが、神を殺した近代は同時に普遍を手放した。正しさの根拠を打ち壊してしまった。何が正しいか決められなければ、どのように生きるべきか、どのような社会を築くべきかと考える意味が失われるはずだ。それなのに書籍市場に規範論が氾濫する。規範論とは、いったい何なのか。どうあるべきかという規範論を私が拒み、人間と世界が実際に機能する記述に終始する理由を明らかにしよう。

――近代イデオロギーと規範論

社会問題を扱う本はたいてい規範論だ。データを提示し、状況を分析した後で解決の処方箋が必ず出てくる。対策が見つからなければ、出版を躊躇するほどだ。だが、私は規範論をしない。

太陽の周りを惑星が回る。軌道がどう描かれ、運行の原因は何か。科学はこう問う。ケプラーの法則に従えと惑星に命令などしない。理論どおりに運行しなければ、まちがっているのは惑星でなく、ケプラーの方だ。お前が発見した万有引力のせいで財布を落としてしまったとニュートンを難詰したりしない。私論も同様に、現実に社会がどのように機能するかを分析する社会学であり、人間がどう生きているかを記述する人間学である。自由・平等・主体など近代のキーワードをめぐって議論しても、それらをどう規定すべきか、どう考えれば社会が安定して幸せになるかという問いではない。それらが現実にどのような存立構造をなすか、社会でどんな機能を担うのかの分析である。

　記述論と規範論を混同しないために法という言葉の二つの意味を区別しよう。科学法則の否定は法則の誤りを意味する。修正すべきは観測事実でなく、法則である。万有引力の法則は一定の軌道に沿って物体が運動すべきだという命令ではない。物体が実際にどのような運動をするかという事実の記述だ。地球が本当は他の軌道を通りたいのにケプラーの法則があるため、仕方なしに規則が定めた通りに公転するのではない。ここでの法則は強制を意味しない。法則は物事が実際に起きる事実の記述であるから、その通りにならないなら単に法則が誤っている、そのような法則が存在しないことを意味する。法則とその否定は両立しない。

　他方、法律（規範）の違反者が現れても法律のまちがいを意味しない。我々は強制的に法律に従わせられる。違反すれば罰則が待つ。法律とその否定は両立する。それどころか違反がなければ、法律は無用だ。殺人が絶対に起きなければ、殺人罪を定める意味がない。違反が予想されるからこそ、法律の存在意義がある。[1]

社会科学書の著者のほとんどは大学人だ。規範論を避けるのは学問の常識である。博士論文で規範論を展開したら審査員に窘められる。それなのになぜ商業出版は規範論ばかりになるのか。書籍市場という磁場のバイアスが原因なのか。大学人は書籍の数倍の量の学術論文を出す。慣れた記述論を書かずに、規範論に流れるのはなぜか。不思議だ。

『責任という虚構』文庫化に際して補考「近代の原罪　主体と普遍」を加え、哲学者五人の考究と対峙した。[2]自由も責任も因果律では捉えられないと認める点において彼らも私もかわらない。ところが、意識が生ずる以前に身体運動の発動指令を脳が送る事実に誰もが同意しながら、自由意志の有無については正反対の結論が導かれる。何故だろう。根本的な何かが違う。共通認識から出発しながらも彼らは自由と責任の可能性を主張する。この到達点の不思議を真正面から見据えた時、規範論と近代の共犯性が浮かび上がった。彼我の隔たりの原因が近代の解釈にあったとは、それまで気づいていなかった。

自由や責任が決定論問題と無関係だとわかっている哲学者は少数だ。シュリックは『倫理学の諸問題』第七章「どのような時、人は責任を問われるか」をこう始める。

私は躊躇し嫌々ながら、この章の倫理問題を議論する。何故なら、倫理の根本的問いと今日でも考えられてはいるが、実はすでに議論が盛んになされ、誤解が原因で導入されたにすぎない、自由と意志をめぐる疑似問題だからだ。思慮深い思想家たちによりずっと昔に解決済みの疑似問題だ。この誤解は今まで何度も話題にされ、特にヒュームが明晰な説明を与えた。この問いを扱うために大量のインクと紙を浪費するだけでなく、もっと重要な問題に回すべき知的エネルギーを浪費し続ける、哲学の大スキャンダルだ（……）。「自由」について一章を綴るのは本当に恥ずかしい。倫理において重要なのは小見出しに入れた「責任」という単語だけだが、まさしくこの言葉から誤解が生まれる。（……）この哲学上のスキャンダルの息の根を今度こそ止められるという期待で私は自分を慰めよう。[3]

強制を感じるか否かが自由と不自由を分ける基準であり、行為の決定論・非決定論はどちらも、自由かどうかの判断と無関係である。決定論問題と自由を結びつける問題設定がそもそも的外れだ。こう論じるシュリックの文章は一九三〇年、つまり一世紀近く前に書かれた。それでも相変わらず多くの思想家が、この疑似問題に囚われている。

正しさを担保する超越的源泉が失われた今、誰もが安定を求め、どう生きればよいのかと模索する。この強迫神経症に哲学者こそが罹るのは何故か。論理を厳密に追う訓練を受け、叡智に支えられる人々こそが近代エピステーメーの虜囚になる。それには理由がある。ほとんどの人間は近代の原理的矛盾に気づきもしない。論理飛躍を気にしなかったり、宗教や迷信に逃げ込む。だが、緻密に考える哲学者にそんな安易な解決は採れない。普遍と自由の矛盾の前で右往左往する姿は彼らの洞察力と誠実さの表れである。それを理解しなければ、近代の奈落は見えてこない。

近代的思考枠の深く広範な縛りに気づいた発端は『神の亡霊　近代という物語』の執筆だった。この論考は最初『UP』（東京大学出版会）で二年間、隔月連載した後、本文に三倍の量の注釈をつけて書籍化した。その折に全体を俯瞰する目的で「序」を加えた。その過程で、自由意志が神の化身にすぎず、共同体外部に位置する神の代替物として個人内部に捏造されたことを発見した。この事情は第三章にすでに書いた。近代に胎動した大転換が我々の思考を今も拘束する。

中世の桎梏から近代は人間を解放し、自由を与えた。そして普遍的価値に支えられた正しい社会の構築に尽力する。だが、そこからまさに近代の迷走が始まった。時間と空間の両次元において近代は無理な要求を掲げる。

まずは時間軸に目を向けよう。人間が自由な主体ならば、作り出される世界はどんな形をも取りうるはずだ。世界の原初が真理に支えられていたとしても、人間が生き永らえるうちに世界は次第に真理から離れてゆく。プラトン哲学のイデア論や、知恵の樹の実を囓ってエデンの園を追い出されたという旧約聖書の物語が、その典型である。

逆に、時間が経つにつれて真理に近づくという立場もある。ヘーゲルやマルクス、あるいはフランスの社会学者オーギュスト・コントの歴史主義（historicism）がよく知られている。弁証法を通して世界は真理に漸近的に近づくとヘーゲルは考えた。アリストテレスが提唱した目的因は万物の本質に向かう運動を起こす。ヘーゲルの着想はこれに似ている。だが、真理が未来で人間を待ち受けるならば、自由を持ち出す必要がない。必然的に真理に近づくならば、真理への道は法則であり、自由ではない。真理と独立した概念でなければ、自由は意味をなさない。自由と普遍は相互排除の関係にある。

自由と普遍を一揃えで考えるようになったのは近代に入ってからだ。古代ギリシア時代にも中世キリスト教時代にも自由意志は要らなかった。近代だけが必要とする概念である。神を殺した結果として、相互矛盾する自由と普遍を同時に追い求める姿勢が必然的に生まれ、規範論へと駆り立てる。存在を記述する私論を当為として誤読するバイアスは近代のイデオロギーに直結している。

自由な主体という物語の先には、もう一つのアポリアが待つ。今度は空間軸に視線を移そう。前近代の共同体はヒエラルキーを本質とし、個人が従属・服従する全体として現れる。[4] そこでは神なる外部が正義をアプリオリに担保していた。対するに近代は自律する個人という本質的に非社会的な存在を生み出した。では個人はどう結びつき、社会で共存するのか。自由な個人の単なる集合が、どうして有機的な共同体に変質するのか。そして正義はどう規定されるのか。

古代ギリシアのように社会慣習という外部には依拠できないし、中世キリスト教世界のように神なる超越的根拠も失われた。近代では正義の目的や根拠が個人に置かれる以上、個人の権利から出発するしかない。だが、その方向には原理的な無理がある。どんな論理体系も自己完結しない。システムを完全に閉じることは不可能だ。根拠を立てたすぐ後に、ではその根拠を正当化する根拠は何なのかと問いが繰り返される。正しい秩序を合理的に定める試みは無限遡及に陥る。意識的かつ人工的に根拠を生み出そうとする社会契約論は必ず失敗する。フランスの文化人類学者ルイ・デュモンが指摘する。

もし個人から出発するならば、社会生活は意識と力（あるいは「権力」）の生産物としてしか理解できない。まず、個人の単なる集合が集団へと移行するためには、「契約」すなわち意識的な取引や人工的な意図が要請される。そしてその後は「力」の問題となる。何故なら、この取引に個人がもたらすことの出来るものは暴力しか残っていないからだ。暴力の反対に位置するものはヒエラルキー、つまり権威であり、社会秩序である。（……）結局、意識と合意に重きをおくことは、同時に暴力と権力を前面に押し出すことを意味する。[5]

公共空間として社会をイメージする社会契約論には時間が抜け落ちている。それでは正統性が定立できない。権利や権力という明示的関係だけでなく、権威という社会心理現象が加わって初めて権利・権力に正統性が付与される。権力・権威・説得の違いをハンナ・アーレントが説明する。

権威は常に服従を要請する。それゆえ、権力や暴力の一種としばしば取り違えられる。だが、強制のための外的手段と権威は相容れない。だから、力が用いられる場合は、本来の権威にとって失敗を意味する。他方、対等な関係が前提され、議論によって成立する説得とも権威は両立しない。議論に頼る時、権威は介入しない。説得を特徴づける対等な秩序と、上下関係を常に内包する権威的秩序は相容れない。[6]

空間は権力の母体であり、時間が権威の源泉をなす。[7]権威は信仰の産物だ。最終的根拠は論理的演繹によって成立しない。根拠は社会心理現象であり、システムを閉じるための虚構である。合理性という、時間を抜いた論理形式で近代は世界を腑分けする。だが、それは初めから無理であり、絵に描いた餅にすぎない。思考が停止するおかげで規範の正しさが信じられる。

ジンメルが循環的推理と呼ぶ認識形式も虚構である。

ある原理の証明をする際に、その根拠を見つけ、またその根拠を支えるさらなる根拠に到達するやり方を続けよう。周知のように、証明すべき最初の原理が確かだと仮定さえすれば、次々に証明が可能になる。演繹として見るならば確かに循環論であり、空しい。しかし我々の知識を全体として捉える時、このような認識形式は浸透している。膨大な量の前提が無限に重なり合い、それらの境界が曖昧なまま知識が蓄積される事実を思えば、命題Aが命題Bによって証明され、この命題Bが他の命題C、D、E……によって証明され、それらが最終的に命題Aによってのみ証明される可能性を排除する必要はない。命題C、D、E……という論拠連鎖が出発点に戻って循環する事実が意識に上らない

ほど充分長ければよいのである。[8]（強調小坂井）

論理循環の無自覚がこの「証明」の成立条件だとジンメルが明示するように、これは虚構である。近代が夢想した自由と普遍に横たわる矛盾はこうして解ける。実は自由も普遍も神の死がもたらした虚構にすぎなかったのである。

——規範論をしない理由

社会は人間の相互作用が生み出すのであり、神・天・運命などが操るのではない。だが、それでも社会の動向は人間の意図を離れ、勝手に進行する。これも第二章ですでに述べた。社会現象を起こす原因が人間以外にないという言明と、その現象が人間自身にも制御できない事実の間には何の矛盾もない。人社会という全体の軌跡は人々の意識と齟齬を起こし、あたかも外部の力が作用するかの感覚を生む。人間から遊離し自律運動するシステムとして集団現象は我々を無意識のうちに拘束する。インターネットの討論フォーラムのように社会全体に情報が散在するからだ。集中統轄する場所はどこにもない。ハイエクが言う。

われわれがみずからの精神に起きる多くの事柄に気づかないのは、それがあまりにも低いレベルにおいて進行するからではなく、あまりにも高いレベルで進行するためである（……）。このような過程は「意識下」というよりは「超意識的」と呼ぶ方が適切かもしれない。なぜならこれらは姿を現すことなしに意識過程を支配するからである。[9]

意図的に介入できる場合もある。しかし害虫を殺すと生態系に新たな問題が発生しうるように、他の部分に思わぬ弊害が出る可能性がある。社会は複雑系をなすからだ。ナザレのイエスが説く新しい思想が世界に伝播したように、たった一人の異端者が変革をもたらすこともある。だが、時を経て魔女狩りや宗教裁判の暴走を招いたように、その行方は誰にも制御できない。人間が作った秩序なのに、どの人間に対しても外的な存在になる。誰にも、権力者にさえ自由にならない状態ができるおかげで、社会秩序は誰かが勝手に捏造したものでなく、普遍的価値を体現すると錯覚する。

人間の未来は人間自身にも決められない。それは二重の意味で不可能だ。人間は意識的・合理的に思考し行動する存在でない。逆に行動を合理化し、行動に合致する意識が後に生ずる。たくさんの基礎的なプロセスが脳内で並列的に生じ、その演算結果が統合されて意識に上る。主体が思考や行動を生み出すのではない。個人の行動を理解する仕方がすでに擬人法である。

その上、仮に人間が意識的・合理的な存在だとしても、人間の相互作用から生成される集団現象は当事者の意図を離れて自律運動する。何をしても未来は変わらないというのではない。多数派と少数派の対立が世界を変える。だが、どちらが勝利するかは誰にもわからない。科学がどんなに発達しても未来は予測不可能である。

　歴史の偶然に左右されながら人間世界が成立し、流転する。秩序に根拠は存在しない。道徳などの社会制度が成立する際、どの形に落ち着くか原理的に不可知だ。ところが人間は合理化＝正当化せずにいられない。ゆえに、秩序を支える本当の仕組みが明らかにされぬまま、社会と時代の常識に応じた物語が紡がれる。第三章で検討した堕胎禁止を思い出そう。人間の意識に上らない実際の構造と、制度を説明する虚構がこうして乖離する。能力をめぐる正義論の様々な立場も同じである（『格差という虚構』序章「格差の何が問題なのか」参照）。

　ある現象を虚構と形容するのは、その現象が存在しないという意味ではない。残像の錯覚がなければ、映画もテレビも作れない。虹や蜃気楼は錯覚だが、誰の目にも映る確固とした現実である。知覚は錯覚なしに成立しない。[10]プロセスが錯覚で成り立つ事実と、錯覚プロセスが現実の力を生むことの間に矛盾はない。嘘も信じられれば、時に凄まじい暴力を振るう。関東大震災直後に流言から朝鮮人が多く殺された。ユダヤ人が世界征服を企むと妄想され、ホロコーストの一因になった。ウクライナ紛争において侵略者ロシアだけでなく、防衛のために立ち上がったウクライナ人や義勇兵の姿にも民族虚構の根強い作用を見る。虚構と現実は切り離せない。虚構のおかげで堅固な現実が成立するのである。愛も憎しみも虚構なしにありえない。

法の擬制と虚構は違う。「事実に反することがだれにも自覚されていない神話や、相手に自覚させないようにする嘘と異なり、だれもが、それが事実に反することを知っている点に特色がある」(強調小坂井)と説明されるように[11]、擬制はその虚構性が意識される。

共同生活を営むために人間は様々な擬制を生み出してきた。法人の連続性が認められなければ、銀行預金さえできない。金を下ろそうと銀行に行って「頭取が交代し、あなたが預金した銀行は先週で消滅しました。今の銀行は別の存在なので返金できません」と窓口で断られては困る。擬制は人工的に定めた約束だ。スポーツや囲碁・将棋などの規則とかわりない。構成員が刻々と置換される事態に対し、擬制連続の物語を用いて法人や国家の同一性を保証する。

他方、虚構性が明らかになっては道徳や宗教は機能しない。虚構が生まれると同時に、その虚構性が隠される。法制度は擬制であり、機能を担保するために警察という暴力装置を必要とする。だが、宗教と道徳は虚構であるゆえに自主的服従を催す。

社会制度の虚構性を認めた上で、だからこそ、より良い虚構を作るべきだと説く社会学者や哲学者は勘違いしている。道徳は合理的判断でない。慣習であり、信仰だ。それゆえに強大な力を行使するのである。道徳・真理・裁きに根拠はない(『人が人を裁くということ』)。だが、それにもかかわらず根拠が存在すると勘違いされなければ、人間生活は営めない。虚構のおかげで社会が機能する事実が人間の意識から隠される。パスカルは言った。

法の根拠を検討する者は、法がはなはだ頼りなく、いい加減だと気づくだろう。(……)国家に背き、国家を覆す術は、既成の習慣をその起源に遡って調べ、習慣が権威や正義に支えられない事実を示して習慣を揺さぶることにある。(……)法が欺きだと民衆に知られてはならない。法はかつて根拠なしに導入されたが、今ではそれが理にかなったものにみえる。法が正しい永遠な存在であるかのように民衆に思わせ、起源を隠蔽しなければならない。さもなくば、法はじきに潰えるだろう。[12]

人間の根源的な歴史性と社会性を見つめよう。心理学は人間の愚かさや不合理を研究する学問であり、社会学は社会の不条理と暴力を明らかにする。だが、人間が生きるとは、そういうことだ。虚構の考察を私が執拗に続ける理由は実存の深い部分につながっている。

哲学や科学の合理性に人間がしたがうならば、社会学・文化人類学・心理学・精神分析は存在意義を失う。倫理は信仰であり、根拠は存在しない。殺人や強姦など、議論の余地ない犯罪だと認識されるのは理由が明白だからではない。逆だ。禁止する本当の理由がわからないからである。悪いに決まっていると思考が停止するおかげで規範の正しさが信じられる。判断基準は歴史・社会条件に拘束される。この答えが正しいと今ここに生きる我々の眼に映る、これが真理の定義である。それ以上の確実性は人間に摑めない。

乗客の半分が死亡する航空機事故が起き、家族の名が生存者リストにあるようにと手を合わせる。入学試験の合格を願いながら自分の受験番号を探す。事態はすでに確定している。いまさら何をしようと変わらない。それでも我々は祈る。未来だけでなく、過去さえもねじ曲げようと呪文を唱える。規範論は雨乞いの踊りだ。

規範論の問題は有効性の欠如に留まらない。汚れていると信じ、いつまでも手を洗い続ける強迫神経症と同様、疑似問題に惑わせ、偽の解決に誘導する。規範論は不都合な事実を隠すために動員されるイデオロギーであり、祈りは偶然を運命決定論に変換する呪術である。

社会を少しでも良くしたい、人々の幸せに貢献したいと願い、社会学や心理学を研究する人は大勢いる。だが、規範論の素朴な善意の背景に隠れる無知・傲慢・偽善をまず自覚しなければならない。

答えが存在する保証があれば、今は見つからなくとも試行錯誤するうちにいつか見つかるにちがいない。何世代かかってもよい。いつか誰かが答えを見つけるだろう。だが、答えが存在しなければ、いつまで考えても問題は永久に解けない。ならば、問い自体を見直すべきである。進む方向に出口がないと示すのも重要な仕事だ。

悲劇を描く文学作品は多いが、解決が示されていないと非難する読者はいない。問題を抉り出すだけでも意味がある。それどころか、解決がありえない問いを突きつけて人間の限界を気づかせる営為こそに文学の真価がある。それと同じでないのか。

――メタレベルの規範論

他人の規範論を批判しながら、実は私も気づかずに規範論を主張していた。多様性への誘いだ。『人が人を裁くということ』に書いた。

大切なのは、世界の正しさを常に疑う可能性をどう確保するかだ。

（……）生老病死・存在・時間・愛・悪など、どのテーマをとっても究極的答えがあるとは思えない。だが、正しい答えが存在しないから、正しい世界の姿が絶対にわからないからこそ、人間社会のあり方を問い続けるべきではないのか。無理と判っていても、理想目標に向かって努力せよと言うのではない。真理は過去になかったし、未来にもない。人間の堕落ゆえに古《いにしえ》の知恵が覆われたのでもなければ、歴史を重ねるにしたがって普遍に近づくのでもない。

もし真理が存在するならば、見つかった真理を大切に次世代に伝えてゆけばよい。善悪の基準や正義が普遍性に支えられているならば、それらを忘れないように努力すればよい。文明が進歩して、いつか真理に到達できるなら、それを目指して研鑽すればよい。しかし真理はどこにもない。正しい社会の形はいつになっても誰にもわからない。だからこそ、現在の道徳・法・習慣を常に疑問視し、異

か。

議申立てする社会メカニズムの確保が大切なのだ。
（……）正義が成就された未来社会での話。裁判の場面を思い浮かべよう。理論武装した検察官が被告人を責める。滔々と展開される深遠な批判に対して、蒙昧な被告人は一言も反駁できない。この検察官はキリストかも知れない、ソクラテスかカントかも知れない。その時、「でも、どこかおかしい。うまく言えないが、そんな世界は嫌だ」と、〈正義の声〉を拒否する可能性をどうしたら残せるか。

民主主義の精神は多数派の暴力とは違う。誤りだと思われる意見や、社会にとって有害にみえる逸脱者に対して、どれだけ寛容になれるかが民主主義の要諦だろう。少数派や逸脱者の権利を保護せよと言うのではない。彼らの存在が全体主義から世界を救うのだ。無用の用という老子・荘子の箴言もある。今日の異端者は明日の救世主かもしれない。〈正しい世界〉に居座られないための防波堤、これが異質性・多様性の存在意義だ。

中世の宗教裁判や魔女狩り、ナチス・ドイツ、ソ連、そして中国の文化大革命も、正しい世界を作ろうとした事実を忘れてはならない。正しい世界の構想を誤ったのではない。普遍的真理や正しい生き方がどこかに存在するという信念自体が危険なのだ。「地獄への道は善意で敷き詰められている」という格言を思い出そう。敵は我々自身だ。

巷によくある規範論とは違う。内容としてではなく、形式あるいは構造としての規範論である。普遍は幻想であり、どんな理想も文化と歴史の文脈の中で人々の相互作用が構築する価値にすぎない。したがって、どのような社会が正しいかという問いは無意味であり、答えは存在しない。そこで、目指すべき方向は定められないが、それでも多様性を保持し、社会の変動を可能にするために、少数派が抑圧されない環境の維持が大切だという、より抽象的なメタレベルでの規範論がありうる。

と、考えていた。だが、やはりこれはおかしい。人間の主体性がまやかしであり、集団現象が個人から遊離するならば、どんな規範論も虚しいはずだ。多様性を説いても無駄である。

規範論には二つのベクトルがある。一つは正しい秩序の理想であり、もう一つは社会の行方を人間が意図的に制御できるという信念である。どちらが欠けても規範論は意味を失う。何が正しいかを定められなければ、規範論は無意味だ。希望する方向に社会を誘導できなければ、規範論が無駄になる。多様性の称揚は私の想いが滲み出ていただけだった。多様性維持は規範論でなく、社会のメカニズムとして記述すべきだった。

少数派と多数派の闘いから真理や正義が仮現し、時の経過とともに変わっていく。異質性や多様性が世界変革の起動力をなす。デュルケムの古典『社会学的方法の規準』から引く。

自らが生きる時代の価値観を超えようと夢見る理想主義者の創造的個性が出現するためには、その時代にとって価値のない犯罪者の個性も発現可能でなければならない。前者は後者なしにありえない。[13]

良い異端と悪い異端があるのでない。何が正しいかは結果論だ。社会の支配的価値に抗して逸脱者・少数派が立ち上がる。安定した環境に楔を打ち込み、システムを不安定にする。少数派と多数派との間に繰り広げられる対立から次なる安定が生まれ、秩序が変遷する。社会は根拠のない、未来に開かれたシステムだ。

犯罪とは何か。悪いことをするから罰を受けるという常識がすでに誤りである。デュルケム『社会学と哲学』から引用する。

> 殺すなかれという命令を破る時、私の行為をいくら分析しても、それ自体の中に非難や罰を生む要因は見つけられない。行為とその結果［非難や罰］は無関係である。殺人という観念から非難や辱めを演繹的に［analytiquement 分析的に、あるいは内的関係として］取り出すことはできない。（……）処罰は行為内容から結果するのでなく、既存の規則を遵守しないことの帰結だ。つまりすでに定められた規則が存在し、行為がこの規則に対する反逆であるために処罰が引き起こされるのである。（……）禁止行為をしないよう我々が余儀なくされるのは、単に規則が当該行為を我々に禁ずるからにすぎない。[14]（強調デュルケム）

行為の性質――殺人はAという理由で悪い――によって犯罪性は決まらない。美人の基準と同様、行為の是非も社会的・歴史的に定まる。社会が成立し維持される上で規範ができると同時に、そこからの逸脱つまり多様性が現れる。肯定的評価を受ける逸脱要素を創造的価値として受け入れる一方、否定的烙印を押された要素は悪として排除する。生物が食物摂取後に栄養分を体内にとどめ、消化できない要素を排泄し、新陳代謝でできる有毒物を肝臓や腎臓が分解・濾過して体外放出する仕組みに似ている。デュルケムの言葉通り、独創と犯罪は同根だ。スティーブ・ジョブズや坂本龍馬は素晴らしいが、ヒトラーやスターリンは悪いという発想がそもそもの躓きである。

犯罪の正体に関する十全な議論は『増補　責任という虚構』に譲り、悪い結果は悪い原因によって生ずるという常識の誤りに気づくために性犯罪を例に取ろう。強姦被害者はなぜ苦しむのか。心に受けた傷は長期にわたって、あるいは一生かかっても癒えない。それは性という、人間にとって特別な意味を持つ世界での造反行為だからだ。問題は肉体上の被害ではない。確かに、妊娠し中絶を余儀なくされ、二度と子を産めなくなったり、性病を移されるなど、身体に傷痕が残る場合もある。それでも、出刃包丁で腹を刺されたり、頭を鉄パイプで殴られれば、それ以上に酷い障害が生ずるだろう。問題は心だ。では性犯罪はなぜ精神的苦痛をもたらすのか。人間の性が完全に解放された世界を想像しよう。猿のボノボは挨拶として性行動をする。人間がそんな存在になったら、性犯罪は消失するか、今よりもずっと数が減るにちがいない。誰とでも性関係を持つ世界では強制の必要がない。他者を支配する手段や相手に認められるシンボルとして性行動は用をなさなくなる。被害者の側も同様だ。握手したり、一緒に食事したりする以上の意味が性から失われる社会では、性的造反による精神的苦悩は同時に消える。

つまり社会が機能不全に陥るから性犯罪が生ずるのではない。性犯罪は、性タブーを持つ社会に必ず起こる正常な現象である。道徳や禁止は必要であり、正しい社会制度として理解されている。しかし、そこから性犯罪が必然的に生じ、被害者が苦しむ。実は我々も悪の共犯者なのである。

各社会の構造に応じて逸脱許容度が異なる。しかし逸脱は必ず生ずるし、逸脱への抑止力が同時に機能する。道徳・宗教・法律・常識が強力に作用し、均一度が高い社会なら、ほんの小さな差異にも強い拘束力が働く。多様性が客観的に減少し、逸脱行為が弱まっても、社会に生きる人々にとっては、その小さな逸脱が社会秩序に対する大きな反逆と映る。デュルケムが言う。

正常な社会学現象として犯罪を把握するとはどういう意味か。犯罪は遺憾だが、人間の性質が度し難く邪悪なために不可避的に生ずる現象だと主張するだけに止まらない。それは犯罪が社会の健全さを保証する指標であり、健全な社会に欠かせない要素だという断言でもある。

（……）集団規範から逸脱する個人のいない社会はありえない。そこで生ずる多様な行為の中には犯罪行為も当然含まれる。なぜなら行為に犯罪性が看取されるのは、その内在的性質によるのでなく、共同意識によって各行為に意味が付与されるからだ。だから共同意識がより強ければ、すなわち逸脱程度を減少するための十分な力が共同意識にあればあるほど、同時に共同意識はより敏感に、より気むずかしくなる。他の社会であればずっと大きな逸脱に対してしか現れないような激しい勢いで、ほんの小さな逸脱に対してさえも反発する。小さな逸脱にも同じ深刻さを感じ取り、犯罪の烙印を押す。

したがって犯罪は避けようがない。犯罪は社会生活すべての本質的条件に連なる。しかしまさにそのことが犯罪の有益性を表す。なぜならば犯罪と密接な関係を持つこれらの条件こそ、道徳と正義が正常に変遷するために欠かせないからである。[15]（強調小坂井）

デュルケムは翌年発表した他の論文でフランスの社会学者ガブリエル・タルドの批判に答え、犯罪のない社会がありえない理由を敷衍する。

役に立とうと害をなそうと、どんな犯罪も社会生活すべての根源的条件に結ばれている。そのため犯罪は正常である。個人間に多様性のない社会はありえないからだ。そしてこの多様性には必ず犯罪性が感知されるからである。[16]

慣習や道徳がどんなに変遷しても社会は何らかの行動を必ず犯罪と規定する。

道徳観念が十分に発達し、現在の犯罪が完全に消え去ったとしても、それまで許容していた行為を今後より厳しく罰するようになる。したがって、ある形の犯罪が消えても他の形で再び現れる。つまり犯罪のない社会の構想は論理矛盾を内包する。[17]

ジョージ・オーウェル『一九八四年』のように、秘密警察の監視下で逸脱者を見つけ次第すぐさま、洗脳するか殺せば、社会に悪がなくなる。逸脱者が一人もない完璧な全体主義社会だ。だが、そのためには膨大なエネルギーが無駄に消費される。密告者を配置するだけでなく、密告者を監視するための人員も必要になる。

テロが起きると非難の声が上がる。反対は自由だが民主的手段を採るべきだ、暴力に訴えてはいけない。我々はこう考える。だが、多数派が許容する限界を超えて改革を試みる時、打開する術として少数派にはしばしば暴力しか残っていない。フランス革命・アメリカ独立戦争・アメリカ奴隷解放戦争（南北戦争）・明治維新・ロシア革命・アルジェリア独立闘争・ベトナム解放戦争・アパルトヘイト打倒・東ティモール独立……、どれをとっても暴力なしに成就できなかった。第二次大戦中のフランス・レジスタンスもナチスに抵抗するためのテロ組織だった。

目的のためには手段を選ぶなと言うのではない。暴力などない方が良いに決まっている。だが、実力行使しか残っていないと当事者が判断すれば、多数派がどう考えようと暴力に訴える反対闘争が起きる。世界の変遷をいつまでも止めることはできない。逸脱者・反抗者・少数派が世界をいつか必ず変革する。ブラック・イズ・ビューティフルというスローガンを生んだ黒人解放運動がそうだった。男性支配に楔を打ち込んだフェミニズムがそうだった。歴史とは、時間とは、変化の同義語である。

規範論は意見にすぎない。だが、記述論は事実を描く以上、それが正しければ、他の可能性はない。否応なしに多様性が維持される、誰が何を言おうと少数派が必ず社会を変えてゆく。覚悟ある宣言はどちらの方か。

――区別・差別・格差

規範論を退ける理由をさらに示そう。犯罪と能力の正体を見た。これらの社会現象に規範論は無力だ。では差別はどうか。格差を批判する人も格差が完全になくなるとは思わないし、なくすべきだとも考えない。ところが差別はまちがいであり、撲滅すべきだと誰もが信じる。近代社会において個人差は正当な現象と捉えられる。他方、集団単位のヒエラルキーは認めがたく、民族差別や性差別は消滅すべき悪である。

だが、格差と同様、差別も絶対になくならない。集団への差別や偏見と闘う社会学や社会心理学の本はどれも出発点で躓いている。悪い現象は悪い原因で生ずるという常識を疑わなければならない。社会の機能不全から差別が生ずるのではない。犯罪や格差が不可欠なように、差別も社会の正常な機能である。だから時代が変わっても、人間がどんなに努力しても悪は絶対になくならないし、減りもしない。[18]偽の出口をいくら探しても、その先は行き止まりだ。

差別と区別は違うとよく言われる。客観的な区別と異なり、差別は価値判断が入る悪い慣習なのだと。私の問題設定は違う。人間の世界にヒエラルキーはなくせない、ならば、差別がなくなるだろうか。

士農工商や貴族制などの身分制度が前近代のヒエラルキーを正当化した。ヴェーバーの言う支配がうまく機能している状態だ。国王や天皇の前で頭を垂れ、親や上司に従順を示す。生徒が先生を敬い、弟子が師に心酔する。これも支配だ。理想状態にある支配は真の姿を隠し、自然の摂理のごとく作用する。

殺傷したり飢えさせるなどの物理的強制力は支配の本質でない。「一定最小限の服従意欲、すなわち服従に対する外的あるいは内的な利害関心が、あらゆる真正な支配関係の要件である」とヴェーバーが説くように、[19]継続する安定した支配はむき出しの暴力によって成立しない。自らに都合の悪い支配関係に被支配者が合意する。合意が強制力の結果として現れず、自然な感情として感知されればされるほど、支配が強固になる。

社会には必ずヒエラルキーが発生し、地位の違いが何らかの方法で正当化される。そうでなければ絶えず争いが生じ、社会が円滑に機能しない。他の動物でもペッキング・オーダーのような序列ができるように、集団が最も安定し、紛争が少ない状態が支配によって生まれる。

近代民主主義社会も平等でなく、人々の間に上下関係がある。時代や地域により支配形態は様々であり、それに対する正当化の仕方も異なる。だが、どんな社会であれ、支配自体はなくならない。支配のないユートピアは「どこにもない場所」というギリシア語の原義通り、建設しようがない。人類の努力が足りないから、支配から解放された世界が実現しないのでない。支配は社会と人間の同義語であり、我々の生活の根本を成す。

身分制度が機能しなくなった近代に残る集団序列、これが差別と呼ばれる社会現象である。以前は支配側だけでなく、被支配者も受け入れていたヒエラルキーが崩壊する。上層と下層の境界に風穴が開き、その隙間に差別が現れる。[20] 身分制の正当性が失われたにもかかわらず、集団カテゴリーの区別に依然としてしがみつく。近代になって奴隷制が廃止され、平等が建前になった、まさしくその時に人種主義が台頭した。ルイ・デュモンが言う。


　これこそ平等主義が意図しなかった結果の恐らく最も劇的な例だろう。(……)イデオロギーが世界を変革する可能性には必ず限界がある。そして、その限界に無知なゆえに、我々が求めるところと正反対の結果が生じる危険をこの事実が示唆している。[21]

本質は何も変わっていない。被害者は替わり、偏見の内容も変遷する。少数派と多数派の地位がひっくり返る。だが、誰かがスケープゴートになる事態は永久に続く。差別は、中世から近代への移行が必然的に生む社会現象である。個人という人間像が生まれ、集団基準による区別が不当と感じられるようになる。だが、集団的存在である人間の世界に差別は消えない。今でも民族アイデンティティが機能している。オリンピックやサッカーのワールドカップでの盛り上がりや狂気を思い出そう。都合の良い時だけ集団同一性を称揚するわけにいかない。

ありえないことだが、仮に集団カテゴリーが世界からなくなっても、格差の形に姿を変えて不平等は永遠に続く。メリトクラシーというイデオロギーが個人の能力差を口実にヒエラルキーを正当化する。これが『格差という虚構』の結論だった。

前近代の区別は非支配者も受け入れていた。したがって身分制の虚妄を革命が破壊する以前、反発や恨みは強くなかった。また、このような閉鎖社会では上層との比較が免れるゆえ、嫉妬に苛まれにくい。近代社会における格差もメリトクラシー原理に騙され、諦める。ところが、差別される者の感情は違う。前近代の諦念も近代の自己責任も機能しない状況では、なぜ不当な扱いを受けねばならないのかと怒りや悲しみがいつまでも続く。

当人に現れる感覚はこのように大きく異なる。だが、区別も差別も格差も客観的には同じ欺瞞に支えられている。区別と差別の違いは、集団の階層化が正当性を付与されるかどうかだけであり、差別と格差の違いは、正当化の根拠を集団に置くか、個人に置くかだけである。ヒエラルキー維持の観点から見れば、区別・差別・格差の根は同じだ。

これら三形態の序列制度は並列して永続する。人間は他者との比較を通してアイデンティティを育む。したがって区別も差別も格差もない社会に人間は生きられない。すでに説いたように彼我の差が小さくなればなるほど、その小さな違いが人々をますます苦しめる。[22]

——被支配者の共犯関係

支配はなぜ消えないか。その理由の一つは、下層集団の一部が支配維持に積極的役割を果たすからだ。こんなメカニズムを考えるとわかりやすい。高学歴で有名企業に入社しても男性社員と違い、管理職への道が女性に閉ざされている。三〇歳を過ぎた頃、退職への圧力がかかる、そんな社会での話だ。美しい大学生がまもなく卒業を迎える。就職しても年収五〇〇万円稼ぐことは難しい。その時、金持ちの医師が結婚を申し込む。年収一億円、親の遺産で買った大邸宅もある。仕事に就かず、家庭の主婦になるのが条件だ。どちらを選ぶべきか。女性が結婚を望んでも、誰も非難できない。差別社会で次善の策を採っただけだ。だが、そのような選択を多くの人が行えば、女の幸せは結婚であり、育児だという常識は変わりにくい。当人も決断を後に正当化するだろう。差別が被支配者の自業自得だと主張するのではない。被支配者自身が支配構造維持に貢献する誘因が働くからこそ、支配は安定し、継続する。その仕組みを見逃してはならない。

ほとんどのアメリカ黒人女性は多大な費用を払ってストレートパーマをかけたり、カツラやウィッグを付けて生活する。元大統領夫人ミッシェル・オバマやジョージ・W・ブッシュ政権下で国務長官を務めたコンドリーザ・ライスなど頂点に上りつめた人びとも同様だ。癌を誘発する危険な薬品を使って皮膚を漂白する黒人もいる。そこには白人への抜き差しならない劣等感がある。[23]なぜ、不利な美意識を内在化するのか。

アンティル（カリブ海フランス領）人が白人に抱く劣等感をフランツ・ファノン『黒い皮膚、白い仮面』が抉り出す。

私の魂のもっとも黒い部分から、点々と線影のついた地帯をよぎって、完全に白人になりたいというあの欲望が湧き上ってくる。私は黒人として認められたくはない。白人として認められたいのだ。（……）それをなしうるのは、白人の女でなくして誰であろう？　白人の女が私を愛するならば、彼女は、私が白人の愛に値するものであることを証明してくれることになる。私は白人のように愛されることになる。[24]

白人への同一化競争がアンティル人どうしで繰り返される。マルティニーク人は、肌がより黒いグアドループ人よりも優れていると感じる。他方、グアドループ人はマルティニーク人になりすます。[25] 既存ヒエラルキー自体は踏襲し、同じ論理の内部で解決を図る。

一九六八年、暴力団員二人を撃ち殺した後、ライフル銃で人質を取り、静岡県の旅館に立て籠もった在日朝鮮人・金嬉老《キムヒロ》。幼少期から差別されながらも、彼は日本人になりたいと切望していた。

天皇の玉音を聞いて泣いたのは、私の感情は日本人のそれと変わる処がなかった事と、私の性格（一本気）から云って、天皇のために兵隊に行って死ぬんだ、立派な（?）手柄を……と思いこんでいた時でもあります。ですから、戦後も、アメリカ兵を敵視する感情が取れず、名古屋の中村遊かくで、奴らの車がむらがっているのを見て、日本女性をアメ公などにと云ういまいましさから、タイヤの空気を抜いてやる事で、そのうっぷんを晴した事もありました。又、東京の上空で空中戦を見て、日本機が落されると、ぢだんだふんでくやしがり、石を拾って空へ投げる程の激しい敵意を表現したのも、私の感情が日本人化していたという事でしょう。（……）

私が「朝鮮人」として、虐げられた事実は私の記憶の中にも多く残って居りますが、それだけに私は、朝鮮人が嫌いだったし、自分を早く日本人にしてしまいたいと思って、無駄な努力を無駄でないように思い込んでしたのです。[26]

ほとんどの論者が同一化を抑圧で説明する。[27] だが、支配者への同一化はすべての抑圧状況に生じるのではない。被支配者の共犯関係に気づかないと、支配の強固なメカニズムが見えない。身分制の正当性が崩れて上下層の境界が曖昧になり、階層移動できるようになると、下層に閉じ込められていた人間が上層に移動したいと望むようになる。

一九世紀末、ゲットーが消滅した後に深刻なアイデンティティ問題がドイツのユダヤ人に生まれた。[28] ゲットーに閉じ込められていた時代、ユダヤ人と非ユダヤ人の隔たりが相互に維持されていた。ところが解放により接触機会が増えるにつれてユダヤ人の葛藤が増す。上位集団（非ユダヤ人）の仲間にもう少しでなれるという心理がユダヤ人に生まれたからだ。憧憬する準拠集団に受容されるかを予測しがたい不確かな状況は、絶対的排斥以上に耐えがたい（『格差という虚構』第五章「格差の存在理由」参照）。抑圧者への同一化と支配的価値観の自発的内在化は、閉ざされた社会が生み出す病理ではない。近代の開かれた世界に現れる現象である。

アパルトヘイト（有色人種隔離政策）廃止前、カラードと呼ばれる、白人と黒人の混血者を対象に南アフリカ共和国で行われた研究がある。容姿が黒人に近い者は支配階層の白人に同一化する傾向が弱い。境界を超えて上層に行けると期待しないからだ。混血に誇りを持ち、親も子も白人の仲間入りを図らない。逆に白人に近い者は上層の白人に同一化し、白人として認めてもらいたいと願う。[29] ユダヤ人・被差別部落民・在日朝鮮人など、多数派と外見上差のない人々は多数派への通過が可能だからこそ、支配構造との闘いが難しいのである。[30]

日本の西洋化は抑圧で説明できない。日本人はアジア人でないとする動きが明治後期すでに現れている。自由主義経済学を導入した田口卯吉は『破黄禍論』(一九〇四年刊)で日本人を他の非白人から切り離し、アーリア人種に入れている。そして翌年、「日本人種の研究」を著し、ロシアと戦争に勝利した原因を日本人が白人だからだとした。[31]

日本人は西洋人に劣るという気持ちが開国後、知識人の間に浸透していく。劣等感は文化に止まらず、肉体形質にもおよぶ。福澤諭吉の門弟・高橋義雄は『日本人種改良論』(一八八四年刊)において「日本人の劣等な人種的特徴を白人との混血を通して改良すべき」だと説いた。[32]

今日でも「八頭身」が評価される。この美意識における西洋の影響がいかに深いかは、その内在化の程度からもうかがい知ることができる。多くの日本人はこれを人間に生来の美意識であると感じ、普遍的な感覚だと勘違いしている。なぜ「脚が長いほうがかっこいい」のか。なぜ「顔の彫りが深い」ほうが、「鼻が高い」ほうが「きれい」で「整った顔」なのか。なぜ「彫りが深い顔」と表現し、「でこぼこの顔」と言わないのだろうか。八頭身だと、なぜ「均整が取れ」ているのだろうか。体軀に比較して頭部が小さいことであるから「脳味噌の少ない証拠」とされてもおかしくないのに、どうしてそうならないのか。そもそも「大男、総身に知恵がまわりかね」という表現もあるぐらいなのに。(『異文化受容のパラドックス』)。

アパルトヘイト政策を採っていた南アフリカ共和国で日本人は準白人として扱われ、日本人自身が率先してそう振る舞ってきた。経済力を買われて一九三〇年代から日本人は他のアジア人や黒人と違う待遇を享受していたが、六一年に南ア国会で当時の内務大臣が「居住区に関するかぎり日本人を白人なみに扱う」と宣言し、名誉白人（Honorary White）という表現が生まれた。他の犠牲者を裏切り、自分だけ上昇しようとして被支配者が抑圧体制に協力してしまう典型例である。

『異文化受容のパラドックス』『民族という虚構』『責任という虚構』『人が人を裁くということ』『神の亡霊』『格差という虚構』の考察はどれも結局ヒエラルキーの問いに収束する。たった一つの問題を様々な角度から考えてきただけなのだと気づく。

――相対主義をめぐる迷い

普遍が存在しないことはずっと前からわかっていた。だが、それを心から受け入れられたのは、私が頭で練り上げた理屈だけでなく、専門家にはすでに常識になっていると知ったおかげだ。普遍の不在にどう立ち向かうか。これが近代政治哲学の原点であり、存在理由だと解したからである。

法とは何なのか。個人という自律的人間像を生み出した近代は、人間を超越する神や自然などの外部に社会秩序の根拠を投影せず、共同体内部に留まったままで秩序を正当づけようと試みる。神や自然の権威を認めなければ、社会を司る道徳や法を人間自身が制定しなければならない。しかし人間が善悪を判断する以上、秩序が正しい保証はない。

そこで正当化の根拠として主権概念が現れる。何が正しいかと問う代わりに、誰が正しさを定めるべきかと問うのである。正義の内容を定めるのは主権者であり、主権者が宣言する法が正義を定義する。殺人を犯罪と認めるのは主権者がそう判断するからであり、それ以外に根拠はない。ここまでは第三章ですでに確認した。だが、超越的根拠を放棄した近代の難題はまだ続く。正義がこうして定められても、それが裁判に反映されるかは別問題だ。判決の正しさをどう担保するか。

警察には警察の犯行仮説があり、検察には検察の事実推定、被告人には被告人の言い分、弁護士には弁護士の主張、そして裁判官には裁判官の判断がある。それ以外にもマスコミの解説や世間の噂もある。これら多様な見解の中で最も事実に近いと定義されるのが裁判の判決である。裁判が真実を究明したかどうかを判定するための生の事実はわからない。事実そのものは原理的に不可知だ。判決内容が事実に合致しないと言うのではない。合致する場合も、そうでない場合もあるだろう。しかし、それを検証する方法は存在しない。

事件の真相は誰にもわからないと認め、判決を正当化する政策として近代裁判制度が練り上げられてきた。フランスの司法が陥った袋小路を取り上げよう。

フランス革命を経て一七九一年九月二九日付政令により、市民陪審員が下す判決は控訴できないと規定され、刑法にも明記された。二〇〇〇年の制度改革まで二〇〇年以上、この規定が守られていた。懲役一〇年以下の犯罪を扱う軽罪裁判所の判決は控訴できる。職業裁判官が裁くからである。裁判官という役人がまちがえても、それは技術問題にすぎない。だが、重罪は人民が直接裁きを下す。したがって国民主権の原則により異議申し立てが許されない。人民の裁断を真実の定義とする以上、控訴は不可能だ。死刑が廃止される一九八一年まで、死刑判決を受けても控訴できず、一回の裁判だけで刑が確定した。

ところが有罪および量刑の見直しを上級裁判所で受ける権利を国連人権規約および欧州人権条約が保障する。人民の裁断は絶対であり覆せないとする理念を維持しながら国際協定を満足するにはどうすべきか。

第一審を職業裁判官だけに任せて、市民のみで裁く陪審制の上級裁判所を設ける案が出された。そうすれば最終判断は市民に委ねられ、国民主権の原則を崩すことなく上訴が可能になる。だが、控訴されなければ裁判官の判決が確定し、国民主権の原理が揺らぐ。それに第一審であっても裁判官という技術者に重大な判断を任せるわけにいかない。裁判官の判断が正しい保証はないからである。

もう一つの方法は、市民が司る控訴審を第一審と別の県で実施し、そこで下される判決を国民＝主権者の最終判断とする案である。だが、これでは第一審の判決が控訴審で覆った時、どちらの判決が正しいのかわからない。ギャンブル裁判だと揶揄され、採用されなかった。なぜ、このやり方に問題があるのか。

英米の事情と比較しよう。英米法にとって陪審員は共同体の縮図であり、多様な価値観を代表する市民のサンプルとして裁判に臨む。女性が被害にあった性犯罪事件の陪審員が全員男性だったり、黒人被告人を裁く陪審員がすべて白人だというようにサンプルに偏りが生じ、判決にバイアスがかかったとすれば、不公平な裁判を再びやり直す必要がある。そこに何ら論理的問題はない。

それに英米法では市民陪審員のみで第一審が行われ、控訴審は職業裁判官だけで裁く。そして第一審で有罪判決が出た場合、被告人が控訴して再び裁判を受ける権利はあるが、無罪判決に対して検察は控訴できない。被告人にすれば、まず市民陪審員により裁かれて有罪になった上で、さらに職業裁判官に裁かれ、再び有罪になって初めて判決が確定する。英米法は性質の異なる二つの審理を設けて冤罪を防止する。

他方、フランスの重罪裁判を司る市民は抽象的意味での国民主権を具現する。そのため、異なる判決が二つの地域で出る可能性は論理的にありえない。この違いは「国民」という言葉の用法に表れている。他国の人々と比較する場合を除き、英語のpeopleは複数名詞として扱われる。具体的個人の集合として理解されるからである。しかしフランス語のpeupleは常に単数名詞であり、個々の人間を超える別の抽象的存在として把握される。これは偶然の言語差でなく、歴史文脈の中で生まれてきた違いである。革命政権およびナポレオン帝政の時期に抽象的な国家理念が作られていき、それに伴って単数形が定着した。[33]ルソーの一般意志を思い出そう。

裁判官三人と市民九人で第一審の合議体を構成し、三分の二（一二人のうち八人）以上の判断をもって有罪が決まる参審制が最終的に採用された。裁判官全員が有罪としても、それに加えて市民過半数の支持が要る。そして控訴審では裁判官の数を変えずに市民だけ一二人に増やした。有罪判決には一五人のうち一〇人以上の賛成を必要とする。職業裁判官が占める割合を減らし、主権者の意志が控訴審でより強く反映されるという理屈である。二〇一二年の法改正で市民参審員の数が減り、第一審の市民六人に対し控訴審が市民九人の構成に変わったが、合議体三分の二の賛成で有罪判決が下る仕組みと、市民の比重が控訴審でより高い原則は維持された。

だが、人民裁判の体裁だけ繕っても、主権者が誤る可能性を認めたことにかわりない。人民の判断が真実の定義だというフランス革命が導入した理念は二世紀を経てついに終焉を迎えた[34]。

ヨーロッパ統一がフランス法制度に与えた影響はこれに留まらない。革命期より一貫して重罪裁判では判決理由の開示が禁止されていた。主文だけだ。人民＝主権者が判断した以上、それが最終決定であり、異議を申し立てる審級は存在しない。したがって理由を示して判決を正当化する必要もないし、してもいけない（刑事訴訟法第三五三条）。説明は判決への同意要請を意味するからだ。根拠はブラック・ボックスに秘匿される。神の審判と同じだ。

ところが重罪裁判に控訴を認めた結果、新たな問題が生じる。殺人未遂の咎で起訴された男が重罪裁判にかけられ、二〇年の刑期を検察が求刑したが判決は無罪だった。それを不服として検察が控訴したところ、求刑は同じ二〇年であったにもかかわらず、懲役三〇年の判決が下された。そこで弁護側は欧州人権裁判所に上訴し、「判決理由が示されず、被告人の権利が完全に保護されたとは言えない」との理由でフランスの控訴審判決が破毀され、再審に至る。結局、フランスの控訴審が一二年の刑を下した。この際も検察の求刑は二〇年だった。

判決理由の明示を禁ずる法制度の下では、どうして判決が覆るのかわからない。クジ引きと同じでないか。試行錯誤を経てついに、理由を示さない判決の違憲性を憲法評議会が二〇一八年に認め、翌年、法改正にいたった（刑事訴訟法第三六五条第一項）。革命政権が樹立した人民主権の原則はこうして、なし崩し的に骨抜きにされていった（裁判制度の歴史と理念分析は『人が人を裁くということ』）。

何故これほど理屈を重ねなければならないのか。現実の不都合にもかまわず、あくまで理屈を押し通す。第三章で見た臓器提供の法制上の正当化を思い出そう。中世絶対神の代わりが法であり、神に比する根拠を法が必要とするからである。日本でよく持ち出される「世論がそれを求めている」という理由で法を決めるなら、まさしく法が普遍に則っていない事実が露呈する。

普遍の信奉は神の存在を認めることにほかならない。神に頼らずに正しさを制定するにはどうすべきか。ホッブズやルソーはこの原理的問いをめぐって苦闘したのだった。近代政治哲学の状況を学んだおかげで相対主義の妥当性に納得した。

――社会秩序と個人主義

普遍信奉と規範論について、さらに考えよう。

日本には「不倫」という言葉がある。婚姻中の男女が愛人を持ってはならない、そのような関係は倫理的に許されないという社会判断である。「不倫は悪い」の反対は「不倫は良い」や「不倫は許される」ではない。良かろうが悪かろうが、どちらも社会全体の規範として機能する。

一九八〇年代初頭、フランソワ・ミッテラン大統領の就任まもなく、彼の隠し子についてジャーナリストが尋ねた。その時、「ああ、私生児がいるよ。でも、それがどうかしたのかね（Et alors?）」と切り返した。フランスでは政治家の私生活が公務と切り離され、愛人関係の暴露はタブーだ。この事実を国民が知るのは一〇年以上後のことである。ところで、このエピソードが報道された時、愛人を持ったり、隠し子がいても悪くないとミッテランが開き直ったと理解した人が日本では多かった。だが、それは誤解だ。「正しい愛の形を決めるのは社会でない。私生活の是非は当事者の判断に任せよ」。これがミッテランの真意である。

不倫にまつわる日仏の反応の違いは、性愛の社会秩序を守れという伝統意識と、人間は自由であり、私生活の善悪は当事者が決めるべきだという個人主義の対立である。

フランスでは一九八〇年の法改正により、強姦の定義が変わった。この変遷の蔭にも近代個人主義の精神が息づいている。相手の同意なく、暴力・強制・威嚇あるいは急襲によって行う性的挿入は、それがどのような性質であるかにかかわらず、強姦罪を構成するとフランス刑法第二二二条二三項が規定する。刑期は最高一五年。具体的には膣・肛門への陰茎・指・異物の挿入、あるいは口腔内への陰茎挿入をもって強姦罪が成立する。男性の肛門に女性が強制的に指を挿入すれば、強姦である。軽罪裁判所が扱う強制猥褻と異なり、強姦は一〇年以上の刑に服す重罪だ。したがって市民が中心になって裁く重罪裁判所が司る。最近まで欧州議員を務めながら産婦人科医を週二日していた現職の欧州・外務大臣付開発・仏語圏・国際協力担当副大臣クリスラ・ザカロプル（女性）が診療中に患者の了承を確認せず膣に器具を挿入したとして強姦で告訴された。

七〇年代までは性犯罪の軽重を判断する上で、性交（膣への陰茎挿入）の有無が意味を持っていた。しかし社会規範が変遷し、行為内容よりも強制事実が処罰根拠として重視されるようになる。そこで性交の有無も強姦の定義から除外し、強姦罪と強制猥褻罪の区別撤廃案が議会に出された。だが、すべての性犯罪に同じ刑期を科するのは妥当でないと判断され、陰茎・指・異物の肛門・膣への挿入と口腔内への陰茎挿入の有無を基準に、強制猥褻罪と強姦罪の区別を維持した。[35]

フランス革命以前、既婚女性への強姦が未婚女性への強姦よりも厳しく罰せられた。被害者への暴力としてでなく、結婚制度に対する挑戦として断罪されたからである。革命以降も正常な性行為と異常性行為が区別されていた。例えば同意の下での一五歳以上の未成年と成人の性行為が異性間なら合法なのに同性の場合だけ禁止されていた（刑法第三三一条二項）。フランス革命以降、成人間の同性愛は合法になったが、未成年の場合に同性と異性を区別した事実は、正常な性行為の定義への国家介入を意味する。この条項は一九八二年八月四日付の法改正により撤廃された。

日本では戦前、「夫のある女子が姦通したときは二年以下の懲役に処する。その女子と相姦した者も同じ刑に処す」（旧刑法第一八三条）として姦通罪が刑法に規定されていた。夫は妻以外の未婚女性と性交しても罪に問われず、処罰されるのは妻とその相手男性だけだ。姦通罪の目的は男性優位の家族制度擁護であり、正しい性関係を国家が規定した例である。男女平等を定める現憲法が一九四七年に施行され、この規定が撤廃された。

フランスでは配偶者による強姦が加重事由をなし、より厳しく罰せられる。同意がないのに夫（妻）の肛門に妻（夫）が異物を挿入すれば、最高二〇年の懲役に処される。同性婚・同棲・ＰＡＣＳ（民事連帯契約）の場合も同様である。親と子、教師と学生、上司と部下、神父と信者の関係と同様、配偶者は心理的に抵抗しにくい弱い立場に置かれるからだ。未成年者や精神障害者への強姦が加重事由をなすのと同じ論理である。

法務省「性犯罪の罰則に関する検討会」が二〇一五年八月六日付で発表した「取りまとめ報告書」はフランスと日本を対比し、こう述べる。

フランス法においては、婚姻関係に性交渉の同意を含むとされていたため、配偶者間における強姦罪の成立について明文規定を置く必要があったとの指摘があるが、日本においても、婚姻関係に性交渉の同意を含むというような明文の規定はないものの、実質的にはそれと同じ理解がされてきており、配偶者間では強姦罪が成立しないという取扱いがなされてきたのであるから、配偶者間において強姦罪が成立することを明文で規定する必要性は、フランスの場合と同じであるという意見が出された。それに対して委員の大多数はフランス法において、わざわざ、配偶者間であっても強姦罪が成立するということを書いているのは、フランスでは、一八一〇年から一九八〇年頃まで、婚姻関係には性交渉の同意を含むとされていたためであり、日本では、初めからこのような問題がないのであるから、この点に関してフランス法を参考にする必要はないと結論づけた。

この理解は正確でない。確かにフランスでは従来、夫婦間に性交権が認められていた。そして、その規定が批判され、一九八〇年の法改正に至ったのは事実である。だが、フランス現行法を導いた個人主義化の流れをこの検討会は理解していない。何よりもまず暴力として性犯罪を捉えるフランスにとって、自由の侵害が生ずる可能性の高い支配関係、教師と学生、神父と信徒、親子、上司と部下などの間で生じた性犯罪を加重事由としてより厳罰に処するのは論理的である。同じ理由から夫婦間の強姦も最高二〇年の刑に厳罰化される。夫婦間でも強姦罪が成立するのではない。婚姻関係（同性婚・同棲・P

ＡＣＳも同様）があれば、より重く罰せられるのである。日本の法改正の背景に、この考え方は見られない。

愛と性のあり方は当事者の問題であり、是非を判断するのは社会でない。ミッテラン大統領の「それが、どうかしたのかね（Et alors?）」は、この意味である。当事者の意向と無関係に「不倫は悪であり、許されない」という共同体の断罪と対照的だ。

ライシテ（laïcité）と呼ばれる政教分離策の下、フランスは公共空間から宗教を閉め出して中立性を保つ。ユダヤ教のキッパ、目立つ大きな十字架、イスラム女性のヒジャブやニカブなど宗教シンボルの着用を公立の小学・中学・高校で禁じる法律が二〇〇四年に成立した。役所など公共施設に勤める職員も他人にわかる宗教シンボルを身につけられなくなった。

フランスの政教分離政策は公共空間と私的領域を区別し、宗教を後者に閉じ込めて対立解消を図る。政治原理としては機能しても論理的観点からは矛盾を避けられない。普遍的真理を啓示する一神教の規範性と、個人主義の下に多様性を擁護する相対主義は原理的に両立しない。

ライシテは、すべての宗教と無神論を並列に置き、真理を相対化する。だが、一神教の信徒にとって正しい世界は一つしかない。各人に信仰や思想の自由は認めても、正しい世界が人間の数と同じだけあるとは考えない。彼らにとって事実として神は存在する。神を信じぬ者は蒙昧であり、神の否定は真理の冒瀆を意味する。他方、無神論者にとって事実として神は存在しないのであり、信者は迷信に拘る愚か者である。

信教の自由は多くの国の憲法が保証している。これもライシテと同様、原理的な論理矛盾を含んでいる。これは、どの立場が正しいかという問いに法つまり国家は介入しないという宣言である。

家族を亡くし、四十九日や一周忌の法事をする。ここにも秩序を守れという社会規範と個人主義の対立が現れる。僧侶を呼んで故人の供養をするという家族に対し、そんな儀式は無駄だと答えてみよう。一方にとって供養しない決定は故人が可哀想であり、まちがった判断を意味する。他方にとって法事は無用な迷信であり、無駄な出費でしかない。ここで各自の好きにすれば良いと言っても対立は解消しない。死後の世界や魂の存在が事実として問われているからである。各自が決めれば良いという個人主義原理は伝統的慣習にとって罰当たりにほかならない。

売春やポルノグラフィは被害者なき犯罪と呼ばれる。[36] ヨーロッパのほとんどの国と同様、フランスでも売春自体は合法であり、売春婦・男娼の収入が課税対象になる。ただし娼館の営業が許されるドイツ・オーストリア・オランダ・ベルギー・スイス・デンマーク・チェコ・ギリシアなどと異なり、フランスでは管理売春が処罰される。また他の職業と異なり、一八歳に満たない未成年の売春が禁じられているし、売春目的でのアパート賃貸や売春の宣伝も処罰される。「失業保険や年金など公共福祉制度を利用できない状況は差別待遇だ」「強要されず、自らの意志で性サービスを提供してどこが悪いのか」「労働者としての正当な権利を認めよ」と売春婦・男娼が街をデモ行進する場面も見られる。売春は公序良俗に反するという社会規範と、他人に迷惑をかけない行為は当事者の専権事項だという個人主義の対立である。

臓器売買禁止の是非も論議される。自らの肉体の一部を自由意志の下に有償譲渡して何が悪いのか。反論もある。売春と同様、好きで臓器を売るわけでない。貧困から仕方なくするのであり、そこに自由意志など介在しない。しかしそれならば、生活の糧を得る必要から、危険だと知りながら従事する他の職業はどうなのか。[37]安楽死・自殺幇助・代理母の禁止にも自由との矛盾が指摘される。

麻薬や覚醒剤の消費はなぜ犯罪なのか。危険物の生産と販売が処罰されるのはわかる。だが、消費は自分の健康の問題である。アルコールを飲んだり、タバコを吸っても犯罪でないのに、麻薬や覚醒剤の使用がどうして罰せられるのか。車の運転時にシートベルトを締めないと罰金を取られる。運転手と同乗者の保護だけでなく、社会保険の出費を抑える方策としてコンセンサスができている。そのためタバコやアルコールに高い税金がかけられる。麻薬や覚醒剤も同じように考えればよいのか。

とはいえ、シートベルトを締めなかったり、ヘビースモーカーだったり、酒を飲んで泥酔しても罪の意識は生じない。酩酊して女性に抱きついたり、暴力を振るったりすれば、行為は非難されるが、飲酒自体が悪とは判断されない。ところが麻薬や覚醒剤は使用自体が悪と認識され、日本では発覚すると刑罰以外に世間やマスコミのリンチに遭う。何故なのか。

ちなみにフランスでは二〇二〇年以降、麻薬や覚醒剤を使用しても二〇〇ユーロ（3万円以下）の罰金ですむようになった。麻薬の種類は問わない。マリファナ・ヘロイン・コカイン・ＭＤＭＡなど同じ罰則である。一五日以内に罰金を払えば、一五〇ユーロに値下げされ、逆に四五日以上支払いが遅れると四五〇ユーロに跳ね上がる。支払いを拒否する場合は最高一年の懲役と三七五〇ユーロの罰金が科される。麻薬を使用して自動車を運転した場合や、麻薬の売人や生産者は厳しく罰せられる。麻薬使用で傷害事故を起こすと懲役七年と一〇万ユーロの罰金、死亡事故だと懲役一〇年および一五万ユーロの罰金が科せられる。マフィアなど組織犯罪は最高三〇年の刑である。だが、自分が消費するだけなら、罰則が軽くなった。

行為の是非は当事者が決めるべきか、社会が判断すべきか。これも普遍をめぐる問題群の一つである。

――正しい世界の罠

価値が相対化されれば、悪を糾弾できなくなると相対主義に反対する人がいる。ここに勘違いの元がある。普遍的だと信じられる価値はどの社会にも必ずある。だが、時間が経ち、社会が変遷すれば、正しさの内容も変わる。ならば時代や文化を超越する普遍的価値ではない。普遍は変化と相容れない。

禁止のない社会は存在しない。社会に生きる人間にとって禁止行為は絶対悪である。相対的判断はなされない。裸で街を歩くな、所かまわず排泄するな、犬や猫は食用でない……。これら禁止は社会が外から押しつけた慣習だ。ところが、それが人格の深部に浸透する。食事に招かれて、とても美味しい、材料は何ですかと尋ねる。うちの猫を一匹潰しましたと聞いて平気な者は少ない。敬虔なユダヤ教徒やイスラム教徒が知らずに豚肉を食べた後に事実を悟った時の反応を想像しよう。社会が押しつける禁止であっても激しい生理反応が起きる。

相対主義とは何をしても良いということでない。悪と映る行為に我々は怒り、悲しみ、罰する。裁きの慣習と相対主義は何ら矛盾しない。人間は歴史のバイアスの中でしか生きられない。社会が伝える言語・道徳・宗教・常識・神話・迷信・偏見・イデオロギーを除いたら人間の精神は消滅する。考えるとは、感じるとは、生きるとは、そういうことだ。

すべてが相対的なら、その言明も相対的であり、結局、自己否定に陥ると反論する人がいる。これも勘違いの揚げ足取りにすぎない。念の為に哲学者・河本英夫の説明を挙げておこう。

すなわち多元主義は、特定の立場を擁護しないと言いながら、それじたい「多元主義」という一つの立場を擁護していることは矛盾ではないのか。言葉を換えれば「多元主義」という一元的立場を採っているのではないか。こういう議論を手の込んだ冗談と言う。多元主義がテーゼである限り、それは一元論的な主張であることは明白であり、「一元論的」というただの形容詞を、「真正の」に置き換え、「真正の多元主義」と言いかえればよい。(……)

これとは別に「多元主義は、多様な立場のうちに絶対的で一元的な主張を認めるのか」という問いがある。たとえば多様な立場のうちファシズムを擁護するような恣意的な権利は擁護されるのかという問題である。これは先の冗談とは異なり実質的な問いである。どのような立場であれそれらを選択する個人の恣意性を擁護したとして、その選択によって多元主義そのものが現実的に崩壊する可能性が生じるからである。したがって多元主義を一貫させる限り、多元主義のテーゼには但し書きが必要である。つまり「多元主義そのものを崩壊に導くような立場を禁じる」という補足条項が必要となる。多くの社会規範にも見られる例外条項であり、禁止条項がつく以上、「多様な立場を選択しうる個人の恣意的な権利」は擁護されていないのではないかという反論は不毛である。[38]

ただし私論の相対主義は規範論でない。両者の区別を簡単に示そう。まず規範論としての相対主義について萱野稔人の解説を挙げる。

文化相対主義とは、それぞれの文化によって価値観も異なる以上、あらゆる文化に適用されるべき「絶対的な正しさ」はないと考える立場のことである。これに対して普遍主義とは、あらゆる文化をこえてなりたつ正義というものはありうるし、あるべきだと考える立場のことである。

文化相対主義の立場からすれば、死刑廃止といえども一つの文化的な価値観の反映にすぎず、それを普遍的に正しいと考えることはできない。たしかにヨーロッパの価値観からすれば死刑廃止は正しい道かもしれない。しかしなぜそれがヨーロッパ以外の地域でも適用されるべき道だといえるのだろうか。

これに対して普遍主義は、死刑は人権にかかわる普遍的な問題だと考える。人権がそれぞれの文化的価値によって損なわれてはならないのと同様に、死刑もまたそれぞれの文化をこえた次元で問題にされなくてはならない、ということである。[39]

これは規範論としての相対主義と普遍主義の対立だ。他方、本書の主張は存在論あるいは認識論としての相対主義であり、入不二基義が枠組み相対主義と呼ぶ立場に近い。

真理が、ものの見方や時代や文化的背景などに対して相対化されるとき、その真理の「根拠」は、その真理を可能にしているものの見方や時代や文化的背景である。言い換えれば、その局地的な根拠を超えるような、つまり、ものの見方や時代や文化的背景に左右されないような、確固とした「根拠」は存在しないということである。相対化することは、絶対的に見えた「根拠」を、そのように局所的なものへと格下げし、最終的には「無根拠」に直面していく。どんな真理も、それが真理であることに、結局のところ、決定的な理由もなければ、それを支えている最終的な土台もないのだというように。根拠がなく底が抜けているという事態は、あの一番外側の「枠組みX」にこそふさわしい。「一番外側である」ということは、それ以上その外側から支えてくれるものが何もないということなのだから。しかし、それは、「枠組みX」が限定されたローカルなものだからではない。むしろ逆である。「枠組みX」は、唯一的で普遍的でしかありえず、絶対性へとどこまでも近づいているがゆえに、それより外が不在であることへと、すなわち「無根拠」へと直面する。[40]

一番外側の枠組みXとは、ブラック・ボックスの最後の扉を開けた時、内部ではなく外部につながる逆転の位相幾何学と第三章で呼んだ虚構の物語である。枠組みの相対化を続けながらも、それが無限遡及に陥らないのは、虚構の恣意性が忘却され、人間の眼に隠されるからだ。

永井均の的確な表現も挙げよう。[41]「道徳の外部にそれを支える道徳はない」「道徳空間を内側から閉ざす道徳イデオロギーを成立させて、（……）取り決めをした最初の動機を忘れさせせる」「設立の趣旨を忘れることが設立の趣旨を実現する」「道徳的な人とは道徳の存在理由を知らない人のこと」「道徳の根底には、目をこらせば見えてしまうものを見てはいけないとして遮断する隠蔽工作がある」「なぜ悪いことをしてはいけないのか、なぜ道徳的でなければならないのか、といった問いに『かくかくしかじかのため』といった明快で単純な答えがあってはならないのである。そんなものはすぐにかんたんに論駁されてしまうからだ」。

キリストもガンディも社会秩序への反抗者だった。他方、ヒトラーやスターリンは当初、国民の多くに支持された。多数派には多数派の立場、少数派には少数派の考えがある。どちらが正しいかを決定する中立な位置はない。両者を超越する神の視点は存在しない。各時代・社会に固有な価値観を超える正義の姿は原理的に描けない。万物は流転する。歴史と時間は変化の同義語である。

正義の希求と全体主義は紙一重だ。ラトビア出身の哲学者アイザイア・バーリンが区別した二種類の自由を参照しよう[42]。一つは、自ら欲する通り行動する可能性を意味する消極的自由。他者の自由を侵害しない限り、自由が無制限に認められる。殺人や強姦の自由も理屈上は考えられる。だが、そのような自由は他者の自由を害するから認められない。こう理解するのである。国家権力や他者の干渉から逃れるという意味で「〜からの自由」と呼ばれる。ホッブズやジョン・スチュアート・ミルが支持した立場だ。

もう一つの積極的自由は感情や欲望に流されず、理性が命じるままに正しく行動する能力、つまり自律を意味する。殺人や強姦という悪の自由はそもそも概念として成立しない。自由の範囲をめぐって規定される「〜からの自由」と対照的に、到達すべき理想を想定する積極的自由は「〜への自由」と呼ばれる。この立場の論者としてカントやルソーが知られている。

積極的自由に潜む罠を見逃してはならない。古代ではプラトンがこの立場を採り[43]、近代に入ってからはルソーやカントなど思想家の他にもロベスピエール、ナポレオン、ヒトラー、スターリン、毛沢東、金日成、ポル・ポトなど多くの政治指導者が正義の理念を掲げた。宗教裁判や魔女狩りを通して中世キリスト教も正しい世界を守ろうとした。善悪の基準や施策を誤ったのではない。普遍的真理や正しい生き方が存在するという信念自体が問題だ。時間と空間を貫通する公正な規則を打ち立てようと正義論や社会契約論が企てる。だが、それは空しい努力であるばかりか、全体主義につながる危険な試みである。

終章

残された仕事

これまで虚構の正体を暴いてきた。民族・運命・宗教・道徳・責任・格差・自由・平等・人権……など神の様々な擬態と闘い、敵のまとう衣を剝いできた。社会現象の種明かしをしてきた。虚構の破棄は無理だ。それでも王は裸だと叫ぶ子の声が無意味だとは思わない。

だが、このような作業をいくら続けても人間は見えてこない。たかが人生、されど人生と言う。具体性を捨象して一般法則を求める科学にとっては「たかが人生」だ。しかし「されど人生」も真理である。残された時間で「されど」の相にどれだけ迫れるか。

——科学の限界

ベッドタウンに同じ形の建物が並ぶ。どの家庭も似たりよったりの生活をしているように見える。マンション（mansion 大邸宅）と呼ばれる狭いアパートをウサギ小屋と外国人が揶揄した時代があった。だが、その一つ一つにかけがえのない人生が息づいている。

家族三人を次々と亡くした。二〇二一年一月に父が、九月に五歳年下の弟が、そして翌年三月に母が死んで私一人になった。最後に逝った母のアパートを整理するとアルバムがたくさん出てきた。写真を一枚一枚見ながら人間の一生の重みや厚みを感じた。父も母も弟も平凡な人間だったが、それぞれ楽しい日々や辛い想い出があっただろう。誰にも語らずに黙した秘密もあったに違いない。それらがすべて消えていった。どれも些細な喜びや悲しみにすぎない。だが、当人にとっては意味がある。旅行にたくさん行った。国内だけでなく、ヨーロッパを家族で三度旅した。弟夫婦は両親を温泉によく連れて行ってくれた。裕福な人々と比べれば、ほんの小さな幸せにすぎない。でも人生の意味はこういうささやかな出来事の中にある。友人に出したメールを挙げる。

母が心停止したと、さきほど日本から連絡が届きました。死自体はよいのです。背骨を骨折して自宅で寝たきりになり、ヘルパーにオムツを替えてもらう生活でしたし、敗血症のために食欲もありませんでした。できるだけ早く楽にさせてやりたかった。母が嫌がっていた老人ホームの選定もしなくてすみました。

遺産を私が相続します。弟と母に心の中で語りかけました。「あんたたちの金を俺がもらっていいのか」「アジアに移住して余生を楽しむのじゃなかったのか」「母さんはもっと贅沢すればよかったのに」と尋ねます。すると「いいんだよ。僕はもう使えないから、敏君が有益に使って欲しい」と弟が答え、「それが親じゃないの。何度もヨーロッパに連れて行ってもらった。ありがとう」と母が言います。私の都合の良い解釈でしょうか。両親の金は彼らですべて使い切ってから死んで欲しいと弟も私も願っていました。遺産って、嫌なものですね。

私には彼らを助けられなかった。人通りの少ない道端に倒れて死んでいた弟は節制しなかったからですし、父は九四歳、母は九〇歳まで生きました。それでも何かおかしいという気持ちが拭えません。なぜ私が残ったのか。神や運命を否定する私になぜこのような感情が生じるのか。母の死自体は悲しくないのです。それでも身体が反応するのは何故でしょうか。

弟の死後、何度か帰国し、母と思い出話をしました。「まさか俺がフランスに住むなんて想像していなかったね。偶然がたくさん重なって信じられない人生になった」と言うと、「本当だね。だけど、お前は勇気があるなあと思ってた」と母が付け加えます。「もしやり直せるとしたら、どんな人生が送りたい？」と尋ねたら、「次は仕事がしてみたい」と答えました。私には感慨深い言葉です。意味のある会話はこれが最後でした。

両親を早く亡くし、親戚をたらい回しされながら育ち、小学校も修了せず、一四歳で女中奉公に出た母。好きでもない父と結婚し、姑の死を看取り、認知症の父の面倒も最後まで見て、その上、次男の早すぎた死という悲しい出来事にも遭遇しました。幸せな人生だったのかな、と迷います。

弟の死の前日、母に会いに来た息子に持たせた冷凍鰻を警察から返されて、とても悲しかったと言ってました。名古屋の鰻しか食べなかった母のために私が注文した鰻です。まだ冷凍庫に三本残っています。次に帰国する時、それを見るのが辛い。一一月に持っていったフランスの菓子も前回帰国した時、半分ほど残っていました。あれを私が食べるのか、あるいは捨てるのか。どちらにしても感情を搔き立てられるにちがいありません。帰国したら、やることがいろいろあります。電話やアパートの解約……。その前に遺品整理ですね。

無理をして二浪を許し、東京の私立大学に送ったのに、息子はろくに勉強せず、やめてしまった。日本の大学を辞め、アルジェリアの生活を経由してフランスで再出発したのは私にとって意義のある迂回路だった。だが、早稲田除籍が現実のものとなった時、どんなに両親はがっかりしただろうか。しかし父も母もこの件では私に一言も文句を言わなかった。

弟の人生は何だったのか。弟がはずれクジを引いたような気がして罪悪感が消えない。二〇年ぐらい前だったか、「兄ちゃんはフランスの大学に勤め、東大や京大でも授業をして、それを親は誇りに思っている。それが兄ちゃんの役割。僕は親の近くで面倒を見る。それでいいんだ」と言っていた。そんな役割分担なんて、ずるいじゃないか。

遺産は嫌なものだ。両親が使い切るのが筋だし、残れば、面倒を見ていた弟がすべてもらうべきだった。だが、嫌だからといって捨てるわけにもいかないし、無駄遣いする気にもならない。私の伴侶には息子がおり、パリの美術学校に来年進学する。その生活資金に充てれば、私をすり抜けて家族の役に立つ。私のところに金が滞らず、次世代へと輪ができる。死んだ家族もこれなら喜んでくれるにちがいない。罪の意識をごまかすための言い訳にすぎない。だが、それでもいい。

離婚後、付き合っていた女性に弟が借金したまま世を去った。要らないと彼女は言ったが、弟の残した遺産の中から私が返した。それなら、ベトナムの子どもに弟が援助していた寄付に充てると言う。二人は毎月五〇〇〇円ずつ送っていた。女性はモンゴルの女の子に。今後、弟の寄付は彼女が続けてくれる。こういう遺産の使い方も心の痛みを和らげる。両親にありがとうと言いそびれた。弟に謝れなかった。悔いが残る。彼らのためというよりも、私の罪悪感を少しでも軽くするために。

これまで社会科学のアプローチで世界を描いてきた。科学である以上、自然科学と同様に社会科学も規則性や法則にしか注目しない。規則性からはずれる現象はノイズとして切り捨てられる。ところが人生の本質はこのノイズにこそある。予想を裏切るからこそドラマが生まれる。人間の生は法則に捉えられた瞬間、意味を失う。つまり人間の姿を科学は解明できない。第四章に挙げたモスコヴィッシの言葉を繰り返す。

> 一般法則しか理解できない人間に個人的経験の意味をわからせることがどんなに難しいか、ブカレストにいた一九四五－四六年の時期［二〇歳］すでに私は悟った。（……）ユダヤ人として個人的に受けた被害を単なる例として理解された時、どんなに疎外感を抱くか、感情を傷つけられるか、よくわかった。（……）説明はそれ自体が拒否であり、無関心を意味する。ホロコーストの解釈を共産主義は完全に誤った。生身の人間が学説に拾い上げられても、そこからは観念しか出てこない。憤慨すべき殺人も男や女、子どもへの罪ではなく、論理的結果として受け入れるべき事実にすぎないのだ、と。（強調モスコヴィッシ）

映画『ショア』の監督クロード・ランズマンはホロコーストを説明する試み自体を激しく非難した。

何故という問いを立てる時、望むと望まざるとにかかわらず、必然的に正当化に行き着いてしまう。このような問いはそれ自体が破廉恥なのだ。何故ユダヤ人は殺されたのか。何故という問いに答えなど存在しない。言い換えるならば、どんな答えであってもそこから正当化が始まり、ショアの仕組みを「理解可能」にしてしまうからだ。[1]

ナチス体制の構造を精緻に分析すればするほど、結局誰も悪くない、悪いのはナチス体制を生んだ反ユダヤ主義あるいは人間すべてに共通する社会・心理過程だと結論される。原因追及という営為自体が必然的に行き着く袋小路だ。歴史学・社会学・心理学など、どのアプローチを採用してもつきまとう難題である（『増補　責任という虚構』第一章「ホロコースト再考」で論じた）。池田清彦が科学の本質を説明する。

物理学や化学などの現代科学は、物質と法則という二つの同一性を追究してきたのだ、と言ってよい。この二つの同一性は不変で普遍であり、ここからは時間がすっぽり抜けている。別言すれば、現代科学は理論から時間を捨象する努力を傾けてきたのである。[2]

水は酸素と水素で構成される。酸素原子も水素原子も経時変化を受けないし、それらの結びつきも一定で変化しない。科学に時間が含まれないとは、こういう意味である。科学が発展し、人間行動が法則の網に捉えられるにしたがい、主体性が必然的に消えてゆく。主体性とは、法則通りに行動しないという意味だからだ。

社会的価値の内在化によって生成される客観的契機（Me）と、それに反発する主観的契機（I）とが織りなす動的な過程として米国社会心理学者G・H・ミードは自己（Self）を規定した。[3] だが、この主観的契機はそれ自体を分離して取り出せる実体ではない。社会の影響を反省的に自己から捨象する時、そこに余る残滓あるいはノイズにすぎない。

科学は未知の事象を既知の知見に取り込む営為だ。物理現象がすべて解明されれば、物理学に残された仕事がなくなる。自然科学においては、それでかまわない。科学者が失業するだけだ。人間の生活は困らない。ところが心理学の事情は違う。心理現象が完全に法の網に捉えられる日が来たら、心理学者が失業するだけでなく、主観性が人間の世界から失われる。ウィトゲンシュタインが問う。

私が腕を上げる時、私の腕は上がる。ここに問題が生まれる。私は腕を上げるという事実から、私の腕が上がるという事実を差し引くと何が残るのだろうか。[4]

脳科学がどんなに進歩しても、観察できるのは脳の生理状態だけだ。悲しみや喜びは表情や文脈から判断するのであり、心そのものは覗けない。絶対に観察不可能な要素に依存する限り、心理学は科学として発達しえない。そこで心理過程をブラック・ボックスに閉じ込めて研究領域から除外し、物理刺激と生理反応の関係だけに行動主義は注目した。S（刺激）－R（反応）図式である。私は手を挙げるという行為の目的論的理解を諦め、私の手が挙がるという出来事の因果関係を記述して初めて心理学が科学になると考えた。ところが、そうすることで結局、心理現象の考察を放棄する、すなわち、まさに心理学たることをやめることで科学的心理学が成立するという逆説に陥った。

その後、行動主義を批判的に継承した認知心理学がブラック・ボックスの内部に入る。だが、表象などの心理概念を導入しても、表象が原因で行動が生ずると考える限り、因果律で把握する態度は行動主義とかわらない。このブラック・ボックスは自由意志を生む内部でなく、依然としてメカニズムとしての外部である。科学は法則の網に人間存在を搦め捕る。性格や能力を遺伝子が決めるか環境が決めるか、どちらにせよ外因に還元するアプローチだ。そして偶然も外因だ。内因は科学と無縁である。

主体性を解明すべき心理学が目指す究極の目標は主体の消失であり、心理学自体の終焉である。自分たちの学問が原理的に不完全であり、心理現象の解明は永久に不可能だと信じながら心理学者は日夜研究しているのでないか。自分たちの企てが必ず失敗すると実は知っているからこそ、自己破壊の営みを安心して続けられるのである。

日本で実験してもタンザニアで観察しても、実験日が昨日でも明日でも、空中に放り投げるのがリンゴでも石でもかわらない万有引力の法則のように、具体的内容を無視できる理論ほど科学では有効だ。原理的に法則は形式の言明であり、人間の苦悩や思想という内容が捨象される。$E=mc^2$のエネルギー・質量・光速の関係のように科学は抽象的考察に具体性を解消するからだ。ゆえに必然的に意味が喪失する。

嘘つき・慳貪《けんどん》・不潔・低能・暴力・偽善など、自分の不利になるにもかかわらず、社会に流布する偏見を少数派がなぜ内在化して劣等感を抱くのかと問う。社会的価値観の内在化プロセス自体に不思議はない。裸を隠したり、宗教の食物禁忌など自然に反する習慣を社会化の過程で我々は受け入れる。日常的に起きている現象だ。

だが、こういうアプローチはユダヤ人・黒人・在日朝鮮人・被差別部落民・女性・身体障害者・ＬＧＢＴ・貧者などの少数派を互換的に扱う。集団の個別性を無視し、一般変数として導入する。問題の抽象化・形式化を通して理論の射程が広くなる。ニュートンの法則にしたがうのはリンゴだからでも石だからでもない。すべての物質を貫く質量という抽象的概念の関数として記述される。たった一つの現象を説明するよりも、多くの現象を貫通する一般法則を抽出する方が科学にとって価値があるからだ。[5]

新興宗教への勧誘をテーマに学生が実験を計画するとしよう。心に不安を抱える者が勧誘に騙されやすいという仮説を立てた。すると指導教員は従属という一般概念を提案し、大学生を被験者として影響プロセスの実験を勧める。学生を二つのグループに分け、何らかの試験を受けさせた後、偽の採点結果を与え、高得点で自信を得た者と、逆に悪い点で自尊心が傷ついた者を比較し、どちらが抵抗力を失い、影響されやすいかを調べる。

だが、新興宗教の勧誘という具体的問題に学生の関心はある。このような抽象的操作の結果が得られても満足しないだろう。実験研究が無意味だと言うのではない。しかし科学が一般法則を志向する以上、具体性には直接答えられない。この問題をどうするか。

――文学の魔術

社会科学の限界に気づいてしまった私はどうすべきか。人間を理解する上で、どんな方法が残されているのか。科学は非人称で分析する抽象的アプローチだ。一般性を求め、法則を提示する。他方、詩・小説・映画・芝居は人間を二人称の網に捉え、主観に映る情景を描く。具体例を通して人間のあり方を示唆する帰納的アプローチだ。科学や哲学の演繹手法と反対である。小説や詩を読み、映画や芝居を見て感動する我々は人間の生と社会の現実を一瞬にして摑む。どうして、そんな魔法が可能なのか。

歴史学も理想的には時間の排除を目指す。歴史学が時間を排除するとはおかしな言い方だが、運動方程式に時間が欠如するのと同じだ。第五章で述べたように未知数として時間tが含まれても、tに数値が代入されるやいなや世界の状態が完全に決定される。歴史が科学なら、法則が世界を完全に律する。だが、それが無理だから、偶然を認めた上で、つまり法則での把握を諦めて世界の流れを記述する。歴史学は原理的に科学になれない。それが人間を理解するということだ。
文学作品には必ず時間が流れる。マリオ・バルガス＝リョサ『若い小説家に宛てた手紙』から引く。

時間は年代記的《クロノロジカル》時間と心理的時間の二つに単純に分けられると言っても問題はないと思います。年代記的《クロノロジカル》時間はわれわれの主観とまったく関わりのない客観的な時間として存在し、それは宇宙空間の天体の運動と惑星が占める互いに異なった位置を通して計測される時間です。この時間がうまれてからあの世へ旅立つまでの間われわれを蚕食し、生きとし生けるものすべてを死へと追いやるのです。けれども、もう一方に心理的な時間があります。これはわれわれが何かをしたり、することをやめたりするときにはじめて感じ取れるもので、われわれの情緒にさまざまな刻印を残します。喜びを感じたり、われわれを魅了し、楽しませ、何もかも忘れさせ、精神を高揚させる充実した経験をしているとき、この時間はあっという間に過ぎ去ってしまいます。ところが、何かを待ち受けたり、苦しんでいるときだと、一秒、一秒が積み重なって一時間になるというように、時間は無限につづくように長く感じられます。（……）

小説の時間が年代記的《クロノロジカル》時間ではなく、心理的な時間に基づいて作り上げられているというのは、例外のない法則のひとつである（フィクションの世界におけるきわめて稀な例外のない法則のひとつである）といっても決して過言ではないでしょう。小説家（すぐれた小説家）はこの主観的な時間に手を加えて、一見客観的な時間であるかのように見せかけるのですが、そうすることによって自分の書いた小説を現実の世界から遠ざけ、別個の世界に仕立て上げるのです（これが独自の世界を作り上げようとするすべての小説に課せられた義務です）[6]。

小説と科学の世界は時間だけでなく、空間も違う。バルガス＝リョサの分析を続けよう。

どんな小説でも、語り手は物語の空間においてなんらかの位置を占めますが、そうした関係を〈空間的視点〉と名づけることにしましょう。そして、それは文法の何人称を用いるかによって決定されるのですが、可能性は三つしかありません。

ⓐ文法の一人称を用いた場合、語り手と登場人物が同一人物になりますが、この視点に立つと語り手のいる空間と語りの空間は重なり合います。

ⓑ文法の三人称を使った場合、語り手は全知全能の存在になり、物語の中で事件が生起する空間とは別の、独立した空間に身を置いてます。

ⓒ文法の二人称「君」を用いた場合、語り手はその背後に隠れて曖昧な存在になります。物語空間の外側にいて、フィクションの中で事件を起こさせる全知全能の語り手の声になることもあれば、物語に巻き込まれたものの、小心さ、用心深さ、分裂症、あるいは単なる気まぐれで自己分裂を起こし、読者に語りかけると同時に自分自身にも語りかける語り手の声という可能性もあります[7]。

心理的時間は科学に絶対に捉えられない。科学の話者は非人称であり、記述される世界の外部に位置する神である。

科学と文学の違いはクオリア（意識に現れる質や感覚）の問題でもある。悲しみと脳の状態の対応が完全にわかっても、悲しみが何かという問いには絶対に手が届かない。クオリアの謎つまり心身問題は永遠に解けないだろう。脳の物理化学メカニズムと別の心的過程が存在するからではない。それでは心身二元論に戻ってしまう。外からの客観的分析と、内から見る主観的理解の間には越えられない溝がある。米国哲学者トマス・ネーゲルはデカルトの「我思う、ゆえに我あり」について、こう述べた。

> デカルトの哲学において本当に大切な点は、主体が存在するという結論ではないし（……）、絶対に確実な何かを発見したということでさえもない。それよりも重要な点は、外側からでは絶対に把握できない思惟の存在をデカルトが明らかにしたことだ[8]。

魂や精神という実体が存在するが、外からは探知できないという意味ではない。主体はモノでなく、認識形式である。

「マルクスが望遠鏡で見た社会とプルーストが顕微鏡を通して描いた社会との齟齬に悩まされた」というモスコヴィッシの言葉を思い出そう。抽象理論は具体例の説得力に勝てない。どんなにデータを集めても、どんな精緻な理論を練り上げても、たった一つの具体的反例がすべてを台無しにする。理解は信仰だからだ。共通了解つまり常識を基に共感するからだ。[9]

だが、この理解は「ユダヤ人は邪悪だ」「黒人は知能が低い」「女は感情に流される」などの偏見とかわりない。社会と時代に固有な価値観に支えられる共感は偏見にすぎない。小説や映画の人物描写にステレオタイプが多用されることからも、それはわかるだろう。人間は偏見・迷信・信仰の塊であり、それらを取り除いたら精神が消滅する。

第五章で示したように意味は根拠なき恣意的産物だ。したがって科学が取り扱うのは難しい。だが、ある文化・時代の枠内では意味の確実性が信じられ、疑いが生まれない。人生は虚構に支えられている。抽象的法則の抽出に努める科学に個別の現実は捉えられないし、具体的事例から推測させる小説は色眼鏡を通してしか世界が描けない。結局どんな方法でも人間はわからない。人間の実存は謎に包まれたまま、原理的に摑めない。

科学の内部でもこの問題は議論されてきた。物理学者の益川敏英が物理学と生物学の思考法を対比する。

> 思考方法にもいえることですけれど、二通りのやり方がある。一つは、ものごとをできるだけ具体化する方法。具体例を使って解法を見つけ、その性質を使って元の問題にアプローチするというやり

方です。

もう一つは、徹底的に抽象化し、シンプルにする。そうすると夾雑物《きょうざつぶつ》がなくなって、操作しなきゃいけない概念や数が少なくなってくる。数学者は比較的この思考方法を使うんです（……）。

そもそも物理学というのは非常にシンプルで厳格な学問です。物理学の法則は、世界のどんな場所でも、暑かろうが寒かろうが、必ず成り立たなくてはならない。一方で、生物学では非常に個体差が現れやすい。ある一定の温度や湿度、圧力下でしか起きない現象も多い。その意味では正反対の学問なのではないかという気がします。[10]

数学・物理学・生物学・心理学・社会学などの研究者が集った、ある学際的セミナーでの出来事。発表者は物理学者だ。エントロピー理論・結晶化モデル・パーコレーション理論などを駆使して米国大統領選挙のメカニズムや新作映画の評判が定着するプロセスを解析する。すると生物学者が声を上げた。「変化を捉える上で、そんな静的なモデルが何の役に立つのか。thermodynamics（熱力学）と物理学者は言うが、実はthermo*statics*（熱静学）にすぎない。人間世界の複雑な動きが方程式でわかるものか」。理論に時間を残す生物学は科学でないと物理学が軽蔑し、時間を忘れた物理学など、世界の実像を把握できないと生物学が罵倒する。

——一人称・二人称・三人称の命

視点によって世界は異なる姿を映す。熱とは高温の物体から低温の物体へと移動するエネルギーなのか、それとも鍋の蓋を触って「熱い」と叫ぶ感覚なのか。真の位相は誰にもわからない。いや、どこにも存在しない。これは絶対に超えられない知の限界である。

一人称は近代個人主義が捏造する仮象であり、客観的法則を通して理解する科学の目に映るのは三人称の世界である。人間の本質的な姿はそこにも現れない。二人称の関係だけが人の絆を築き上げる。科学の射程に捉えられない二人称の世界とは何なのか（『神の亡霊』第一回「死の現象学」）。

ナチスに殺されたユダヤ人の数が六〇〇万に上ると聞いても、それは統計上の数値にすぎない。抽象的な死は感情を呼び起こさない。他人事だからである。ホロコースト研究の古典ラウル・ヒルバーグ『ヨーロッパ・ユダヤ人の絶滅』は醒めた分析ばかりが二五〇〇頁も続く大著（仏訳）だが、最後の方に一箇所だけ感傷的な文章がそっと、しかし唐突に出てくる。ユダヤ人が銃殺される場面に居合わせた者の言葉だ。

十歳ほどの少年が父親に手を握られていた。涙をこらえる息子に父が静かに語りかける。子どもの頭を優しく撫でながら天を指さし、何か言って聞かせているようだった……。黒髪の痩せた女の子を覚えている。私のそばを通る時、ある仕草をして呟いた。「二十三歳……」、と。そこにいた人々はみな全裸だった。墓穴の縁に刻まれた階段を彼らは降りて行き、横たわる人々の頭を踏みつけながら、ナチス親衛隊員が指さす場所まで進んだ。負傷した者も、すでに死に絶えた者も一緒に寝ていた。そのそばに全裸の人たちも身を横たえた。まだ息のある者の頭を撫でながら誰かが囁いていた。そして銃声が数発響きわたった[11]。

この文章を眼にした時初めて犠牲者の姿が瞼に浮かんだ。距離を取った分析をどれだけ読んでも起きなかった痛みが胸を締めつけた。学問の対象として考察してきた死が急に意味を変えて迫ってきた。二人称の死と三人称の死の違いは心理的距離だけでない。三人称の対象は代替可能だ。犠牲者の具体的な人間性に触れない時、殺傷への強い抵抗は起こらない。だが、殺す相手が自分と同じ人間だと認識するやいなや、殺人の意味が変容する。

一回目の銃殺後、次のグループの犠牲予定者の中に一人の母とその娘がいた。私は彼女たちとおしゃべりを始め、カーセル出身のドイツ人だと知った。私は射殺にもうこれ以上加わらないと決めた。こんなことはおぞましく耐えられない、私は病気になってしまったと中隊長に言い、任務を解くよう願い出た[12]。

会社経営やスポーツの試合なら、同じ能力を持つ人材との交換が利く。だが、恋人・親子・兄弟姉妹・友人の喪失は他の人で埋められない。これが二人称の関係である。自分の子どもは不出来でも取り替えできない。死んだら、また産めばいいと割り切れないのは何故か。

恋をする。相手をなぜ好きなのか自問しよう。背が高いから、美人だから、優しいから、高収入だから、有名人だから、料理が上手だから……、そんな理由を思いつくかも知れない。だが、好きな理由が明確に意識されるなら恋愛感情は芽生えない。美しい人は大勢いる。もっと金持ちもいる。有名人は他にもいる。こうして、恋する相手が唯一の存在でなくなってしまう。中島義道が言う。

（……）フィアンセが「高収入・高学歴・高身長だから愛している」という女性の言葉にわれわれが直観的に反発を感じるように、家柄・財産・学歴・肉体等とにかく計測可能であり序列可能なものはすべて愛の敵対物です。これはわかりやすいことでしょう。しかし、「気立て」とか「優しさ」とかの言葉でもじつは、それ自身個物を超えた普遍性をもっておりますから、愛とは対立するのです。例えば母親が「うちの息子は気立てがいいから好きだ」と言ったらおかしなことです。じつは、愛する対象がもし個物なら、厳密にはいかなる理由も言えないはずなのです。個々の属性ではなくその人だから愛するのです。[13]

理由が隠蔽されるおかげで恋が可能になる。実は恋の対象たる彼や彼女はどこにも存在しない。諸要素に還元できない主体という虚構が機能するおかげで、恋という不可解な現象が成立する。

一人称の死は認識論的誤謬であり、自らの死を恐れるのは不条理だ。身体の痛みを厭うのは当前だが、自己の消失を恐怖するのは何故か。難しい手術を受ける前に想いを馳せる。もしかすると世界を見るのは、これが最後か。一つの可能性は手術が成功し眼が覚める。良かった、愛する人とまた一緒に暮らせると感慨に浸る。もう一つの可能性は失敗して手術台の上で死ぬ。だが、この場合は死んだ事実を当人は知らない。死は他人が感知する出来事であり、当人に死は到来しない。

二人称の死を悼む時、一人称を媒介にするのは何故か。「自然が好きな母だったから樹木葬で弔おう」。死者のために何かしたいと願う。だが、英雄として後世に伝えられようと、逆に辱められようと死者にはわからない。残された者の記憶を整理する上で「死者のために」という物語が作られる。臨床心理学者・河合隼雄が言う。

人間の心はわからないところがある。つまり物語らないとわからないところがある、と私は思うのです。たとえば途方もない事故が起こった。なぜこんな事故が起こったのか。そのときに自然科学的な説明は非常に簡単です。なぜ私の恋人が死んだのかというときに、自然科学は完全に説明ができます。「あれは頭蓋骨の損傷ですね」とかなんとかいって、それで終わりになる。しかしその人はそんなことではなくて、私の恋人がなぜ私の目の前で死んだのか、それを聞きたいのです。それに対しては物語をつくるより仕方がない。つまり腹におさまるようにどう物語るか。[14]

今見えている星の光は数十万年も前に放たれた。星はもう寿命を終えたかも知れない。それでも私たちにとって星は輝き続け、存在感を失わない。二人称の死はそれと似ていないか。

故人が望むからという虚構がなぜ必要なのか。その答えは一人称の存立構造に潜んでいる。私の記憶という表現がすでにおかしい。私が記憶を持つのではない。私とは記憶そのものだからだ。他者と共有した時間をすべて取り除いたら、私自身が消失する。だから大切な人を亡くすと、その写真にいつまでも語りかけ、遺品を大事に守る。一人称は他者との関係に絡められた、本当は二人称の社会・心理現象である。

生命に意味などない。再生産を繰り返し、死ぬまで生き続ける。それだけだ。尊い命とか命の尊厳とか言うが、生命自体に価値も尊厳もない。死にたい人間が死んで、どこがいけないのか。問題は、死にたくない生命を他者が勝手に破壊することだろう。死にたくなれば、死ねばよい。

だが、それを悲しむ存在があれば、否応なしに波紋を生む。私の命や人生が無意味であるように、我が子の生命や人生も客観的には無意味である。しかし、その存在をどうするかは私の自由にならない。生きるも死ぬも、この子が自分で決めることだ。私の自由にならないが、育てる義務を負う存在。こうして他者との絆が誕生する。存在理由を問うことの許されない外部が現れ、私の命に意味が与えられる。私の死を拒む人間を悲しませないために生き続ける。関係せざるをえない他者の存在が、ひるがえって自己の存在を正当化する。

外部虚構の媒介構造を第三章で見た。死者の媒介により共同体が成立する。人間の直接的関係でなく、外部に追いやられた媒介項がシステムを稼働させる。神・道徳・真善美・自由意志・主体・主権・ハウ・貨幣・信頼・国家・戦争・復讐・流言・流行・魔女裁判・処罰のスケープゴート……、人間世界内部で生まれながらも外部にはじき出され、遊離する媒介項が社会を動かす。

宗教に逃げずに、この関係論をどう描くか。宗教は人間を救うかもしれない。それ以外に救済の道はないかもしれない。だが、それが知の敗北であるのは明らかだ。

――主体の不在、人の絆

個人という未曾有の人間像を近代は生み出した。第二章で述べたように、個人から出発すると人の絆の説明が難しい。自律する非社会的存在がどう結びつき、共存するのか。自由な個人の単なる集合が有機的な共同体にどうして変質するのか。

主体は近代の本質であると同時に袋小路をなす。主体の幻影を捨て去れば、愛・約束・贖罪・赦し・犠牲なども説明できる。主体がなければ、記憶や虚構が大きな役割を果たすのは当然だ。同一性は存在しない。同一化の運動が人の絆を紡ぐ。守らなくとも罰せられない約束を命がけで守るのは何故か。愛する人の代わりに喜んで犠牲になるのは何故か。誰からも非難されないのに、約束を破ってしまったと自らを責めるのは何故か。他人の不幸を目にする時、自分だけが幸せで良いのかと苦しむのは何故か。

赦しは、主体に基づく契約論理を破る不合理な習慣である。ここにも同一化が絡む。被害者が受けた損害が完全に回復されないにもかかわらず、すべてを白紙に戻し、新たに関係を結び直す。すべての負債が清算されたならば、加害者を赦す必要はもうない。収支決算がすでにすんでいるからだ。赦しは、被害者が持つ正当な権利の放棄であり、被害者が享受すべき正義の実現を諦める不当な所作に他ならない。

赦すは英語でforgive、フランス語でpardonnerと言う。どちらの単語も贈与概念を内包する。ドイツ語vergebenにもgeben（与える）が入っている。本来ならば与える必要のないもの、あるいは与えられないものを敢えて与える（donner）ことを通して（par）人は罪を赦す。同じ世界に生きるチャンスを罪人に再び与える（give）ために（for）赦す。贈与と赦しの仕組みに主体の不在を感知すべきだ。同一化を通して相手が自分の一部になる、自らが他者に融合する。同一化が捏造する虚構なくして人の絆は生まれない。

ホロコーストの責任を当時生まれてなかったドイツ人が負い、大日本帝国の戦争責任を戦後生まれの日本人が引き受ける。おかしくないか。子どもの行為の責任を親が負うように、次世代を教育する義務は現在生きる人々にある。しかし親が人殺しでも子に罪はない。当時まだ生まれていなかった、あるいは幼少だった人々に過去の世代の責任が問われるのは何故か。

時間軸から空間軸にいったん視点を移そう。殺人事件が起きる。犯人が日本人（あるいは中国人・ユダヤ人・黒人）だという理由で他の日本人（中国人・ユダヤ人・黒人）に責任があるとは言わない。差別によくある詭弁だが、この責任転移のからくりは同一化である。個人の行為が日本人（中国人・ユダヤ人・黒人）という集合の属性として認識される。そしてその後、加害者とは別の人間に拡大解釈される。

世代間の責任転移も同一化が起こす。時間軸に戻ろう。ある時点における共同体・国家、次の時点における共同体・国家、そしてさらに次の時点の共同体・国家……という世代群を一つの集合に括り、それを日本という固有名詞の下に同定する。こうして世代間で責任が転移される。世代を実体化するのではない。ある時点における日本人すべて、次の瞬間に生きる日本人すべて……と個人に分解しても同じだ。

ホロコーストの責任が日本人にないのと同様、日本軍や日本国家の過去の行為に道徳責任を負う義務や権利は戦後生まれの日本人にない。ナチスのユダヤ人虐殺を告発するように、日本の戦争犯罪も他人事として認められるはずだ。それを嫌がって南京虐殺はなかったとか、日本だけが悪いのでなく朝鮮や中国も悪かったとか、当時の世界情勢から考えて日本の植民地政策を非難できないと感情的になるのは

〈日本〉に同一化するからである。日本の戦争犯罪を悔い改めろと主張する日本人も〈日本〉に同一化している。自分では何もしないくせに、ひいきの野球チームの成績に一喜一憂したり、勝敗に不満なフーリガンがサッカー場で暴徒と化す現象とかわらない（詳しくは『増補　責任という虚構』）。

二〇〇八年、秋葉原無差別殺傷事件を起こした犯人の両親がテレビ・カメラの前で謝罪した。犯人は成人だ。それでも罪の一端を親が引き受ける。一九七二年の連合赤軍事件の後、世間やマスコミから責められて犯人の親は離職し、転居を余儀なくされた。自殺した近親者もいる。八八年から八九年にかけて関東地方で起こった幼女連続殺人事件の犯人の家族は離婚・退職し、結婚間際だった妹は破談に追い込まれた。改姓した親族もいる。住み慣れた町を離れ、行方を隠した人もいる。被害者遺族への賠償金を支払うため、父親は所有する土地を売り払い、事件から五年後に自殺した。[15]

ウクライナを侵略したロシアの外務大臣セルゲイ・ラブロフが二〇二二年五月、「ヒトラーにはユダヤ人の血が混じっている」と発言し、欧米の激しい非難を浴びた。ヒトラーの父方祖父が未詳のため、様々な臆測が出されている。その一つに、ヒトラーの父の母がユダヤ人家庭で女中をしていた時に妊娠し、出産したことから、子どもの父親つまりヒトラーの祖父がユダヤ人だという説がある。真偽を確かめるため、ヒトラーが調査を命じたらしい。調査した者が後ほど殺害された上に、それ以降、母の墓などの調査を一切禁じたという。[16]

この説が事実なら、六〇〇万人のユダヤ人犠牲者を出したホロコーストの首謀者がユダヤ人だったことになる。ウクライナ侵略が始まってからずっと沈黙を守ってきたイスラエルもこれには黙っていられず、批判の口火を切った。そしてドイツなど欧州各国の政治家やマスメディアもこの「妄言」を一刀両断した。

ヒトラーの出生事情に我々の関心はない。ヒトラーがユダヤ人であろうがなかろうが、近代法に則れば、ユダヤ人虐殺の責任はヒトラーを始めとする直接加担者、そして同時代に生きたドイツ国民に帰す。ヒトラーがドイツ人だからではない。統治機構の頂点にヒトラーをドイツ国民が選び、彼の政策を可能にしたからである。ホロコーストを非難する人々も、ユダヤ人虐殺の責めを逃れようと目論む勢力も民族虚構に深く縛られている。この論理のグロテスクさに気づかねばならない。

先祖の土地という表現を取ろう。先祖が住んでいた土地だから子孫に返還すべきだという主張はおかしい。奪われた当人に土地が返還されるのでなく、後代の他者への土地譲与が要求されているからだ。虐待を受けたのは先祖であって今日生きる人々でない以上、恨みを持つのは過去の人々への心理的同一化の結果である。相続論理を持ち出しても駄目だ。相続はその概念自体に同一化を内包している。相続の不条理にこそ気づかねばならない。

日本のアイヌ、在日朝鮮人、オーストラリアのアボリジニー、南北アメリカのインディオなどは過去の負の遺産を否応なしに引き継いでいる。民族虚構が継続し、植民地政策や民族虐殺、そして今も続く結婚や就職の差別など多くの後遺症を引きずる人々に向かって、過去の軋轢はもう水に流してはどうかと愚かな「対話」を求めるのはおぞましくも滑稽だ。だが、血縁虚構がなければ、彼らを苦しめてきた差別自体が足下から瓦解する。そこに気づくべきである（血縁の分析は『民族という虚構』）。

国家という擬制の連続性に基づく政治責任は別だ。過去の国家行為の賠償が、当時生まれていなかった現在の国民に課せられても論理上何ら問題ない。国家元首の謝罪も道理に合う。保険契約や年金制度の原理、スポーツや将棋のルールと同じだ。だが、すでに確認したように虚構と擬制は違う。奇跡を起こす虚構の魔力は擬制にない。

日本で大地震が起こり多くの死傷者が出た時、異国にいながらも同胞の死を悼んだ。犠牲者を一人として知らない。それでも日本人という物語が合理的判断を超えて私に迫ってきた。オリンピックで日本選手が活躍する姿に胸を熱くするのも記憶を通して私の存在が日本と結びつけられているからだ。選手の汗と涙に私は何ら関係しない。それでも同一化が感情をかき立てる。

人間は合理的でないし、完結した存在でもない。主体はどこにもない。だからこそ絆が生まれ、世界が動く。欠如のおかげで愛が可能になる。プラトン『饗宴』に二つの頭、四本の手、四本の足、二つの性器をもつ男女・男男・女女という三種の〈原人間〉が登場する。彼らは神々に背いた咎により二人の個人に分離されてしまう。以降、一人になった人間は切り離された片割れをずっと求め続ける。恋の正体を解き明かそうとするこの物語に人間の相互依存性は似ていないか。

他の生物とは比べものにならないほど、人間は外界に開かれた認知構造に支えられている。ひとを暗室に閉じこめ、聴覚・視覚・触覚などの感覚刺激を低下させて長時間放置すると幻覚が現れ、遂には精神障害に至る可能性もある。[17] 人間は自己完結した存在でなく、情報交換を常に行わなければ生きてゆけない。外界の影響を恒常的に受けながら、他者との関係の中におかれて初めて安定した生を営む。

場の力学に恒常的に身を曝す開かれた認知システムとして人間を捉えよう。休止するビリヤード玉のようなイメージで人間を理解してはならない。突かれる度に受け取るベクトルにしたがって移動する玉が乗るビリヤード台の間歇的な情報交換の場を想像する時、原子のような孤立した存在として人間を考えている。開かれた場でのエネルギー交換を通して自己と非自己を交錯させながら生命が新たな自己を不断に析出させるように、人間は絶え間ない情報交換の中で変化し続ける動的な均衡システムである。

集団から個体を切り離す脳科学のあり方に藤井直敬『つながる脳』が疑問を投げかける。

（……）社会的脳機能という側面で脳を見つめ直し始めたところ、脳機能はやはりモノには還元できないのではないかと思えるようになってきたのです。その理由は、私たちヒトが自分の身体的認知機能を外部に拡張してしまったからです。

単に個体内部の事象であれば、おそらくモノによって制御されることが多いでしょうし、突き詰めれば脳機能を分子レベルで理解できるようになるかもしれません。しかし、ヒトは自分一人では生きていませんし、環境と一体なのです。実は、ヒトの振る舞いを制御している要素の多くは体の内部だけではなく環境や他者のように外部にもあるのです。しかも外部の要素が私たちの行動選択に与える影響は、内部のそれと比べても同じように、もしくは場合によっては遥かに強いのです。[18]

完結した存在として人間を捉えると、本来自律する個人の間に発生する絆は利益追求のために合理的に結ばれる関係か、社会規範に眼を眩まされた結果だという消極的解釈しかなくなる。だが、人間の根本的な不完全さや脆弱さから出発すれば、人の絆が実は人間の本性の裏返しにすぎないと気づく。個人が自己完結し、閉じた存在ならば、いくら集まっても共同体は生まれない。人間が欠如を内在する関係態であり、本質が存在しないからこそ、共同体が成立する。欠如や不完全を否定的角度から捉えてはならない。不足のおかげで運動が生まれ、変化が可能になる。

献身や自己犠牲の姿に誰もが感動するのは何故か。思いやりの気持ちはどこから来るのか。他者への裏切りに心を痛め、偽善を恥じるのはどうしてか。世代を超えて戦争責任を追及したり、自ら負う覚悟をどう理解するべきか。他者の存在を自己に重ね合わせる同一化を通して不条理な奇跡が現れる。自己が存在しないからこそ、他者のために生きられる。

三〇本の輻《や》［スポーク］が車輪の中心に集まる。その何もない空間に車輪の有用性がある。粘土をこねて容器をつくる。その何もない空間に容器の有用性がある。戸口や窓の穴をあけて、家をつくる。その何もない空間に家の有用性がある。こうして、何かが有ることから利益を受ける。だが実は何もないことの有用性が根本に在るのである（『老子』第十一章。強調小坂井）[19]。

贈与パラダイムは社会科学を全てひっくり返すほどの大きな分岐点をなす。様々な研究や解釈がなされているが、西洋の学者は主体にしがみつく。そこで躓いている。神に代わる根拠を手放せないからだ。主体は神の亡霊である。欧米の知見を輸入し、追従する日本の哲学者や思想家も同じ強迫神経症に罹っている。

――異邦人のまなざし

国際人という言葉がある。自国と外国の文化に精通し、どこにいても、その土地の人々と同じように振る舞える者のことを言う。私が目指したのは、その逆だった。フランスでも日本でも自然に生きられる国際人でなく、どこにいても周囲に常に違和感を覚える異邦人、グローバル人材の反対に位置する社会不適応者、非常識人間だ。大切なのは、日本人の情報を活かすことでもなければ、フランス文化から知識を吸収することでもない。東洋思想と西洋思想を統合するとか、両者の短所を斥け、長所を選び取ることでもない。

常識が目を眩ませる。だから、常識の不条理に気づかされる異文化環境に生きること自体に意義がある。共同体の常識に浸かった人々には当たり前の現象でも、異邦人は異常を鋭く嗅ぎ取り、病的なほど敏感な反応を示す。思索の第一歩は、そこから始まる。

紆余曲折を経た後にたどり着いたフランスの学問界に対して私は三重の意味で異邦人の位置にいる。第一に母語も文化も異なる環境に生まれ育った外国人としてフランス人とは発想の仕方が違う。第二に普通の大学でなく、社会科学高等研究院で学際的な研究姿勢を身につけたために、社会心理学に従事する同僚と立ち位置を異にする。そして第三に、そもそも学問が私にとって異質な世界であり、私は学者になるタイプではなかった。以上三つの理由から、フランスの学問界で異邦人として、よそ者の立場から思索を紡いできた。

遠くから眺めるか近づいて凝視するかによって世界は異なる姿を現す。外から見るか内から見るかで同じ対象も違う意味を持つ。異邦人という位置は外部にあるのでも内部にあるのでもない。遠くにあると同時に近いところ、そんな境界的視野に現れる世界を描いてきた。

ユダヤ人は異邦人の典型である。ドイツの社会学者ユルゲン・ハーバーマスが言う。

ユダヤ人は社会を邪魔な存在として感じ、いわば生まれながらにして社会学的視点を持ち続けてきたに違いない。[20]

フランスの社会学者アラン・トゥーレーヌも同意する。

反ユダヤ主義による拒絶が、社会を把握するための距離をブルジョワ・ユダヤ知識人に生んできた。フランスと米国の社会学ほぼすべてをユダヤ人が築き上げたのは偶然でない。[21]

フランスの哲学者レイモン・アロンの言葉もある。

米国社会学者にはユダヤ人や少数派出身者がかなり多い……。自分の属す政治集団、国あるいは文化を観察する際、少数派は主観的であると同時に客観的視点を持ちやすい。[22]

構造主義を広めたフランスの文化人類学者クロード・レヴィ＝ストロースの言葉も添えておこう。

社会学と民族学にはユダヤ人学者が多い事実を私も認める。（……）他の多くの人びと同様、私も子ども時代、小学校から高校まで間歇的に経験した反ユダヤ主義の心理的及び倫理的効果を考慮しなければならない。属していると信じる共同体から排除される自分に突然気づく時、若者の精神は社会の現実から距離を置くようになる。自分が内部にいると感じると同時に、追いやられる外部として社会を見ることを余儀なくされる。これは社会学や民族学のアプローチを学ぶ一つのあり方である。[23] 研究対象に絡みつく先入観から自分を引き剝がす努力なしに社会科学は成立しない。だが同時に対象の当事者であろうとする姿勢も欠かせない。研究者の実存に無関係なテーマで人文・社会科学が可能だと私には信じられない。在日韓国人三世作家・姜信子の言葉に異邦人として私も共感する。

何より痛感したのは、同じ出来事を前にした時に人びとが示す反応が、その人の立場によってどれだけ違うかということだ。さらにはこの社会に生きているかぎり立場に縛られざるをえない人間が、自身の立場から何を知りうるのか、何を言いうるのか。違う立場にいる人間同士が通じあう言葉を、私は私の立場からどう取り出せばいいのか。[24]

イスラエル国家が生まれたおかげでユダヤ性を捨てて居住地文化への同化が可能になったというメンミの分析を第二章で紹介した。抑圧の最中は苦悩に押しつぶされ、異邦人の位置を活かせない。祖父が朝鮮人だと知り、アイデンティティの葛藤に苦しんだ鷺沢萠の言葉も挙げておこう。

けれどあのひと言［友人の発言］は、韓国に住んでこそ言えたものだとも思う。祖国としてのかの国と、自らが生まれ育った国日本を、自分の目で見、自分の肌で感じ、自分のことばで彼女は話している。「そういう機会に恵まれた自分たち」というものにわたしは注目したい。在日同胞が韓国語を勉強するために韓国に留学するということ自体、ちょっと前には考えられなかったことだ［一九九三年発表］。だからあのひと言は、時代的にはとても恵まれた時期に生まれ、その中で今までの人生を過ごしてきたという、一定の「豊かさ」に裏打ちされることばでもあると思う。

そういう「豊かさ」はとても大事なものだ。お父さんやお母さん、あえぎながら辛いことを乗り越えてくれ、わたしたちに豊かさを用意してくれた前の世代のすべての人たちに感謝したい。[25]

自殺を選ぶ詩人や小説家がいる。当事者として自らと対峙しながら作品を練り上げるからだ。在日朝鮮人作家・金鶴泳の自殺（享年四六）について竹田青嗣が書く。

平野謙によれば、私小説作家の「二律背反」とは、創作上のモチーフとなる「生の危機意識」を生活に求めると現実生活が破綻し、それを回避しようとすれば書きつづけることが難しくなる、というかたちで訪れる。

（……）

〈在日〉を生きるとはどういうことか。〈在日〉の子の世代は、日本社会の蔑視の中で自分をまず罪深いもの、恥ずかしいもの、負の価値を帯びたものとして認知せざるを得ない。だがそれは不当なことだ。日本人の民族的蔑視も、〈在日〉という状況それ自体も、じつは日朝の不幸な歴史に由来し、しかもその咎を受けるべきは日本人のほうなのだ。この差別はほんとうは転倒している。（……）〈在日〉の子の世代はそのことに気づくことができないほど〝主体〟を奪われているが、自己の民族のこのような由来に覚醒することによってのみ、自身の負の意識と日本社会の蔑視を克服してゆくことができる……。

金氏が自己の生を自覚的に生きはじめた青春期に、彼の前にはこういう〈在日〉の世界像が動かしがたいかたちで存在していた。

（……）

学生の頃金氏が立っていたのは、こういう懸崖の手前である。このとき険しい崖に手を掛けずに迂回するという道もあったろう。しかし迂回すれば、一体自分が何もので、なぜこの生を生きねばならないのかという問いが決して答えられないままになることを私たちは（〈在日〉は）誰でも直観的に知っていたのである。[26]

文学を疎かにしてきた私は彼らの真摯さに戦慄する。社会科学に従事する我々は作家の誠実の前に、どの面下げて出ればよいのか。「一匹の羊」に金鶴泳が書く。

書くということは、私には、自分を自分の中に閉じ込めている殻を一枚一枚破って行く、脱殻作業のように思われる。過去の作品は、自分の軌跡であり、自分の抜け殻である。私は、過去の自分の作品を読み返すとき、きまって脂汗をおぼえずにいられないような、名状しがたい苦痛に見舞われるのだが、それは、過去の自分の、ぶざまで痛ましい抜け殻を見ることの苦痛というべきなのかも知れない。とはいえ、脱殻作業そのものは、自分を閉じ込めている何ごとかから自分を解き放つことであるには違いなく、その意味で、私にとって小説を書くとは、少なくともいままでのところ、徹頭徹尾自己解放のための作業であり、自己救済の営為である。[27]

——当事者とは何か

当事者性とはどういうことか。差別の加害者だと認めたり謝罪しても、そんなことでは当事者にならない。竹田の著書の「文庫版あとがき」から引用する。

> 金鶴泳は、ほとんどすべての人間がそのように考え「民族か同化かの二者択一」、またそのように考えることを強いられていた中で、一人だけ違ったふうに考えた。彼は、社会がもたらしているさまざまな矛盾に対して、ただちにではいかにこれと闘うかといった考え方につくことを留保し、各人がじつはどのような困難の中を生きているのかを、ただ深く表現するという道についた。（強調竹田）

金鶴泳が取った文学の道は、ここで、社会に対して個々人の「義」や「正しさ」を置く代わりに、人の「生き難さ」の実質を深く表現することによって、ただ何ものかに〝抗弁〟するのである。この〝抗弁〟は社会それ自体に対するものではない。むしろ、人間の思い上がりや、虚偽や、欺瞞や、無情や、虚飾や、シニシズムといったものに対する抗弁である。[28]（強調小坂井）

金鶴泳の仕事が在日という言葉のレベルを一段高めたと評し、竹田が続ける。

それは、被差別集団のアイデンティティを尊重したり、共同体相互のアイデンティティを認めるといった現代的な理念に通じているのではない。また一切のアイデンティティを嫌悪するという新しい「物語」にも寄り添わない。それはただ、どんなアイデンティティ（物語）からも〝見放され〟てしまう不遇な生の喩としてだけ受け取ることができる。このことに対する感度を欠けば、わたしたちは人間の生の条件に対する重要な想像力を枯渇させることになるだろう。[29]（強調小坂井）

欧米諸国にとっても日本にとってもウクライナ人の苦しみは他人事でしかない。ロシアの侵略に怒り、彼らの不幸に同情はする。だが、当事者性はそんなことでない。わずか数十年前まで日本はアジア諸国でロシアと同じことをしていた。ドイツはホロコーストという前代未聞の虐殺を行った。フランスは一九六二年までアルジェリアで虐殺・陵辱・拷問を繰り返した。アメリカ合州国は七五年までベトナムで同じ犯罪を続けた。大英帝国として世界に君臨したイギリスだって時代を少し遡れば、同罪だ。暴力団から足を洗った元ヤクザがテレビを見て、「ひどい事件だな。暴力団は本当に困る」と呟く滑稽さとかわらない。

過去に犯罪者だったからロシアを非難する資格がないと言うのではない。虐殺・陵辱・拷問という集団現象のノウハウを私たちは持っている（『増補　責任という虚構』第一章「ホロコースト再考」第二章「死刑と責任転嫁」第三章「冤罪の必然性」で検討した）。国家権力は隠蔽しても歴史家・社会学者・心理学者は集団行動のメカニズムを知っている。暴力は人間と社会の根源に潜む。なぜ勧善懲悪の枠組みに逃げるのか。

第三章で言及したようにホロコーストを「悪の陳腐さ」とアーレントが表現し、その実行者がどこにでもいる普通の人々だとブラウニングが説いた。『これほど脆い人間性の表層　悪の陳腐さ　善の陳腐さ』をテレスチェンコが著した。ほとんどの人間に共通する服従心理をミルグラムが描いた。もし悪人や狂人のせいでユダヤ人虐殺が起きたのなら、アルジェリア人が拷問されたのなら、朝鮮人が差別に苦しめられたのなら、ベトナム人が皆殺しになったのなら、かえって問題は深刻でない。状況によって誰でも惨事に加担してしまう事実を見つめなければならない。ナチス・ドイツや日本植民地主義の非難は問題の本質を隠蔽するだけだ。感情に流され、加害者を告発する姿勢が本当の問題から目を背けさせ、ひるがえって同じ惨状を繰り返す。鷺沢萠が言う。

戦争のひとつも知らない連中、というのもおかしな言い方なのだが、これはときどき思うことだ。こういう言い方が誤解を招くことも充分承知しているのだけれど、戦争のひとつやふたつ経験しなかった人間というのは、確実に甘い。ハンタイと言うことが「戦争を起こさないこと」に結びつくかというと、そうではないような気がわたしはするのだ。

それと同じことが、歴史の上で人間が起こしてしまったすべての間違いにあてはまると思う。ハンタイだーと叫んだり、どっちが悪かったんだーと追及したりすることは、なんというか、あまりにも幼くて甘いやり口であるような気がしてならない。実際に身体のすぐそばで「間違い」が起こるさまを見ていた人にとっては、空しく感じられることなんじゃないか、とも思う。[30]

米国政治学者ダニエル・ゴールドハーゲンは『ヒトラーの自発的死刑執行人たち　普通のドイツ人とホロコースト』においてアーレント・ヒルバーグ・ブラウニングなどの機能・構造主義的解釈に異議を申し立てた。[31]ブラウニング『普通の人々』と同じ資料を用い、ポーランド駐留ドイツ警察予備隊の行ったユダヤ人虐殺を分析しながらも、ゴールドハーゲンは正反対の結論を引き出した。

ナチスの殺戮を担った者は精神面からも出身階層からも当時ドイツの一般市民と何らかわらず、ドイツ社会の縮図に過ぎなかったという立場をどちらの論者も採る。そしてこの見解はヒルバーグ『ヨーロッパ・ユダヤ人の根絶』がすでに明らかにしたものだった。

> 今まで分析してきたのは、自らの道徳観念に則り行為する個人ではない。その点を理解しなければ、これら人間の犯した行為が意味する射程をつかめない。殺人機構に絡めとられた官僚たちは他のドイツ人と精神上何らかかわらない。犯罪者は特殊なタイプのドイツ人ではない。以下に述べる見解は殺人者だけでなくドイツ人全員に当てはまるものだ。［……］
>
> 行政計画・司法構造・予算体系の性質からして、人員の特別な選別・養成はありえなかった。どの警察官がゲットーの見張りに回されるかもわからなかったし、列車の護送に充てられるかも知れなかった。第三帝国中央保安局の行政官に移動式虐殺装置の管理が命じられる可能性もあった。中央経済行政局の金融専門家は誰でも絶滅収容所に勤務する可能性があった。言い換えるならば、たまたま該当部署に就いていた人間が、その時その時必要とされる任務に動員されたのだ。[32]

ユダヤ人殺害命令を拒んでも殺される危惧などなかった事実に関してもゴールドハーゲンとブラウニングは合意する。ところが、だから人格や教育・イデオロギー背景にかかわらず、このような犯罪を犯す可能性は誰にでもあると結論するブラウニングと対照的に、ユダヤ人虐殺の原因はナチスだけに限らずドイツ人すべてに共通する反ユダヤ主義だとゴールドハーゲンは主張した。ナチスの行為の原因をブラウニングは社会状況・認知環境に求め、ドイツ人の内的要素に限定しないのに対し、ゴールドハーゲンはドイツ人固有の精神的性質に帰した。ちなみにこの違いは彼らの著書のタイトルに反映され、ブラウニングが「普通の人々」としたのを受けて、ゴールドハーゲンは「普通のドイツ人」と命名した。

ゴールドハーゲンのテーゼは、当時のドイツ人と自分は違うという安心感を読者に与えた。ホロコーストのメカニズムを「悪の陳腐さ」と規定するアーレントや、「普通の人間」が犯した殺人行為だと分析するブラウニングの解釈に従う時、ナチスの犯罪者と我々との距離が縮まり、自らが犯罪をなす可能性に読者は慄く。反対にナチス・ドイツ人を特別な人格の持ち主として規定するゴールドハーゲンの解釈ならば、読者にとって他人事にすぎない。ゴールドハーゲンとブラウニングの著書を比較検討したフランスの歴史家エドワール・ユソンが述べる。

長期的展望から言えば、多くの批評家が気づかなかった、ある効果をダニエル・ゴールドハーゲンの本は孕んでいる。「普通のドイツ人」が我々とそんなに違うならば、彼らの行為に我々がなぜ動揺しなければならないのか。それが本当なら我々には関係ない話だと読者は思う。逆にクリストファー・ブラウニングの本は我々にとって教訓をなす。読み終わって本を閉じた時、将来我々が同じような連鎖に巻き込まれたら抵抗する術がないのではないか、これら「普通の人々」は我々自身の姿かもしれないと自問するからだ。[33]

個々の人間の意図を超え、集団現象は誰にも止められない力を行使する。行政の厚い壁と、制度を支える役人の気持ちの間に横たわる大きなずれの具体例を金城一紀『GO』に見つけた。外国人指紋登録制度に屈辱感と怒りを抱く在日朝鮮人の言葉だ。

「俺、登録課の野郎たちを殴ってやろうと思ったんだ。指紋を捺さねえとめんどくせえことになるだろ？　鬱陶しいのは嫌だったから、せめてもの腹いせに登録課の野郎たち全員をぶん殴ってやろうと思ったんだよな」

（……）

「でも、登録課に行ったら、まず出てきたのがびっこ引いてるおっさんなんだよな。そのおっさんがまだガキの俺に本当にすまなさそうに『ご苦労様です』なんて言うんだよ。そのおっさんは全部で一五回ぐらいは俺に『ご苦労様です』って言ったんじゃないかな。それで、指紋を捺す用紙を持ってきたまだ若い姉ちゃんの顔には大きな痣があってさ、その若い姉ちゃんは一度も俺と目を合わさなくて、でも、俺が指紋を捺す時には、他の人間に見えないようにノートをついたてにして隠してくれたんだ。俺、もう殴るどころじゃなかったよ。俺、区役所を出るまでに、十回は『すいません』って言ってたよ。俺、これまで生きてきて、『すいません』をそんなに多く言ったの初めてだった……」[34]

――世界を変革する少数派

在日朝鮮人・被差別部落民・ユダヤ人・黒人・身体障害者・女性・ＬＧＢＴ・貧者などのアイデンティティ問題を考えるのは、彼らの不幸や苦悩を身近に感じたいというのでも、加害者として事実を反省すべきだというのでもない。人間と社会の真の姿を見つめるためだ。「政治は経済の集中的表現である」という以前に流行ったマルクス主義の謂に倣うなら、少数者問題が人間と社会の集中的表現だからである。姜尚中『在日』から引く。

考えてみると、社会は、ジェンダーや民族的な属性、階層的な出自や学歴、身体的な特徴や年齢など、さまざまな差異を持つ人々や集団からなりたっている。ただそれにもかかわらず、日本列島に生まれ、そこで一生を終える「日本人」に共通しているのは、その日本や日本国籍などにまつわる自明なものへの素朴なもたれかかりである。その結果、民族的少数者や外国人、難民や亡命者などにとってそのような自明性から生まれるさまざまな抑圧や排除の強制が、どれほど当人たちを苦しめることになるのか、なかなか了解されることが難しい。[35]

彼らの抗議と問いかけが世界の現状認識を変える。「解放の政治から生成の政治へ」で小倉康嗣が指摘する。

ゲイのエイジングが問いかけているのは、従来のつながりの枠組み（近代家族制度）を超えて、「ひとりの人間」として誰とどう生きるのか、どのような組み合わせで支えあって生きていくのかという根本的・普遍的な問題であり、その意味で異性愛者も含めた〝みんな〟の問題になりうる（……）。[36]

少数派を擁護せよと言うのではない。彼らの異議申し立てが多数派の目隠しを剝ぎ取り、新たな地平を開くのだ。肉体と精神を貫く集団性・外在性・与件・歴史性・不可能を〈私〉という場所で受け止める覚悟をする。当事者としての対峙とはこういう意味である。『死刑』を著した森達也がこう結ぶ。これも当事者として生きることだ。

二〇〇六年十二月二十五日に処刑された七十五歳の藤波芳夫は、高齢と長年の独房暮らしで脚が弱り、車椅子の生活だった。あなたに想像してほしい。ひとりでは歩けない老人を絞首台まで連行し、車椅子から降ろしてロープに吊るすその光景を。

車椅子だからかわいそうだとか、老人なのに死刑の意味があるのかとか、そのレベルの情緒に与するつもりはない。車椅子だろうが老人だろうが、死刑が必要ならばするべきだ。僕は死刑が必要な理由がどうしてもわからないけれど、でもあなたがどうしても必要なのだと思うのなら、それはそれで否定はしない。それはきっとあなたの理念であり思想なのだから。

　でもせめて、車椅子の藤波を吊るすその情景を、想像することくらいはしてほしい。だってそれは現実に起きたことであり、僕たちが承認したこの国のシステム下で行われたことなのだから。[37]（強調小坂井）

アルジェリアで通訳をしていた時、商社の部長と出会った。夕食を取りながら私の専攻を尋ねる。支配を研究しているという私の返事に、「支配側から支配を分析すると世界が違って見えますよ」と言う。その通りだろう。山の頂に登らないと見えない景色があるというのも本当だ。だが、私にはその道を選べないし、選びたいとも思わない。それは私が辿ってきた歴史がする選択だ。偏っているかもしれないが、それでかまわない。人間は社会と歴史の限定の中でしか生きられないのだから。

　誰にも強制されないのに好きでフランスにやって来た日本人に在日朝鮮人やユダヤ人の深いアイデンティティ危機が実感できるはずがない。だが、日本を離れてすでに四〇年以上経ち、このままフランスで死ぬ私は民族や所属共同体についてきちっと考える義務がある。その先導者が在日朝鮮人であり、ユダヤ人である。

嗤われるだけでないかという不安はある。こんな声が聞こえてこないか。

お前が寄り添っても何の力にもならない。差別を減らすための社会運動をお前はしているのか。何もしないで朝鮮人から学びたいとは、どういう言い草だ。朝鮮人をダシにして自分が学ぶのか。そのどこが当事者だと言うのか。

金石範『「在日」の思想』に収められた「在日朝鮮人文学」から引く。同じことだと思う。

もう一つは、〝新潮評論〟の「自己を文学的に肥沃ならしめる」論である。これは不思議に、私が冒頭でふれた読者たちの善意の在日朝鮮人文学に対する期待と軌を一にするものだ。一般の読者だけではない。文壇、あるいは「朝鮮」の側に即してものを考えようとする評論家たちのあいだにもこれに似たような考えがあるのであって、これは形はちがうが、やはりかつての日本人的な発想から自由でないと思わざるをえない。そもそも在日朝鮮人文学がまるで新しい日本語の〝創造〟や（かりに〝創造〟できるとして）、日本文学になにがしかの新鮮な血液でも注入する担い手でもあるような論が先に立てば、われわれ在日朝鮮人作家の存在の理由はない。それは道具にすぎない。植民地的存在の新しい形での延長にすぎない。結果としてそのような作用を認めることと、そのような視点に立つこととは根底からちがうのだ。[38]

ユダヤ人も、こう言うだろうか。

お前がホロコーストを起こしたわけではない。だけど私たちの不幸を学んだ上で、お前は何かしてくれるのか。私たちの苦しみを知って立派な人間になるのはお前の勝手だ。しかし、そのどこが当事者なのだ。

第二章で民族を、第五章で差別を検討した。どうしても解けない問題は世にたくさんある。美男美女もいれば、そうでない人もいる。才能に恵まれた者と、そうでない者。裕福な家庭で育つ者と貧困に生まれる者。平和な社会・時代に育つ者と戦乱のさなかに生まれ落ちる者。性差別や人種差別が脅威を振るう世界で女性・性同一障害者・少数民族として生を受ける。なぜ障害を持って生まれてきたのか、なぜ、こんなに若く死ななければならないのか。どうして世界は不公平なのか、残酷なのか。

これらの問いにどう答えるか。貧富の差を減らす政策を練る、バリア・フリー環境を整備する、人間の価値は美醜で決まらないと説く、難病を克服するために医学を発展させる、差別を根絶すべく教育を施す……。だが、そのような答えでは問題の核心に到底届かない。重病に罹れば、助かろうと誰でも願い、治療を受ける。それでも人間はいつか死ななければならない。そこに根源的な問いがある。本当の当事者性とは人間や社会の本質を見つめることであり、四門出遊の問いにつながる態度である。

ケストラー『一三番目の支族』とサンド『ユダヤ人の起源』に第二章で言及した。彼らはユダヤ神話の嘘を暴きながらも、苦悩する同胞に優しいまなざしを絶やさない。シオニストはナチスと同じように人種神話を信じた。離散ユダヤ人が血縁集団をなすという虚構に頼らざるをえなかった。ホロコーストの悲劇を乗り越える上で、心理的にも政治的にもそれ以外の道はなかった。運命を受け入れた上で、それでも今日の嘘を乗り越えて未来を見つめよう、そうすれば必ず世界は開かれる。二人がこう励ます。彼らの誠実と謙虚、そして勇気に私も学びたい。

先に引用した金石範「在日朝鮮人文学」にこんな言葉がある。私が今考えている方向につながるはずだ。


私には却って、文壇などのほうに在日朝鮮人文学について暗黙の、あるいは無意識的な〝聖域〟視する向きがあるように思える。それは皮相な罪障感の裏返しとして出てきやすいものだ。(……)「差別」と「偏見」を告発した在日朝鮮人作家の「そのあまりにも明瞭な正当性」をまえにしたときの日本人の戸惑いがそれだろう。「文学以前の水準で、その正当性を既に保証されてしまっているが如き「……そうした告発を受けねばならぬ日本人読者にとって、いわばほとんど言葉を返すことの不可能であるような、つまり批評不可能であるような正当性としてある」、そういうところに〝聖域〟は双方の文学上の陥穽としてあるのであって、私はそれを拒む。独自性というのはまたローカリズムではない。普遍へ突き抜けるための独自性である。

規範論をいくら重ねても雨乞いの踊りを繰り返すだけだ。汚れていると信じて手を洗い続ける強迫神経症患者のように偽の問題に逃げ込む。社会を変革しようという善意こそが問題から目を背けさせる。偶然の火花が人を変え、世界の動向を左右する。何が起きるかはわからない。どのような未来が待っているかは誰にも見通せない。だが、世界の行方に少数派が楔を打ち込み、いつか必ず社会を変える。リミッターの外れた異端者が世界を動かす。それだけはまちがいない。

あとがき

勉強を始めたのが遅かったから大学に就職した時、すでに三七歳になっていた。そして昨秋、一年前倒しでパリ第八大学を退官した。二九年の教員人生だった。その間、学生に伝えたことは本書で説いた指針三つだけだ。

大学の同僚たちとは在職中ずっと話が合わなかった。心理学の現状に批判的な者も学問の枠内でしか考えない。学界の動向から置いてきぼりにならないよう、おびただしい数の最新論文を読むくせに、プラトン以降二〇〇〇年以上にわたって人類が培ってきた叡智には見向きもしない。社会学や哲学の問題だと感じるとそっぽを向く。アメリカン・フットボールとラグビーのように似て非なることを私たちはしてきたのだと思う。『答えのない世界を生きる』に書いた。

社会心理学パリ・ネットワークの会議では、若者の育て方とか、統計学の授業を一緒にするとか、どうでもよいことばかり議題に上る。学生の心配をする余裕があるのか。我々自身の無能さを見つめることの方が急務だろう。モスコヴィッシが言っていた。「カントやニュートンのような大思想家が社会心理学からは一人も出ていない。そんな人間を百年後に輩出するには、どうすべきか」。

技術的詳細に気を取られ、浅薄な理論しかない現況を打破するために学際的アプローチが有効だ。だが、そんな野心は誰も持たないらしい。「天才は大学の外で生まれるから、大学教育の仕事ではない。大学は凡人を作るところだ」との、お言葉。呆れて帰ってきた。それ以降、二度と会議に行かなかった。

教育には二つのやり方がある。両方とも大切だ。スポーツでも芸術でも模範を示すだけでは学生は育たない。「こうやれ」と言っても、その「こう」がわからないのだから。どうしたら「こう」できるのか、わからないのだから。サッカーなら基本の三角パスやドリブルで相手を抜く練習を何度も繰り返しながらコツを体得する。ピアノの練習では音の様々な組み合わせや繋がりを繰り返し、指の動かし方を身体に覚えさせる。

だが、そのように細かく指導する能力が私にはなかった。常識と距離を取れない学生の気持ちが理解できなかった。発想を変えさせる具体的方策が見つからなかった。だから、かろうじて私にできたのは例を示すことだけだった。師から学んだ感動を再現することだけだった。手取り足取りで教えるのも大切だが、言葉では伝えられない感覚・美意識・センスもある。芸術やスポーツでもそうだ。「技術は教わるのでなく、盗め」と職人の世界でも言われる。同じことだ。

創造を称揚する貧困な常識を捨て、もう一度考え直そう。なぜ学ぶのか、なぜ知りたいのか。作家・

橋本治の文体について内田樹がブログに書いている（『内田樹の研究室』「追悼・橋本治」）。

> 橋本さんの「説明」には手抜きがない。他人が相手なら、「めんどうくさいから少し話を急がせよう」とか「引証はこの程度で結論に進むか」ということもあるかも知れない。でも、自分が相手なのである。自分相手に説明の手を抜くということはありえない。自分が納得しなければ話が終わらないのだから。（強調小坂井）

私も同じ気持ちで書く。読者に説く以前に、自分自身が納得するために。私の迷いは世界を理解するための窓口だ。現実に迫る入り口がせっかく開いているのに、問題を消して扉を閉じてはいけない。小説家・詩人・音楽家・画家などの活力も同じに違いない。

私論を誤読する読者が絶えない。特に主体虚構論が伝わらない。賛成せよと言うのではない。主張の中核を素通りしたり、歪曲し我田引水によって称賛する読者が一番手に負えない。本を読んで有益な情報を得ようという態度がそもそも躓きの元だ。読書は覚悟と決断だとわかっていない。本に書き手の実存がかかっている。その意味で書はつねに自伝である。本書は市場にあふれるハウツー本へのアンチテーゼである。

心理学も社会学もどうでもよい。社会心理学の定義をめぐる矮小な内部抗争など無意味だ。忘れてはならない。我々は人間を知りたいのだ。自分自身の問いを解きたいのだ。不毛な派閥争いに巻き込まれず、自らの存在を問う野心と覚悟を持とう。若い研究者と学生に向ける私の心からの助言であり、願いだ。

フランスに住みだした四〇年前、いつか日本のシッダールタか現代の親鸞になりたいと高校の同級生・鈴井清巳（現・京都産業大学教授）に綴った。そうしたら、そんなものより小坂井敏晶になれと返事がきた。二〇歳まで本を読まなかった私に高橋和巳の作品を教えてくれたのも彼である。『邪宗門』に出てくる説教の場面を私はずっと自らへの戒めにしてきた。

教団には三行、四先師、五問…という根本要諦があろう。その五問というのは、特別教育をうけられたわけでもない開祖が、御自身の経歴に即して、自分自身でものを考えられはじめたことを記念したものじゃ。（……）日本民族は頭のいい人種だという。明治維新以降だけを考えても、頭のいい人は山といた。それなのになぜ頭のいい秀才が世なおしのことを考えず、愚直な一婦人が秀才にできぬことをなそうとしたか。それは秀才たちがヨーロッパからいろんな制度や文物や理論をまなび、木に竹をつぐようにしてその結論だけを移植しようとしたのにたいして、開祖は解決ではなくすぐれた疑問を、自分自身で提出されたからだった。人の解決を盗むのはやさしい。カントがどう言ったかヘーゲルがどう言ったか、博引旁証の秀才は山といよう。思想とはなにか思惟とはなにか、それぞれの哲学者の言葉を引用して、それぞれに答えよう。だが、『思うとは自分のどたまで思うこと』ということを日本人はまず肝に銘じねばならぬ。でなければ日本人はかつて禹域［中国］に内面的に従属し、今またヨーロッパに追従するように、永遠に利口な猿となりはてるであろう。（傍点原文）

二流の自分をずっと恥じてきた。スポーツも音楽も駄目だった。圧倒的な才能の前で私の凡庸を知らされ、悔しさを噛み締めてきた。しかし考究で敵わないと思う思想家はいない。アインシュタインにだって負けた感じがしない。もちろん客観的には私が平凡な学徒にすぎないと自覚している。本書を終えて、矛盾する感覚の理由がわかった。自分の問題だけを考え続け、他人のことはどうでもよくなった。だから負けたと感じないのだろう。

本書を綴って私はまた学んだ。解くべき問いはまだ多く残っている。だが、それでも少しずつ答えが見つかっている。このような本の上梓を可能にしてくれた編集者・栗原和子さんと祥伝社、読者のおかげだ。そして、三人称で考えがちな私に、人間が二人称の存在であることを常に思い出させてくれる伴侶・木野真美との対話がなければ、本書は成立しなかった。皆さんに心からお礼を申し上げる。

二〇二三年春

小坂井敏晶

13. 中島前掲『哲学の教科書』。
14. 河合隼雄ら『河合隼雄　その多様な世界』岩波書店、1992年（柳田邦男『犠牲　わが息子・脳死の11日』文藝春秋、1995年から引用）。
15.『中日新聞』2006年1月18日夕刊。
16. M. R. Marrus, , *The Politics of Assimilation: A Study of the French Jewish Community at the Time of the Dreyfus Affair*, Oxford University Press, 1971.
17. M. Reuchlin, *Psychologie*, PUF, 1977.
18. 藤井直敬『つながる脳』NTT出版、2009年。
19. 小川環樹『世界の名著　老子・荘子』中央公論社、1968年。
20. J. Habermas, *Profils philosophiques et politiques*, Gallimard, 1974, cité par P. Birnbaum, *Géographie de l'espoir. L'exil, les Lumières, la désassimiliation*. Gallimard, 2004.
21. A. Touraine, *Un désir d'histoire*, Stock, 1977, cité par Birnbaum, *ibid.*
22. R. Aron, *Essais sur la condition juive contemporaine*, Editions de Fallois, 1989 cité par Birnbaum, *ibid.*
23. *Le Nouvel Observateur*, 5 juillet 1980, cité par Birnbaum, *ibid.*
24. 姜前掲書。
25. 鷺沢萠『ケナリも花、サクラも花』新潮社、1994年。
26. 竹田青嗣『〈在日〉という根拠』ちくま学芸文庫、1995年。
27. 金鶴泳「一匹の羊」『土の悲しみ』金鶴泳作品集II、クレイン、2006年、所収。
28. 竹田前掲書。
29. 同。
30. 鷺沢前掲書。
31. D. J. Goldhagen, *Hitler's Willing Executioners. Ordinary Germans and the Holocaust*, Knopf, 1996.
32. Hilberg, *op. cit.*
33. E. Husson, *Une culpabilité ordinaire ? Hitler, les Allemands et la Shoah*, François-Xavier de Guibert, 1977.
34. 金城一紀『GO』角川文庫、2007年。
35. 姜尚中『在日』集英社文庫、2008年。
36. 小倉康嗣、第七章「解放の政治から生成の政治へ 「ゲイ」というカテゴリーの意味転換」、好井裕明編『排除と差別の社会学』有斐閣選書、2009年。
37. 森達也『死刑』朝日出版社、2008年。
38. 金石範『「在日」の思想』筑摩書房、1981年。

26. 鈴木道彦「解説—橋をわがものにする思想」、ファノン前掲書所収。
27. F. Fanon, *Peau noire, masques blancs*, Seuil, 1952 ; A. Memmi, *L'homme dominé*, Payot, 1968; 岸田秀/K. Dバトラー『黒船幻想』トレヴィル、1986年。
28. Lewin, "Psycho-sociological problems of a minority group", art. cit.
29. Dickie-Clark, *op. cit.*
30. 金一勉『朝鮮人がなぜ「日本名」を名のるのか』三一書房、1978年。朴一『〈在日〉という生き方　差異と平等のジレンマ』講談社選書メチエ、1999年。同『僕たちのヒーローはみんな在日だった』講談社 *α* 文庫、2016年。
31. 橋川文三『黄禍物語』筑摩書房、1976年。
32. 南博『日本人論　明治から今日まで』岩波書店、1994年。
33. B. de, Jouvenel, *Les débuts de l'État moderne. Une histoire des idées politiques au XIXe siècle*, Fayard, 1976.
34. Association Française pour l'Histoire de la Justice (Ed.), *La cour d'assises. Bilan d'un héritage démocratique*, Documentations françaises, 2001.
35. M. Iacub, *Le crime était presque sexuel. Et autres essais de casuistique juridique*, EPEL, 2002.
36. E. M. Schur, *Crimes without Victims. Deviant Behavior and Public Policy. Abortion, Homosexuality, Drug Addiction*, Prentice-Hall Inc., 1965.
37. R. Ogien, *Le corps et l'argent*, La Musardine, 2010.
38. 河本英夫『オートポイエーシス 第三世代システム』青土社、1995年。
39. 萱野稔人『死刑 その哲学的考察』ちくま新書、2017年。
40. 入不二基義『相対主義の極北』ちくま学芸文庫、2009年。
41. 永井均「なぜ悪いことをしても〈よい〉のか」、大庭健・安彦一恵・永井均編『なぜ悪いことをしてはいけないのか』所収、ナカニシヤ出版、2000年。
42. I. Berlin, "Two concepts of liberty", in *Liberty*, Oxford University Press, 2008, p.166-217.
43. K. Popper, *The Open Society and its Enemies, vol. 1, The Age of Plato*, Routledge, 1945.

●終章

1. R. Rosenbaum, *Explaining Hitler: The Search for the Origins of his Evil*, Random House, 1999.
2. 池田清彦『生命の形式　同一性と時間』哲学書房、2002年。
3. G. H. Mead, Mind, *Self, and Society: From the Standpoint of a Social Behaviorist*, edited by C. W. Morris, The University of Chicago Press, 1934.
4. Wittgenstein, *Investigations philosophiques, op. cit.*
5. J. T. Jost & O. Hunyady, "The psychology of system justification and the palliative function of ideology", *European Review of Social Psychology, 13*, 2002, 111–53.
6. バルガス＝リョサ『若い小説家に宛てた手紙』木村栄一訳、新潮社、2000年。
7. 同。
8. Nagel, *op.cit.*
9. J.-P. Leyens, *Sommes-nous tous des psychologues ?*, Pierre Mardaga, 1983.
10. 益川敏英・山中伸弥『「大発見」の思考法　iPS細胞 vs. 素粒子』文春新書、2011年。
11. Hilberg, *op. cit.*
12. Browning, *op. cit.*

en philosophie, 1875.
26. R. L. Rosenthal & L. Jacobson, *Pygmalion in the Classroom*, Holt, Rinehart & Winston, 1968.

●第六章

1. Schlick, *op. cit.*
2. 大澤真幸『生きるための自由論』河出ブックス、2010年。古田徹也『それは私がしたことなのか』新曜社、2013年。國分功一郎『中動態の世界　意志と責任の考古学』医学書院、2017年。斎藤慶典『生命と自由　現象学、生命科学、そして形而上学』東京大学出版会、2014年。河野前掲書。
3. Schlick, *op. cit.*
4. Dumont, *Essais sur l'individualisme, op. cit.*
5. *Ibid.*
6. H. Arendt, *Between Past and Future*, The Viking Press, 1961.
7. M. Revault d'Allones, *Le pouvoir des commencements. Essai sur l'autorité*, Seuil, 2006.
8. G. Simmel, *Philosophie des Geldes*, Duncker & Humbolt, 1977. [tr. fr., *Philosophie de l'argent*, PUF, 1987].
9. F. A.ハイエク「抽象の第一義性」(吉岡佳子訳)、アーサー・ケストラー編著『還元主義を超えて』工作舎、1984年所収。
10. 下条信輔『〈意識〉とは何だろうか』講談社現代新書、1999年。
11. 長尾龍一『日本大百科全書(ニッポニカ)』小学館、1984年。
12. Pascal, *op. cit.*
13. E. Durkheim, *Les règles de la méthode sociologique*, Félix Alcan, 1895.
14. E. Durkheim, *Sociologie et philosophie*, Félix Alcan, 1924.
15. *Les règles de la méthode sociologique, op. cit.*
16. E. Durkheim, « Crime et santé sociale », *Revue philosophique de la France et de l'étranger, 39*, 1895, reproduit *in* Durkheim, *Textes. 2. Religion, morale, anomie*, Éditions de Minuit, 1975, p.173-80.
17. *Ibid.*
18. *Les règles de la méthode sociologique, op. cit.*
19. M. Weber, *Wirtschaft und Gesellschaft*, Mohr, 1956.
20. H. F. Dickie-Clark, *The Marginal Situation. A Sociological Study of a Colored Group*, Routledge & Kegan Paul Ltd., 1966; K. Lewin, "Psycho-sociological problems of a minority group", in *Resolving Social Conflicts. Selected Papers on Group Dynamics*, Harper & Brothers Publishers, 1948, p. 145-158 [first edition: 1935]; 前掲拙著『異文化受容のパラドックス』。
21. L. Dumont, *Homo æqualis. Genèse et épanouissement de l'idéologie économique*, Gallimard, 1977.
22. Tocqueville, *op. cit.*
23. T. Burrell, *Brainwashed. Challenging the Myth of Black Inferiority*, SmileyBooks, 2010; J. Sméralda, *Peau noire, cheveu crépu. L'histoire d'une aliénation*, Jasor, 2004; *Good Hair*, American documentary film, 2009.
24. フランツ・ファノン『黒い皮膚、白い仮面』海老坂武/加藤晴久訳、みすず書房、1968年。
25. F. Fanon, *Pour la révolution africaine*, Maspéro, 1969.

Social Psychology, 12, 1969, 125–35; S. Moscovici & W. Doise, *Dissensions et consensus. Une théorie générale des décisions collectives,* PUF, 1992.
29. *Social Influence and Social Change, op. cit.*
30. *Les Japonais sont-ils des Occidentaux?, op. cit.*
31. *L'étranger, l'identité, op. cit.*

●第五章

1. B. Pascal, *Pensées*, Gallimard, 1977 [première édition : 1669].
2. 三田紀房『プレゼンの極意はマンガに学べ』講談社、2013年。
3. *Les Japonais sont-ils des Occidentaux?, op. cit.*
4. 粕倉康夫『エリートのつくり方』ちくま新書、1996年。
5. I. Illich, *Deschooling Society*, Harper & Row, 1971.
6. 加藤秀俊『独学のすすめ』ちくま文庫、2009年。
7. J. Rawls, *A Theory of Justice, Revised Edition*, The Belknap Press of Harvard University Press, 1999 [first edition: 1971].
8. M.J. Sandel, *Liberalism and Limits of Justice*, Cambridge University Press, 1982.
9. Moscovici, *Psychanalyse, son image et son public, op. cit.*
10. O. Sacks, *The Man who Mistook his Wife for a Hat*, Gerald Duckworth & Co., 1985,
11. J. Cohen & T. Nagel, "John Rawls: On My Religion", *Times Literary Supplement*, 18 March 2009; J. Rawls, *A Brief Inquiry into the Meaning of Sin and Faith*. With "On My Religion". Edited by Thomas Nagel, Harvard University Press, 2010.
12. R. Nozick, *Anarchy, State and Utopia*, Basic Books, 1974.
13. R. Dworkin, *Sovereign Virtue. The Theory and Practice of Equality*, Harvard University Press, 2002.
14. M. J. Sandel, *The Tyranny of Merit. What's Become of the Common Good?*, Allen Lane/The Penguin Press, 2020.
15. Fauconnet, *op. cit.*
16. R. Girard, *La violence et le sacré*, Grasset, 1972 ; —, *Des choses cachées depuis la fondation du monde*, Grasset & Fasquelle, 1978; —, *Le bouc émissaire*, Grasset, 1982.
17. P. Combessie, « Paul Fauconnet et l'imputation de la responsabilité », *Anamnèse, 3*, 2008, 221–46.
18. R. Christian-Nils, *L'Impératif sacrificiel. Justice pénale : au-delà de l'innocence et de la culpabilité*, Éditions d'en bas, 1986.
19. Fauconnet, *op. cit.*
20. Lifton & Mitchell, *op. cit.*
21. E. Leach, *Political Systems of Highland Burma: A Study of Kachin Social Structure*, G. Bell & Sons, 1954.
22. 中島義道『後悔と自責の哲学』前掲書。
23. F. Varela, *Principles of Biological Autonomy*, North Holland, 1979.
24. 竹内啓『偶然とは何か―その積極的意味』岩波新書、2010年。
25. A.-A. Cournot, *Matérialisme, vitalisme, rationalisme. Étude sur l'emploi des données de la science*

58. 岩井克人『資本主義を語る』ちくま学芸文庫、1997年。
59. A. Chemin, « L'insémination, un arrangement social centenaire », *Le Monde*, 20/09/2019.

●第四章

1. S. Moscovici, *Chronique des années égarées*, Stock, 1997.
2. 旧約聖書「詩篇」第137章に呼応すると思われる。
3. S. Moscovici, *Mon après-guerre à Paris*, Grasset, 2019.
4. H. Arendt, *Eichmann in Jerusalem. A Report on the Banality of Evil*, Penguin Books, 1994 [first edition: 1963].
5. S. Moscovici, *La psychanalyse, son image et son public*, PUF, 1976 [première édition : 1961].
6. S. Moscovici, *L'expérience du mouvement. Jean-Baptiste Baliani, disciple et critique de Galilée*, Hermann, 1967.
7. 互盛央『エスの系譜』講談社、2010年。
8. S. Freud, *Zur Psychopathologie des Alltagslebens* [tr. fr., *Psychopathologie de la vie quotidienne*, Payot, 1967].
9. D. Kahneman, *Thinking, Fast and Slow*, Penguin Books, 2011.
10. C. Guimelli, *La pensée sociale*, PUF, 1999 ; S. Moscovici, *Le scandale de la pensée sociale*. Textes inédits sur les représentations sociales réunis et préfacés par Nikos Kalampalikis, Editions de l'Ecole des Hautes Etudes en Sciences Sociales, 2013.
11. R. M. Farr, *The Roots of Modern Social Psychology: 1872-1954*, Blackwell, 1996.
12. Asch, *Social Psychology, op. cit.*
13. F. Heider, *The Psychology of Interpersonal Relations*, John Wiley & Sons, 1958.
14. J. Bruner, *Acts of Meaning*, Harvard University Press, 1990.
15. S. Moscovici, « La nouvelle pensée magique », *Bulletin de Psychologie, 405*, 1992, 301–24 ; —, *Psychologie sociale des relations à autrui*, Nathan, 1994.
16. Moscovici, *Raison et cultures, op. cit.*; L. Lévy-Bruhl, *Les fonctions mentales dans les sociétés inférieures*, PUF, 1910.
17. S. Moscovici, *Le scandale de la pensée sociale, op. cit.*
18. *Raison et cultures, op. cit.*
19. 酒井邦嘉『科学者という仕事』中公新書、2006年。
20. 中島義道『哲学の教科書』講談社学術文庫、2001年。
21. A. Renaut, *L'ère de l'individu*, Gallimard, 1989.
22. S. Moscovici, *La machine à faire des dieux. Sociologie et psychologie*, Fayard, 1988.
23. *Differentiation between Social Groups, op. cit.*
24. A. Mummendey & H.-J. Schereiber, "Better or just different? Positive social identity by discrimination against, or by differentiation from outgroups", *European Journal of Social Psychology 13*, 1983, 389–97.
25. C. Peugny, *Le destin au berceau. Inégalités et reproduction sociale*, Seuil, 2013.
26. *Le monde*, 2/10/2022.
27. S. Moscovici, *L'âge des foules. Un traité historique de psychologie des masses*, Fayard, 1981.
28. S. Moscovici & M. Zavalloni, "The group as a polarizer of attitudes", *Journal of Personality and*

édition : 1755].

33. J.-J. Rousseau, « Du contrat social ou principe du droit politique », in *Œuvre complète III. Du contrat social. Ecrits politiques*, Gallimard, 1964, p.347-470 [première édition : 1762].

34. *Ibid.*

35. P. Manent, *Histoire intellectuelle du libéralisme*, Calmann-Lévy, 1987.

36. M. Schlick, *Fragen der Ethik, Springer*, 1930 [tr. fr. "Questions d'étique", in *Questions d'étique. Volonté et motif*, PUF, 2000.

37. Manent, *op. cit*, ; L. Scubla, « Est-il possible de mettre la loi au-dessus de l'Homme? Sur la philosophie politique de Jean-Jacques Rousseau », *in* J.-P. Dupuy (Ed.), *Introduction aux sciences sociales, op. cit.,* p. 105-143.

38. J.-P. Dupuy, *Le sacrifice et l'envie. Le libéralisme aux prises avec la justice sociale*, Calmann-Lévi, 1992.

39. K. Marx, *Le capital. Critique de l'économie politique*, Editions Sociales, 1977 [première édition : 1867, 1885, 1894].

40. 苅谷剛彦『大衆教育社会のゆくえ　学歴社会と平等神話の戦後史』中公新書、1995年。

41. Hume, *op. cit.*

42. "A theory of social comparison processes", art. cit.; H. Tajfel, *Differentiation between Social Groups: Studies in the Social Psychology of Intergroup Relations*, Academic press, 1978.

43. A. de Tocqueville, *De la démocratie en Amérique*, Gallimard, 1961 [première édition : 1835].

44. 佐々木司「双生児の医学とデータベース」東京大学教育学部附属中等教育学校編『ふたごと教育　双生児研究から見える個性』東京大学出版会、2013年、151 -173頁。

45. 安藤寿康「遺伝と環境が学力にどのように影響するか　家庭の社会経済的背景、親の教育的関与、本人の努力、そして遺伝」(https://www.blog.crn.or.jp/report/02/297.html、2023年2月20日参照)。

46. 安藤寿康『日本人の９割が知らない遺伝の真実』SB新書、2016年。

47. 安藤寿康『遺伝子の不都合な真実　すべての能力は遺伝である』ちくま新書、2012年。

48. J. Mossuz-Lavau, *Les lois de l'amour. Les politiques de la sexualité en France (1950—2002),* Payot & Rivages, 2002.

49. T. Norgen, *Abortion before Birth Control: The Politics of Reproduction in Postwar Japan*, Princeton University Press, 2001.

50. G. Bedouelle, J.-L. Bruguès & P. Becquart, *L'Eglise et la sexualité. Repères historiques et regards actuels*, Cerf, 2006.

51. A. Godefroy, *Les religions, le sexe et nous*, Calmann-Lévy, 2012.

52. E. J. Johnson & D. Goldstein, "Do defaults save lives?", *Science, 302*, 2003, 1338-1339.

53. C. Boileau, *Dans le dédale du don d'organes. Le cheminement de l'ethnologue*, Éditions des archives contemporaines, 2002.

54. J. T. Godbout, *Le don, la dette et l'identité. Homo donator vs. homo œconomicus*, La Découverte/ M.A.U.S.S., 2000.

55. J. T. Godbout, *Ce qui circule entre nous. Donner, recevoir, rendre*, Seuil, 2007.

56. F. Dagognet, *La maîtrise du vivant*, Hachette, 1988.

57. Godbout, *Le don, la dette et l'identité, op. cit.*

Cost of Learning to Kill in War and Society, Back Bay Books/Little, Brown and Company, 1996.
8. 浜田寿美男『自白の研究［新版］』北大路書房、2005年。同『取調室の心理学』平凡社新書、2004年。秋山賢三『裁判官はなぜ誤るのか』岩波新書、2002年。B. Forst, *Errors of Justice: Nature, Sources and Remedies*, Cambridge University Press, 2004; B. Scheck, P. Neufeld & J. Dwyer, *Actual Innocence*, New American Library, 2003.
9. H. Poincaré, *Science et méthode*, Flammarion, 1920.
10. T. Todorov, *Face à l'extrême*, Seuil, 1994.
11. M. Terestchenko, *Un si fragile vernis d'humanité. Banalité du mal, banalité du bien*, La Découverte/MAUSS, 2005.
12. B. Libet, *Mind Time. The Temporal Factor in Consciousness*, Harvard University Press, 2004.
13. *L'étranger, l'identité, op. cit.* (livre de poche : Payot & Rivages, 2007).
14. 河野哲也『環境に拡がる心』勁草書房、2005年。大庭健『自分であるとはどんなことか』勁草書房、1997年。同『他者とは誰のことか』勁草書房、1989年。同『「責任」ってなに？』講談社現代新書、2005年。
15. 瀧川裕英『責任の意味と制度　負担から応答へ』勁草書房、2003年。
16. T. Nagel, *The Last Word*, Oxford University Press, 1997.
17. P. Fauconnet, *La responsabilité. Étude de sociologie*, Alcan, 1928 [1ère édition : 1920].
18. 小浜逸郎『「責任」はだれにあるのか』PHP新書、2005年。
19. 中島義道『後悔と自責の哲学』河出文庫、2009年。
20. 中島義道『時間と自由　カント解釈の冒険』講談社学術文庫、1999年。
21. V. Descombes, *La denrée mentale*, Minuit, 1995 ; —, *Les institutions du sens*, Minuit, 1996.
22. 木村敏『あいだ』弘文堂、1988年。同『生命のかたち/かたちの生命』青土社、1995年。小林敏明『〈ことなり〉の現象学　役割行為のオントプラクソロギー』弘文堂、1987年。同『アレーティアの陥穽』ユニテ、1989年。廣松渉『もの・こと・ことば』勁草書房、1979年。同『身心問題』青土社、1989年。渡辺慧『知るということ』東京大学出版会1986年など。
23. M. Smiley, *Moral Responsibility and the Boundaries of Community. Power and Accountability from a Pragmatic Point of View*, The University of Chicago Press, 1992.
24. W. Styron, *Sophie's Choice*, Vintage, 2000 [first edition: 1979]
25. J.-P. Dupuy, *Avions-nous oublié le mal?*, Bayard, 2002.
26. M. Mauss, « Essai sur le don. Forme et raison de l'échange dans les sociétés archaïques », in *Sociologie et anthropologie*, PUF, 1983 [première édition : 1950], p. 142-279.
27. M. R. Anspach, *A charge de revanche*, Seuil, 2002.
28. *Ibid.*
29. 岩井克人『貨幣論』筑摩書房、1993年。
30. G. Mairet, *Le principe de souveraineté. Histoire et fondements du pouvoir moderne*, Gallimard, 1997.
31. T. Hobbes, *Leviathan*, edited by Richard Tuck, Cambridge University Press, 1991 [first edition: 1668].
32. J.-J. Rousseau, « Discours sur l'origine et les fondements de l'inégalité parmi les hommes », in *Œuvre complète III. Du contrat social. Ecrits politiques*, Gallimard, 1964, p.111-236 [première

Advances in Experimental Social Psychology, Vol. 6, Academic Press, 1972, p.1-62.
65. A. W., Wicker, "Attitudes vs. actions. The relationship of verbal and overt behavioral responses to attitude objects", *Journal of Social Issues, 25*, 1969, 41-78.
66. M.S. Gazzaniga, *The Mind's Past*, University of California Press, 2000.
67.『社会心理学講義』筑摩選書、2013年。『増補　責任という虚構』ちくま学芸文庫、2020年。
68. M.S. Gazzaniga, *The Social Brain: Discovering the Networks of the Mind*, Basic Books, 1985; R. E. Nisbett & T. D. Wilson, "Telling more than we can know: Verbal reports on mental processes", *Psychological Review, 84*, 1977, 231–59.
69. R. T. Croyle & J. Cooper, "Dissonance arousal: Physiological evidence", *Journal of Personality and Social Psychology, 45*, 1983, 82–91; R. A. Elkin & M. R. Leippe, "Physiological arousal, dissonance, and attitude change: Evidence for a dissonance-arousal link and a 'Don't remind me' effect", *Journal of Personality and Social Psychology, 51*, 1986, 55-65.
70. L. Festinger , H. W. Riecken & S. Schachter, *When Prophecy Fails*, University of Minnesota Press, 1956.
71. D. Le Breton, *La chair à vif. Usages médicaux et mondains du corps humain*, Métailié, 1993.
72. J.-L. Beauvois & R.-V. Joule, *Soumission et idéologies. Psychosociologie de la rationalisation*, PUF, 1981.
73. L. Festinger, "Informal social communication", *Psychological Review, 57*, 1950, 217-282.
74. L. Festinger, "A theory of social comparison processes", *Human Relations, 7*, 1954, 17-140.
75. L. Ross, "The intuitive psychologist and his shortcomings", *in* L. Berkowitz (Ed.), *Advances in Experimental Social Psychology*, Academic Press, Vol. 10, 1977, p. 173-220.
76. J.-L. Beauvois, *La psychologie quotidienne*, PUF, 1984.
77. J.-L. Beauvois, *Traité de la servitude libérale. Analyse de la soumission*, Dunod. 1994.
78. D. H. Lawrence & L. Festinger, *Deterrents and Reinforcement. The Psychology of Insufficient Reward*, Stanford University Press, 1962.

●第三章

1. 最初はフランス語で上梓。T. Kozakai, *Les Japonais sont-ils des Occidentaux? Sociologie d'une acculturation volontaire*, L'Harmattan, 1991.
2. 最初はフランス語で上梓。T. Kozakai, *L'étranger, l'identité. Essai sur l'intégration culturelle*, Payot, 2000 [tr. it.：*Lo straniero, l'identità. Saggio sull'integrazione culturale*, Borla, 2002].
3. *The Act of Creation, op. cit.*.
4. S. Harris, *Chalk Up Another One. The Best of Sidney Harris*, Rutgers University Press, 1992.
5. R. Hilberg, *The Destruction of the European Jews*, 1985 [tr. fr. *La destruction des Juifs d'Europe*, Fayard, 2006]
6. C. R. Browning, *Ordinary Men. Reserve Police Battalion 101 and the Final Solution in Poland*, Harper Collins Publishers, 1992.
7. S. Banner, *The Death Penalty. An American History*, Harvard University Press, 2002; R. J. Lifton & G. Mitchell, *Who Owns Death? Capital Punishment, the American Conscience, and the End of Executions*, HarperCollins Publishers, 2002; D. Grossman, *On Killing. The Psychological*

所収。
36. 姜信子『ごく普通の在日韓国人』朝日文庫、1990年。
37. A. Memmi, *La libération du Juif*, Gallimard, 1966.
38. M. Ferro, *Les tabous de l'Histoire*, Nil éditions, 2002.
39. Sand, *op. cit.*
40. Koestler, *The Thirteenth Tribe, op. cit.*
41. Y. Courbage, « Qui sont les peuples d'Israël ? », in *Israël. De Moïse aux accords d'Oslo*, Seuil, 1988, p. 487-495.
42. *Ibid.*
43. Sand, *op. cit.*
44. *Ibid.*
45. S. J. El-Azem, « Sionisme. B. Une entreprise de colonisation », *Encyclopœdia Universalis*, Vol. 21, 1989, p. 63-65.
46. E. Barnavi, *Une histoire moderne d'Israël*, Flammarion, 1982/1988.
47. Aristote, Métaphysique, Vrin, 1991.
48. S. Ferret, *Le bateau de Thésée. Le problème de l'identité à travers le temps*, Minuit, 1996.
49. D. Hume, *A Treatise of Human Nature*, Penguin Classics, 1969 (first edition: 1739-40).
50. E. Kantorowicz, *The King's Two Bodies. A Study in Mediaeval Political Theology*, Princeton University Press, 1957; J.-P. Dozon, « Les Bété : une création coloniale », *in* J.-L. Amselle et E. M'Bokolo (Eds.), *Au cœur de l'ethnie. Ethnie, tribalisme et Etat en Afrique*, La Découverte, 1999, p. 49-85.
51. E. Renan, *Qu'est-ce qu'une nation? et autres essais politiques*, Pocket, 1992.
52. 木村敏『時間と自己』中公新書、1982年。
53. L. Dumont, *Essais sur l'individualisme*, Seuil, 1983.
54. F. A. Hayek, *Law, legislation and liberty*. Routledge & Kegan Paul, 1973-79.
55. J.-P. Dupuy (Ed.), *Introduction aux sciences sociales. Logique des phénomènes collectives*, Edition Marketing, 1992.
56. A. Smith, *The Wealth of Nations*, edited by R.H. Campbell, A.S. Skinner and W.B. Todd, Clarendon Press, 1976 [first edition: 1776].
57. E. Durkheim, *Le suicide*, PUF, 1993 [première édition : 1930].
58. P. Ricœur, « Aliénation », in *Encylopædia Universalis*, vol. 1, 1990, p. 819-823.
59. F. Vandenberghe, *Une histoire critique de la sociologie allemande. Aliénation et réification. T.1, Marx, Simmel, Weber, Lukács*, La Découverte, 1997.
60. L. Festinger, *A Theory of Cognitive Dissonance*, Stanford University Press, 1957/1962.
61. J. Cooper & R. H. Fazio, "A new look at dissonance theory", *in* L. Berkowitz (Ed.), *Advances in Experimental Social Psychology*, Vol. 17, Academic Press, 1984, p. 229-266.
62. J. W. Brehm & A.R. Cohen, *Explorations in Cognitive Dissonance*, Wiley, 1962.
63. S. Moscovici, "Society and theory in social psychology", *in* J. Israel & H. Tajfel (Eds.), *The Context of Social Psychology. A Critical Assessment*, Academic Press, 1972, p.17-68.
64. D. J. Bem, "Self-perception: An alternative interpretation of cognitive dissonance phenomena", *Psychological Review*, *74*, 1967, 183-200; —, "Self-perception theory", *in* L. Berkowitz (Ed.),

9. G. Lemaine, "Social differentiation and social originality", *European Journal of Social Psychology, 4*, 1974, 17-52.
10. 小坂井敏晶「開かれた国家理念が秘める閉鎖機構　フランス同化主義をめぐって」、石井洋二郎/工藤庸子編『フランスとその〈外部〉』東京大学出版会、2004年、105-126頁。
11. E. Todd, *Le destin des immigrés*, Seuil, 1994.
12. 丸山真男『近代主義』筑摩書房、現代日本思想体系34所収、1965年。同「原型・古層・執拗低音」武田清子編『日本文化のかくれた形』岩波書店、1984年所収。
13. 小坂井敏晶『異文化受容のパラドックス』朝日選書、1996年。
14. 多田富雄『免疫の意味論』青土社、1993年。
15. 丸山真男「開国」『丸山眞男集』第八巻、岩波書店、2003年。
16. 丸山真男『日本の思想』岩波新書、1961年。
17. 丸山「原型・古層・執拗低音」前掲。
18. 同。
19インフェルト前掲書。
20. 丸山「原型・古層・執拗低音」前掲。
21. 同。
22. H. Tajfel & A. L. Wilkes, "Classification and quantitative judgment", *British Journal of Psychology, 54*, 1963, 101-114; W. Doise, J.-C. Deschamps & G. Meyer, « Accentuation des ressemblances intra-catégorielles », *in* W. Doise (éd.), *Expériences entre groupes*, Mouton, 1979, p. 281-292.
23. F. de Saussure, *Cours de linguistique générale*, Edition préparée par Tullio de Mauro, Payot, 1972.
24. 池田清彦『分類という思想』新潮選書、1992年。渡辺慧『知るということ　認識学序説』東京大学出版会、1986年、第四章「客体と述語」および第五章「言語・論理的相対性」。
25. F. Barth (Ed.). *Ethnic Groups and Boundaries: The Social Organization of Culture Difference*, Universitetsforlaget, 1969.
26. D. Schnapper, *La France de l'intégration. Sociologie de la nation en 1990*, Gallimard, 1991.
27. M. R. Marrus, *The Politics of Assimilation. A Study of the French Jewish Community at the Time of the Dreyfus Affair*, Oxford University Press, 1971.
28. Todd, *op. cit.*
29. A. Weingrod, "Recent trends in Israeli ethnicity", *Ethnic and Racial Studies, 2*, 1979, 55-65.
30. A. Koestler, *The Thirteenth Tribe*, Hutchinson, 1976; S. Sand, *Comment le peuple juif fut inventé. De la Bible au sionisme*, Flammarion, 2008/2010.
31. A. Finkielkraut, *Le Juif imaginaire*, Seuil, 1980.
32. G. B. Leonard, "A Southerner appeals to the North: Don't make our mistake", *Look, 28*, 1964. 我妻洋・米山俊直『偏見の構造　日本人の人種観』NHKブックス、1967年より引用
33. S. Moscovici, « Le ressentiment, suivi d'extraits d'interviews », *Le Genre Humain, 11, La société face au racisme*, 1984-1985, p.179-186.
34. G. Simmel, „Untersuchungen über die Formen der Vergesellschaftung" (Digressions sur l'étranger), *in* Y. Grafmeyer & I. Joseph (Eds.), *L'école de Chicago*, Aubier, 2009, p. 53–59.
35. 柄谷行人「交通空間についてのノート」『ヒューモアとしての唯物論』筑摩書房、1993年

23. Holton, *op. cit.*
24. インフェルト前掲書。
25. A. Einstein, "Zur Elektrodynamik bewegter Körper", *Annalen der Physik, 332*, 1905, 891-921 (en. tr.: "On the electrodynamics of moving bodies").
26. M. Sherif, *The Psychology of Social Norms*, Harper, 1936.
27. S. E. Asch, "Studies of independence and conformity: A minority of one against a unanimous majority", *Psychological Monographs: General and Applied, 70*, 1956, 1-70.
28. S. Moscovici & B. Personnaz, "Studies in social influence V: Minority influence and conversion behavior in a perceptual task", *Journal of Experimental Social Psychology, 16*, 1980, 270-282.
29. S. E. Asch, *Social Psychology*, Prentice Hall Inc., 1952.
30. *Ibid.*
31. Asch, "Studies of independence and conformity: A minority of one against a unanimous majority", art. cit.
32. R. Friend, Y. Rafferty & D. Bramel, "A puzzlng misinterpretation of the Asch 'conformity' study", *European Journal of Social Psychology, 20*, 1990, 29-44.
33. E. P. Hollander, "Conformity, status, and idiosyncrasy credit", *Psychological Review, 65*, 1958, 117-127.
34. S. Moscovici, *Social Influence and Social Change*, Academic Press, 1976.
35. S. Moscovici, "Society and theory in social psychology" *in* J. Israel & H. Tajfel (Eds.), *The Context of Social Psychology: A Critical Assessment*, Academic Press, 1972, p.17–68.
36. H. C. Sperling, *An Experimental Study of Some Psychological Factors in Judgments*, M. A. Thesis, New School for Social Research, 1946.
37. S. Moscovici, "Experiment and experience: an intermediate step from Sherif to Asch", *Journal for the Theory of Social Behaviour, 21*, 1991, 253–68.
38. A. Jacquard, *Au péril de la science ?*, Seuil, 1982.

●第二章

1. L. Wittgenstein, *Tractatus logico-philosophicus, suivi de Investigations philosophiques*, Gallimard, 1961.
2. I. Kant, *Kritik der reinen Vernunft*, 1781 [tr. fr., *Critique de la raison pure*, Gallimard, 1980]; H. Bergson, *La pensée et le mouvement*, PUF, 1993 [première édition : 1938].
3. G. Bateson, *Steps to an Ecology of Mind: Collected Essays in Anthropology, Psychiatry, Evolution, and Epistemology*, University of Chicago Press, 1972.
4. J. Gayon, *Darwin et l'Après-Darwin. Une histoire de l'hypothèse de sélection naturelle*, Kimé, 1992.
5. 大塚久雄・高橋幸八郎・松田智雄編著『西洋経済史講座　封建主義から資本主義への移行』I、岩波書店、1960年。
6. 同。
7. 中村雄二郎・池田清彦『生命』哲学書房、1998年［話者池田］。
8. E. Durkheim, *De la division du travail social*, PUF, 1893.

［出典］

●第一章

1. A. Koestler, *The Act of Creation*, Penguin Books, 1964.
2. 野家啓一『科学哲学への招待』ちくま学芸文庫、2015年を参考にした。
3. A. Koestler, *The Sleepwalkers*, Macmillan, 1959.
4. A. Einstein, « La mécanique de Newton et son influence sur la formation de la physique théorique », in *Œuvres choisies, vol. 5, Sciences, Éthique, Philosophie*, Seuil/CNRS, 1991, p. 235-241.
5. G. Holton, *Thematic Origins of Scientific Thought. Kepler to Einstein*, Harvard University Press, 1988.
6. L.インフェルト『アインシュタインの世界』武谷三男・篠原正瑛訳、講談社ブルーバックス、1975年。
7. 野家前掲書。
8. F. Balibar, *Einstein 1905. De l'éther aux quanta*, PUF, 1992.
9. *Ibid.*
10. A. Einstein, « L'éther et la théorie de la relativité », conférence prononcée le 25 mai 1920 à l'Université royale de Leyde par Albert Einstein, *Albert Einstein. Œuvres choisies 5. Science, Ethique, Philosophie*, Seuil, 1991, p.81–88 ; A. Einstein & L. Infeld, *L'évolution des idées en physique*, Flammarion, 1983.
11. A. Einstein, *Comment je vois le monde*, Flammarion, 1979.
12. A. Koyré, *Etudes d'histoire de la pensée scientifique*, Gallimard, 1973.
13. 和辻哲郎「日本精神」『続日本精神史研究』全集第四巻、岩波書店、1935年。加藤周一「日本文化の雑種性」『近代日本の文明史的位置』著作集第七巻、平凡社、1979年。鶴見和子『好奇心と日本人』講談社現代新書、1972年。M. Morishima, *Why has Japan "Succeeded"?: Western Technology and the Japanese Ethos*, Cambridge University Press, 1982.
14. K. Lewin, *A Dynamic Theory of Personality*, McGraw-Hill, 1935.
15. G. Farmelo, *The Strangest Man. The Hidden Life of Paul Dirac, Quantum Genius*, Faber and Faber, 2010.
16. K. R. Popper, *La logique de la découverte scientifique*, Payot, 1973.
17. 村上陽一郎『新しい科学論「事実」は理論をたおせるか』講談社ブルーバックス、1979年。
18. S. Moscovici, *Social Representations. Explorations in Social Psychology*, New York University Press, 2001.
19. R.J. Simes, "Publication bias: The case for an international registry of clinical trials", *Journal of Clinical Oncology, 4*, 1986, 1529–41.
20. P.J. Easterbrook, J.A. Berlin, R. Gopalan & D.R. Matthews, "Publication bias in clinical research", *Lancet, 337*, 1991, 867–72.
21. 浜田知久馬・中西豊支・松岡伸篤「医療研究におけるメタアナリシスと公表バイアス」『計量生物学』27, 2006、139-157.
22. 平石界・中村大輝「心理学における再現性危機の10年　危機は克服されたのか，克服され得るのか」『科学哲学』54、2022、27-50.

切りとり線

★読者のみなさまにお願い

この本をお読みになって、どんな感想をお持ちでしょうか。祥伝社のホームページから書評をお送りいただけたら、ありがたく存じます。今後の企画の参考にさせていただきます。また、次ページの原稿用紙を切り取り、左記編集部まで郵送していただいても結構です。

お寄せいただいた「100字書評」は、ご了解のうえ新聞・雑誌などを通じて紹介させていただくこともあります。採用の場合は、特製図書カードを差しあげます。

なお、ご記入いただいたお名前、ご住所、ご連絡先等は、書評紹介の事前了解、謝礼のお届け以外の目的で利用することはありません。また、それらの情報を6カ月を超えて保管することもありません。

〒101―8701（お手紙は郵便番号だけで届きます）
祥伝社　書籍出版部　編集長　栗原和子
電話03（3265）1084
祥伝社ブックレビュー　http://www.shodensha.co.jp/bookreview/

◎本書の購買動機

＿＿＿新聞の広告を見て	＿＿＿誌の広告を見て	＿＿＿新聞の書評を見て	＿＿＿誌の書評を見て	書店で見かけて	知人のすすめで

◎今後、新刊情報等のパソコンメール配信を　　希望する　・　しない

◎Eメールアドレス

@

１００字書評

矛盾と創造

住所

なまえ

年齢

職業

小坂井敏晶（こざかい・としあき）

一九五六年愛知県生まれ。アルジェリアでの日仏技術通訳を経て、一九八一年フランスに移住。早稲田大学中退。一九九四年パリ社会科学高等研究院修了、リール大学准教授の後、パリ第八大学心理学部准教授。二〇二二年退官。著書に『増補 民族という虚構』（ちくま学芸文庫）、『増補 責任という虚構』（ちくま学芸文庫）、『人が人を裁くということ』（岩波新書）、『社会心理学講義〈閉ざされた社会〉と〈開かれた社会〉』（筑摩選書）、『答えのない世界を生きる』（祥伝社）、『神の亡霊　近代という物語』（東京大学出版会）、『格差という虚構』（ちくま新書）など。

矛盾《むじゅん》と創造《そうぞう》——自《みず》らの問《と》いを解《と》くための方法論《ほうほうろん》

令和五年 五月 十日　初版第一刷発行

著者——小坂井敏晶《こざかいとしあき》
発行者——辻　浩明
発行所——祥伝社《しょうでんしゃ》
東京都千代田区神田神保町三-三　〒一〇一-八七〇一
☎03-3265-2081(販売部)　☎03-3265-1084(編集部)
☎03-3265-3622(業務部)
印刷——堀内印刷
製本——ナショナル製本

ISBN978-4-396-61806-3 C0030　Printed in Japan
祥伝社のホームページ・www.shodensha.co.jp